百年祥符

王少华 著

河南大学出版社

图书在版编目(CIP)数据

百年祥符:王少华汴味小说/王少华著.—开封:河南大学出版社,2000.12
ISBN 7-81041-793-2

Ⅰ.百… Ⅱ.王… Ⅲ.中篇小说-作品集-中国-当代 Ⅳ.I247.5

中国版本图书馆 CIP 数据核字(2000)第 86485 号

责任编辑:刘小敏
责任校对:冯爱莲
装帧设计:王四朋

出版:河南大学出版社
  河南省开封市明伦街 85 号 (475001)
  0378—2865100
印刷:河南第一新华印刷厂
发行:河南省新华书店
开本:850×1168 1/32
版次:2000 年 12 月第 1 版 印次:2000 年 12 月第 1 次
字数:300 千字 印张:14.25
印数:1—8000 定价:21.00 元

序

张家顺

王少华同志是我市一位非常勤奋的中年作家。已经有了数百万字的作品问世。尤其是近几年致力于"汴京味儿"小说的创作,先后有5个中篇奉献给文坛,在读者中产生了强烈的反响,引起了圈内人们的关注。《百年祥符》等作品已经成功地搬上了电视荧幕。这几篇汴京味的小说结集出版,可以说是送给读者、尤其是开封的父老乡亲们的一份很好的礼物。更是给开封文坛的一个振奋。少华想让我在小说集出版的时候说几句话,作为一个读者,我就谈谈自己的一点感想吧。

既然是致力于"汴京味儿"的创作,成功与否,就得细细地品一品,在"味儿"上找感觉:啥叫味儿?啥是汴京味儿?这味儿到底正不正?厚不厚?地道不地道？

　　先说"味儿"。我觉得这是一个很概括又很具体，很朦胧又很真切，很宽泛又很集中，很感性又很抽象的概念。比较容易意会而难以言传。大家用这个词儿相互沟通好像并不困难，但是，想确切地表述，却有点儿"欲辨已忘言"了。尽管言不尽意，我们还是要姑枉言之，因为确实避不开。"味儿"，似乎可以说是多种因素在一定条件下的复合，从而形成的能够给予人们一种很独特感受的风格特色。文学方面"味儿"的形成，至少有地域的因素，历史的因素，民风民俗的因素，方言的因素等等。比如说"京味儿"文学，它得有皇城根儿的味儿，得有老北京的陈年旧事儿的传承，有汉人和旗人相互掺合了的独特的民风民俗，得有只有京片子才说的地道的京腔京韵、方言俚语等等，这些因素有机地复合于一起，形成一种很独特的文化品格，把最能体现这种文化品格的人和事表现出来，才能让人们感受到浓郁的"京味儿"。比如老舍先生的小说和戏剧。

　　再说"汴京味儿"。只要走进开封，到开封的大街小巷转一转，接触到开封人，和他们共共事，听他们"喷"一伙，人们就会感到一种"味儿"，这是只有具有厚重的文化底蕴的老城，才会有的一种文化气息。开封是古老的黄河文化圈里的一个重要中心城市，他有黄土地文化的厚重和朴实，人们重视土地，勤劳，特别有耐受力，人们之间有互助共济的精神，敬老惜贫，讲礼儿，重视先人和传承等等。这使开封具有华夏文化的浓重的底色。

　　开封又是个著名的古都。都城，当然是一个时期国家的政治、经济、文化的中心，由于建都的时代不同，地域不同，他们也会有各自的特色。我觉得，

开封的特色就在于它形成了独特的市民文化。在这一点上与北京有些相似。但开封市民阶层的形成比北京还要久远,开封所经历的磨难也更多,所以它的文化气息与北京还有所不同。中国的七大古都中,安阳最古,可惜文献记载不够丰富,延续性不强,影响于民风的东西不多。其次是洛阳,"河出图,洛出书",带有神秘的色彩。作为东周的都城,固然有《尚书》中的《洛诰》之类的艰深文字,但似乎和老百姓关系不大。开封就不同了,开封始建于春秋,第一个兴盛期是战国。作为魏国的都城,已经有相当的规模,城东西长十里左右,有12个城门,人口约30万。交通便利,商业发达。司马迁说:"魏之大梁、秦之咸阳、楚之郢,皆出入大贾小商之地。"战国时期,是我国文化思想史上最活跃的一个时期,也是人格个性最张扬的一个时期,士阶层叱咤风云、纵横捭阖,在当时的历史舞台上导演了无数惊心动魄的、意蕴深长的、鲜活感人的史剧。士阶层,虽然不是最下层的人民,但他们是区别于宗法贵族的"平民",他们中有"引车卖浆"者,有"屠狗抱关"者,有"鸡鸣狗盗"者,有力士,有说客,他们的事迹载于史册,传于民间,影响了一代又一代,实实在在地成了一种文化积淀蕴涵于后人的人性之中。当时,在大梁城出了多少了不起的人物和惊天动地的事情,我们可以稍事罗列:商鞅,是魏相公叔痤的门人,公叔痤临死时曾举以自代,可惜魏王不能用,让他跑到秦国帮了秦国的大忙。邹衍、淳于髡、孟轲先后到大梁,《孟子》开篇就是《梁惠王》,所阐述的儒家的"义利观"可谓影响千古(今天开封尚有游梁祠街)。张仪是魏国人,两次为魏相,死于魏(开封东郊有张仪墓)。范雎是魏人,受了魏齐之辱,亡命秦国,终为秦相,封应侯,使秦昭王内除贵戚、外霸诸侯,他本人也借助秦的力量报了受辱之仇。孙庞斗智、唐雎不辱使命、信陵君窃符救赵等历史事件更是惊心动魄,至今看来仍然令人倾倒。尤其是其中的一些细节所包含的人性的涵蕴真是丰厚。比如张仪年青时被人认为是"贫无行",遭"掠笞数百",他的妻子说:"嘻!子毋读书游说,安得此辱乎?"张仪谓其妻曰:"视吾舌尚在不?"其妻笑曰:"舌在也。"仪曰:"足矣。"他的自信、幽默乃至油滑,和他作为纵横家巧舌如簧倾危天下的一生不是很合拍嘛。唐雎,是魏国的一位"布衣",他曾劝过信陵君"人之有德于我也,不可忘也;吾有德于人也,不可不忘也"。也就是这个唐雎,在秦始皇要兼并安陵(魏的属国,方圆仅五十里)的时候,他不顾自己已是九十高龄,出使秦国,面对秦始皇的"天子之怒",大义凛然地表现出"布衣之怒"说:"若士必怒,伏尸二人,流血五步,天下缟素,今日是也。"挺剑而起,终于使秦王屈服而保存了安邑。信陵君是司马迁最为心折的人物,他平生最辉煌的事迹就是"窃符救赵",他完全得力于两个人物:侯嬴和朱亥,一个是看城门的,一个是屠户,他们是地道的平民,可是却表现出超人的大智慧和薄天的义气与风节。现在开封还有信陵君墓和侯嬴墓,朱亥故里(在朱仙镇,镇名与之有关)。在那个使气任侠、英雄辈出的时代,开封真是个藏龙卧虎的地方,真是有顶尖级的大"混家儿"。这些开封的先民给开封人留下的东西也真够有分量的。

开封的鼎盛时期是北宋。这个时期的开封,不但是最大的都城,也是最大的码头。是全国最繁荣的城市,人口大约有150万左右。这150万人口中绝大多数都是市民。北宋的经济达到了封建社会的顶峰,手工业、商业、文化娱乐行业为主的城市经济空前繁荣。在中国的城市史上,是北宋时期的开封使自古以来的坊市制度彻底崩溃,变坊市分离为坊市合一,出现了真正意义的商业街,商业活动和文化活动开始深深地融入市民的生活,市民的文化品格发生了深刻的变化。我认为宋文化的本质特征是平民化,也就是说,文化下移。不仅仅是社会上层,而是包括广大的市民都有广泛迫切和多样的文化需求。就连似乎远离下层的哲学,也不能不受到影响。以二程为代表的新儒学,新就新在把对人生理想的终极追求和人的平凡的日常生活统一起来,在日常生活当中寻求"孔颜乐处",体认平凡生活中所能达到的自我人格的完善,感受生活的乐趣。所以,它能在下层人士中发生广泛的影响,成为封建社会后期的主流学派。对于广大的市民来说,他们已经有可能去追求比较有质量的生活、有一定品位的生活,他们尽量使自己的生活有滋有味一些。这就自然形成了前代所没有的市民文化。在城市的风貌方面,坊市合一打破了封闭式的里坊,出现了店肆鳞次栉比的繁华商业街如:御街、东大街、西大街、马行街等。园林也成为城市建设的重要组成部分,成为市民文化活动的重要场所,当时开封著名的园林就有百个以上,再加上著名的寺院庙宇,开封的市民游玩之处比比皆是。"举目则秋千巧笑,触处则蹴鞠疏狂",可见当时市民们游乐之盛。同时,市民养花、赏花也成为时尚,乃至于花卉成为一种产业,尤其是种菊、赏菊成为很盛的风气。饮食文化空前发达,北馔、南食、川饭等一应俱全,各种名酒100余种,仅正店(自己有酿酒作坊,兼批发)就有72家。服饰用具逐渐突破了等级限制,而逐渐趋于时尚化,普通妇女

也敢用"内样",下层妇女的新潮服装,也为大家闺秀所仿效,"衣带争济楚",是市民尤其是妇女的一种追求。工艺品的生产形成了相当规模:官瓷、汴绣、雕刻、漆器等亦进入了"寻常百姓家"。城市的文化娱乐业一派繁荣,文艺活动的专门场所瓦子勾栏遍布城内外,大的可容数千人。说书、杂技、杂剧、诸宫调、魔术、影戏、说诨话、吟叫等一百多家表演团体竞相献艺。瓦子中又有商业服务,所以又称瓦市、瓦肆,是市民们消闲的好去处。民间的文体活动也十分活跃:蹴鞠、踏歌、旱船等活动相当普及。总之,我们可以看出,这种空前繁荣的市民文化的特点是在日常生活当中追求适合自己的情趣,得到身心的愉悦,人的天性在一些方面得到了进一步的解放。

正是这种市民文化作为土壤,使宋代的文学和艺术出现了新的特色。宋代的散文中,出现了一些表现作者感悟人生、抒发情怀、文风也更加平易流畅的作品,更具有文学的色彩。宋代的诗词,特别是婉约派的词作,细腻地表现了作为普通人的情感意绪,凡是有井水的地方都有柳永的词,可见宋词普及的程度。宋代的绘画,也突破了宗教画的窠臼,山水、花鸟、人物画都名家辈出,尤其市肆画、风俗画为宋代的独创。据载,燕文贵的《七夕夜市图》,高元亨的琼林苑、角抵、夜市等图俱有很高的成就。而张择端的《清明上河图》更是淋漓尽致地表现了开封当时的繁盛和市民的生活情态,公认为我国古代绘画艺术最高成就的代表。宋代的书法也有很多的变革和创新,苏、黄、米、蔡流派纷呈,总的来说更重意趣和神韵,这也和宋代的文化氛围是分不开的。宋代的说唱在中国的曲艺史上有划时代的地位,宋代的话本,就是我国最早的白话体小说,它完全是适应市

民的精神文化生活的需要应运而生的。宋代的话本,有很多就是表现广大市民的生活情态和喜怒哀乐的,如《碾玉观音》、《错斩崔宁》等。宋杂剧也可已称为我国戏剧史上的滥觞,为以后戏剧的发展奠定了很好的基础,在瓦子勾栏和庙会上都是最为市民欢迎的。

宋代以后,开封虽大不如宋代的繁盛,地位渐衰,但还始终是中原地区的中心城市,是全国的著名都会,使得从战国到北宋所形成的文化积淀得以传承和发展,她的文化特色基本上没有变。只是因为过多的磨难和地位的下移,更增添了一些无奈与苍凉罢了。

要说汴京味儿,就得从汴京的历史上去找根源。现在的开封人,尤其是一些老开封,他们的好多习尚、情趣、做派等都常常让人感觉到渊源有自。开封人好热闹,好赶场,好讲义气,有空儿好到处游游,好养花鸟,好在外边吃个小吃儿,好起个会弄个玩意儿,好玩儿个票,搭个班儿吹拉弹唱,好练练书法绘画,好玩个石锁墩子儿、走走趟子,好"喷",尤其好说开封的历史典故和传说,好攀亲论旧称兄道弟,好讲"人物"要面子……总之,穷也罢,富也罢,顺也罢,不顺也罢,开封人活着就得图个"滋味儿",没滋味儿的日子开封人是没法儿过的。这种文化的传承随着时代的变迁它的表现形式会有所变化,但其中的味儿却总让人感到是一脉相承。走进开封的夜市、走进开封的庙会,走进开封盘鼓、唢呐大赛,走进开封的花鸟市儿、斗鸡场,走进开封书画界的笔会,走进大大小小的豫剧、京剧的剧社,走进大大小小的书店书铺,走进大小饭庄,过年时候逛大街、串胡同,看看家家户户门上的对联……你就会强烈地感觉到啥叫"汴京味儿"。

王少华的几个中篇：《百年祥符》、《宣和画院》、《汴京镖局》、《皇家老店》、《旱天雷》，已经是大家认可的汴京味儿的小说了。那么，这种"味儿"是怎么出来而让读者感受到的呢？少华在开封已经生活了25年了，作为一个小说人，他对开封五行八作各色人等都有很深入的体察，为了创作，一个时期他还专门地深入到一个行当一个团体去体验一段时间。所以，他对开封人身上所蕴涵的特有的气息，即所谓的"味儿"是敏感的，体味和把握是比较准确的。这几篇作品所描写的都是市井细民，最高层次的也不过是民间画师、戏剧名伶，其他的都是些练拳脚的、开饭店的、敲盘鼓的、还有市井游民乃至无赖，但是恰恰是在这些人们身上浸透着一种市井文化的浓烈气息。这是作者的高明之处，这个描写的角度是最容易出效果的。所谓"礼失求诸野"，文化最顽强的生命力在于民间。试想：我们要体会"京味儿"，是到故宫看展览呢？还是到老舍先生所描写的茶馆去"泡泡"呢？我觉得还是后者让人感受更真切。说开封有文化底蕴，自然少不了说开封的龙亭、铁塔、相国寺，但光有这些介绍总是难触动人们的感觉神经，有点肤泛。但是给你随便讲几个故事，让你知道"汴京这地方吓不吓人，旮旮旯旯里保不住藏个什么主儿，一知儿，就吓你一跳。"（《宣和画院》中语）这才叫"底蕴"！比如说《宣和画院》里的萧桂云、杜瑞宣，走在街上都是不起眼的老头子，可一旦接触，其文化品位之高真让你感到匪夷所思。萧桂云的字画且不说，就他用的印泥那个讲究，那个传承你就想不出来，一盒印泥得两架子车鲜藕抽出的藕丝，还要用上好的朱砂、真腊红宝石等制成，据说这是宫廷御

制的法儿。《旱天雷》里的鲍玉昆,是个老鼓手,在他儿子眼里他是个"老朽不堪的爹",没想到一亮绝活儿,立惊四座,让他儿子马上换了感觉,变成了一本"厚厚的书"。他不但会"雷中雷"这一手,还讲得出阴阳配合、天有九重、声震中天等一番道理。这种东西都是不见于经传,百姓之中代代相传的。就像《百年祥符》中"老喷壶"说的:"这也是俺爹听俺爷喷的,我听俺爹喷的。"开封有文化就有到这儿了,有着稽古的传统!不管是唱戏、盘鼓、书画、包子、养花、喂鸟、斗鸡都有自己的"经典",都有讲究,都出人物!老舍先生的作品也把视点对着老北京的下层,像《茶馆》、《四世同堂》、《龙须沟》等,所以"京味儿"十足,道理是一样的。

　　生活是有气息的,不同的地方有不同的气息,说到底,是生活把这里的人酝酿出了这种气息,这就是民风,也是文化。要把握一个地方的文化不但要把握他的种种表现,更要把握它的潜质,现象和潜质的自然和谐才会让人们认可。"汴京味儿"的潜质是什么?我觉得少华的小说至少把握住了这么几点:一是它久历沧桑、生生不息,眷恋执着地对自己传承的热爱;二是它耐得住寂寞、不浮不躁、穷达互通、虽然有些没落(和它昔日的鼎盛相比),但不失风范,依然有名都气象。(孔令更先生说:"顶看不上那些浅薄、无根基、富不起,一阔就忘了自己贵姓的小家子气。"可谓很准确地把握了这个城市的气质。)三是只有很少的城市才能说得上的那种浓郁的乡土气息和很深的文化蕴涵相通,大俗大雅相融,最平凡的生活和最深奥的哲理相印证的种种世相情态。这些都会让人感到这个城市文化的厚重、它的沉着、它的真实、它的生存智慧和无穷机趣。在少华的作品中,一系列很生动鲜活的人物群像如：萧桂云、巧儿团长、柯京生等人的身上都有厚实、感人的体现。这些，我想会有专家结合着作品细致地去分析的，我就不多饶舌了。我想说一句话就是少华作品的"汴京味儿"，我觉得还是挺地道的、很有根儿的。语言上，土、俗的味儿重了一点，雅、正的味儿稍欠火候。《宣和画院》要好一些。

还有一个问题我想说几句，就是传统和现代生活的关系。现代生活不可能脱离传统，写小说不仅应该用现代的精神去烛照传统，对传统进行一番扬弃，传统中的好东西一定要充分褒扬，肯定它的积极意义；对传统中消极的东西也要有深刻的批判，决不能抱残守缺、敝帚自珍。更重要的是把握好现代精神和优良传统的结合点，以此去观照当前生活，下大力气塑造出一批既有深厚的传统文化内涵，儒雅渊博、雍容大度、气质清越，又具有现代意识，思维敏捷、开拓进取、应付裕如、事业成功的人物形象。要表现开封这块文化的沃土是怎样长出新的参天大树的，使开封这块古老的土地更有亮色。这是我对致力于"汴京味儿"文学创作朋友们的一点希望。

2000年12月于开封

目录

序 …………………………………… 张家顺（ 1 ）

百年祥符 …………………………………… （ 1 ）

宣和画院 …………………………………… （118）

汴京镖局 …………………………………… （199）

皇家老店 …………………………………… （259）

旱 天 雷 …………………………………… （303）

后记:汴人说汴 …………………………………… （440）

王少华汴味小说之一

百年祥符

开 头

读这个故事之前,写这个故事的人需要交代一下,这个故事的"开头"这段叙述不是虚构的。下面的段落,可信可不信,包括写这个故事的人,也被这个故事的真真假假蒙蔽。如果你认为这个故事是假的,但愿你相信写这个故事的人付出的感情是真的。

再远的记载找不着了,明洪武十年,公元1377年,被封在开封的周宪王朱有炖,在朱氏诸王中是一位出色的杂剧家,曾有"暇则制乐府,被新声,梁园仕女弦歌之"之称;明诗人李梦阳《汴中元宵》曰:"中山孺子倚新装,赵女燕姬总擅扬,齐唱宪王新乐府,金梁桥外月如霜。"《列朝诗集》谓诚斋所称"音律谐美,流传内府,至今中原弦索多用之"。《如梦录》记载明末开封王府过元宵时盛况:"王府乡绅,但放花灯,宴饮各家,共有大梨园七八十班。""开封城内从半截街北,钟楼东再南,卖头盔戏衣枪棒。"乾隆五十三年的杞县县志《土风篇》里有一段禁戏文告,曰:"愚夫愚妇,多好鬼尚巫,烧香佞佛,又好约会演戏,如罗罗、梆、弦等类……"这里说的"梆",是梆子腔,当时开封一带叫"土梆戏"。清末人徐珂在《清稗类钞》里说:"河南有土梆戏。土梆戏者,汴人相沿之戏曲也,其节目大率为公子遇难,小姐招亲及征伐赛宝之事,道白唱辞悉为汴语,而略加以靡靡之尾音。"这个土梆戏据专家考证,无疑就是开封的"祥符调"——豫剧的老娘。

　　古时的开封是两部分组成,其中一部分被称为祥符,顾名思义,祥符调就是祥符地区产生的曲调。每章儿①,祥符地区的民歌小调很稠,主要盛行的有:锁南枝、傍妆台、山坡羊、耍孩儿、驻云飞、醉太平、寄生草等。祥符调在吸收这些民歌小调的精华之后,又结合了开封的"女儿腔"。清人李调元在《雨村曲话》中记载:"女儿腔亦名弦索调,俗名河南调,音似弋阳,而尾声不用人和,以弦索和之,其声悠然以长。"唉,咱们别再搅和进学术界说着说着也自相矛盾的寻根之中,远的不说了,说点近的吧。

　　祥符调的科班,是在乾隆年间形成的,当时有蒋门、许门两家。许门办的科班在封丘的清河集,蒋门办的科班在朱仙镇。据老年人讲,因黄河决口,蒋门冲散四处,把蒋氏祥符调传至商丘一带,形成豫东调;传至豫北濮阳一带的叫大高调;传至周口、许昌一带的叫沙河调。许门则始终在开封附近活动,老艺人称这一带叫"内八处",即祥符、杞县、通许、尉氏、中牟、陈留、仪封、兰考。后来许门在光绪年间办了八个科班,或许是许门始终没有离开省会开封附

---

①　汴京方言。"每章儿",过去的意思。

近的缘故,祥符调的名演员大都出自许门之下。名须生常金声、张才、秦大成、李光苍、贯台王、张震中、张子林;名旦角孙延德、常金荣、秦金声、水上漂、李剑云、时倩云、阎彩云、林黛云、贾璧云、王絮亭、石柳湘、筱次丙;名小生筱火鞭、刘朝福;名丑角李德魁、张洪盘等。

  清末民初,开封祥符调主要是在农村跑高台,眼望儿①的话就是演土台、野台,马里马虎,设备简陋,十三块板一搭,唱开。辛亥年以后,开封才有了戏院,当时在开封城里活动的班社有义成班、公义班、天兴班、松义班、福寿班、庆福班、庆升班、顺成班、万盛班,那是全河南最牛气的,谁也挺②不住。辛亥革命以后,女人陆续登上了祥符调的舞台,王小焕、王玉枝、陈素真、马双枝、司凤英……祥符调真正面貌一新展现在开封舞台上,是在民国初年,一个毕业于中州大学的文科硕士,介入进祥符调。此人叫樊粹庭,读大学时就好戏剧,受文明戏影响较深,1933年弃官,在开封创办了豫声剧院,对祥符调的道白、声腔、表演、化妆、音乐作了全面改进,才使现代人给了祥符调一个确切的剧种名称——豫剧。樊粹庭所创办的豫声剧院,也就是我们这个故事中这一群主人公的老娘。

  不多罗嗦,读故事吧。

一

  绝大的一盘日头压③徐府街东灰蒙蒙的屋顶升

---

① 汴京方言。"眼望儿",现在的意思。
② 汴京方言。"挺",比的意思。
③ 汴京方言。"压",从的意思。

了起来,浮漾在屋顶上的一层朝雾,减薄了几分浓度,湛蓝的天上疏疏落落,有几处极薄的晴云,白得像新摘的棉花。徐府街上几家羊肉汤馆的鼓风机已经吹沸了大锅内的骨头汤,山陕甘会馆内吱吱哇哇的弦子声调,已经告诉居住在这道街上的人们,无休无止的日子,又随着日头从东往西落去。

汴京城里,即便是一些上了岁数的人,你让他原原本本讲出这徐府街的来历,恐怕他也是讲个虎头蛇尾。有些事儿往往就是这样,人人口中有,人人心中无,从早到晚在身边,真让说出个子丑寅卯,傻脸。山陕甘会馆东隔壁,挂着是汴京市豫剧团的招牌,在这座数年前翻修过的天井院的白楼后面,另一座无钱翻修的小木楼,显得可怜巴巴,不用去了解这座木楼的历史,任何人一踏上楼梯,就会坚定不移的相信,它的年龄比自己大。这木楼上住着的团长她娘,人称"老喷壶"的老太太,大概是徐府街上为数不多的几个能把这道街来历娓娓道出的人。老喷壶喝着酽茶,老皮筋瘦的兰花指上夹着烟,每抽一口,都能喷出一个典故吐出一个来历:

"俺爹说,这道街,每章儿曾是一水的'大门金钉绿户',高悬'大功坊'匾额的名门望族住的地儿,因为是明代开国元勋徐达的后裔奉敕修建的府第,所以名叫徐府街。到了清代乾隆年间,一些居住在咱汴京的山西、陕西、甘肃的富商巨贾,集资在这地儿修建了会馆,作为同乡聚会的去处。喷的准不准不知,这也是俺爹听俺爷喷的,我听俺爹喷的。"

老喷壶每章儿是唱曲剧的,年轻时就是这个劲儿,前三皇后五帝,张家的猫,李家的狗,没她不知没她不晓的。她早年扮丑角,"陈三两爬堂"是她的拿手好戏。女人扮丑本不多见,可老喷壶那优美的唱

腔,如今汴京城里五十岁上下人,大多会唱上几句:

> 一听说会文找我心里
> 扑通扑通我好几扑通
> 那烟花女名叫陈三两
> ……

当时的"追星族"里追得最凶的,要数现在团长的老公公刘三。那刘三知老喷壶爱喝面筋汤,三九天把打好的面筋汤往罐里一盛,暖在怀里抱到后台。唉!刘三没那福分,老喷壶末了让省党部一个姓杨的参议霸占了。那是一九四八年的事儿,到了一九五一年,共产党镇压反革命,杨参议让崩了,刘三却没了机会,他老婆肚子里的羊水中折腾着他的儿子。那些年,老喷壶老在山陕甘会馆内戏楼子上唱折子戏,刘三是每场必到,他老婆破羊水那天,他还怀里裹着一瓦罐面筋汤蹲在会馆右掖门旁听戏。

要说一个女人被一个男人爱到这份上,也算是她的福气。老喷壶如今已经老得找不着当年风光时的一点痕迹,偶尔在麻将桌上和退了休的老刘三一块搓牌时还喷到那一板:

"老鳖孙,谁打面筋汤也没你这个老鳖孙打得好喝。唉,眼望儿不比每章儿了,谁还去热粘皮一个唱戏的?山陕甘会馆的那座戏楼再让咱去唱一回陈三两爬堂,老鳖孙,你还送面筋汤不送?"

"送。"老刘三闷闷地打出一张牌,"给,一桶。"

算卦的说,老喷壶和刘三是有缘无分,到老俩人也没睡到一张床上。他们的儿女却有缘有分,睡到一张床上了。老刘三听了一辈子戏,却不会唱戏,他的儿子不但戏唱得好,还成了导演。团长呢,比起她娘那会儿,风光得不能再风光,名片上是这样写的:国家一级演员、省政协委员、市人大代表、三八红旗手、特殊人才、享受政府津贴。老喷壶认不得几个字,但心里清亮,女儿混到今天这一步不易,是多少血和汗换来的。羡慕之余,不免对女儿发一些感慨:"娘是没赶上好时候,常香玉捐飞机的时候吧,恁亲爹被崩了;正唱主角的时候吧,恁后爹被打成右派;倒是改唱样板戏的时候,露了一鼻子,扮了个座山雕,评价还中,就是拿不准普通话,真药人①,唱曲剧的咋能讲普通话呢?再后来,文革结束,扮了一回《槐树庄》里的崔老昆;再后来,去球,曲剧团散伙,没人愿答理了。"

每当老喷壶说这,团长就不耐烦:"中啦,中啦,曲剧散伙,豫剧散不了伙,我不是在继承你老的革命意志嘛,你没赶上的,我都替你赶上不就齐了。"

导演在一旁嘟囔着:"赶上了,都让你赶上了,开不下工资让你赶上了,报不了医药费让你赶上了,排新戏没经费让你赶上了,孩儿上大学掏一万二也让你赶上了,你是好茬口,啥都赶上了……"

每当导演一嘟囔,团长就脸黑:"你要闲得难受,去,一边拿大顶去,少在这儿阴死阳活的!"

"拿就拿。"

每当团长一熊②导演,导演就找一个挨墙边的地方拿大顶。导演爱拿大顶的习惯,是压小在二加弦剧团养成的。那年月吃不饱饭,饿得难受,师傅教了个方法,拿大顶可以缓解吃进的东西过早排出。你别说,这招还真灵,压那时起,导演吃罢饭就拿大

---

① 汴京方言。"药人",害人的意思。
② 汴京方言。"熊",批评的意思。

顶。眼望儿用不着了,温饱解决了,习惯却丢不下了。只要是碰到不顺心的事儿,导演就拿大顶,自打老婆当团长之后,导演的大顶越拿越多,越拿时候越长。

秋天的日头已不像夏天那样火辣辣的,尤其一早一晚,日头显得十分优雅,用它那无力的热量洒在行人拥挤的徐府街上,洒在山陕甘会馆内钟鼓二楼永远的东西对峙之间,洒在"狄仁杰登山望母"和"汾河湾夫妻相会"的木雕之上。朝夕从这里经过的人们,没有谁去留意这会馆临街那座高九米,长十六米的高大照壁,只有那些高鼻子、蓝眼睛、黄头发的家伙们在此流连忘返。曾有一个翻译走过来,问正在照壁旁打牌的老喷壶:"大娘,这照壁有啥讲究没?"

"孩子乖,讲究大了,没这照壁,里头的内容不就被你瞅个一清二楚?别管里头咋着,你就瞅瞅这照壁,气派不气派,雕花高浮正脊,两端有鸱吻,垂脊有奔狮,梁头雕'寿',砖上是'八仙过海图',山石、花草、鸟兽、算盘、二龙戏珠,要啥有啥,用不着瞅里头,一瞅这照壁,啥都齐了。"

"别看这山陕甘会馆平常冷清,老外一来就稀罕不够。"坐在下手的老刘三说罢打出一张牌:"给,发财。"

"发财,谁知发了发不了呢?西风。"

在这个秋天里,无论是外国人还是中国人,他们徜徉在古色古香的山陕甘会馆幽静的院内,总能清晰地听见一阵密似一阵,犹似疾风,宛如玉珠落盘的班鼓声响,没有人过多在意,却又实实在在触击着人们的耳膜。

7

二

一连几天,老喷壶唠叨了几回,说眼望儿的天和每章儿的天不一样了,都啥时候了,街上小妞们还穿着裙子。老喷壶说她清清亮亮记得,十三岁那年,常香玉在相国寺剧场演《老包铡陈世美》那天,是阴历十月十八,雪下得老厚,散戏后,一出园子,把人冻得吸流哈洒的。眼望儿,也不知咋着了,都十月初一了,暖得还像过夏天。

老喷壶端着面筋汤碗,一边溜着碗沿儿喝着一边说:"常香玉那时候还不中哩,扮冬妹,搭不上班,拿不到份子。"

巧儿和刘双埋头吃饭,不吭气。刘双三下两下扒光碗里的饭,把空碗不轻不重往小方桌上一搁,用手抹了一大把嘴,伸手去兜里掏烟,掏出了一个空烟盒,一把在手心里攥成团,往门外一扔。

"这儿有。"巧儿妈用嘴往条几上努,"别嫌孬。"

刘双从小板凳上站起身,抓过条几上的烟,捏出一根,点着后,坐回小板凳上。巧儿把碗一推,起身,抓过条几上的烟,捏出一根,摸出口袋里的打火机,一连打了十几下,不见火头。

"这儿有。"老喷壶掏出火柴,往桌上一拍,"还是这好使。"

巧儿点着烟,没坐回原来的位置,她倚着门边,瞅着东墙头外山陕甘会馆那黄绿色琉璃瓦发愣。三五只雀儿在瓦棱上跳跃,叽叽喳喳,晌午头的阳光很好,没风,树叶一动不动。

老喷壶也搁下碗,抓过条几上的烟,抽出一根点着后,把那烟和火柴一同塞进兜里,嘴喷着烟雾,坐回马扎上,说:"愁啥,不中就不去,去哪儿弄那么多

8

钱？去抢银行？还是去盗墓？"

巧儿根本不理睬她妈,目光从山陕甘会馆的琉璃瓦上拉回,对闷头吸烟的刘双说:"不中再跑一趟豫西煤矿？或许能中,那个老板并没把话堵死。三千五千,弄多少算多少。"

"三千五千？你没听说,山西的张丽蓉,上一届进京花了多少？四十万!"

"传的邪乎,我不信。"

"邪乎？张丽蓉后面跟个啤酒肚,坐凯迪拉克进北京的,你不信？白搭。"刘双把烟头踩灭在脚下,"别的不说,你算过没,十多人的吃喝拉撒睡得多少钱？劳务费得多少钱？别说送礼,这费用就把你挡在梅花奖的门外了。"

"这叫啥事儿。"老喷壶叮叮当当一边拾掇碗筷一边说,"唱戏凭本事,又不是比谁的钱多。四十万？把恁豫剧团的人全卖喽,看值不值四十万。不就是个梅花奖吗？有它没它都过年,去球!"

"你知啥,跟着瞎喳呼。"巧儿上前接过妈手里的碗筷,"找双他爹打牌去吧,这一摊我来拾掇。"

巧儿妈嘴里嘟囔着走了。

巧儿支派刘双去买烟,刘双摸了半天,从兜里摸出一把破破烂烂的毛票子,一查点,不够数,走到正在洗碗的巧儿身后,把手伸进巧儿兜里,摸出五块钱,去街口小铺买烟去了。

刘双刚走,巧儿听见楼上的秀儿勾着头冲下在喊:"团长,吃罢没？团长,在屋不在？"

巧儿最讨厌秀儿这种声音,喊嗓不像喊嗓,叫板不像叫板,声音听不出是大本嗓还是二本嗓,不知是压哪儿发出来的。她和刘双曾探讨过秀儿的这种声音,刘双琢磨了半天,琢磨出这种声音的位置大概是在肚脐眼上。不光巧儿和刘双不能忍受秀儿大声说话，楼里的所有人都无法忍受，住巧儿隔壁的布景养的那只串种"京巴"，只要一听见秀儿这声音，就"汪汪汪"地叫个不歇。

"啥事儿，秀儿？"巧儿解着围裙应答。

"我这就下来，团长。"

在布景串种"京巴"的叫声中，秀儿踩着吱吱呀呀的楼梯下来。进到屋里，坐在巧儿递过的马扎上。秀儿从兜里抓出一把瓜子，塞到巧儿手中："团长，你磨着牙，我给你说点小事儿。"

"啥事儿？说吧。"

巧儿一边嗑瓜子，一边注视着秀儿。秀儿在微笑时那两个酒窝确实好看，她的微笑与她说话的声音和脸上深浅不一的疙瘩相比出入很大。十六年前，巧儿随前任团长老巴去祥符县招学员，如果不是秀儿微笑时那两个醉人的酒窝醉倒了老巴，秀儿这会儿可能还在祥符县种田。在巧儿眼里，秀儿在农村也算不上是很漂亮的女人，农村的漂亮女人漂亮在于她们的五官秀媚中映透着田野的宽厚与大气，体现着只有农村才可能铸造出女性那特有的艳丽。而秀儿并不是这样，压巧儿第一眼见到她时，就像逛商场瞅见一件款式不错而布料却不怎样的衣服，拿到跟前马上就能看出毛病。而老巴似乎视而不见，硬说有培养前途。十几年过去，秀儿的酒窝依然那么醉人，却始终还是个拉山膀走圆场的龙套，若安排个正儿八经的角色，也是 C 角。

"巧儿姐，我有了。"

"啥有了？"

"这儿。"秀儿指指肚子。

巧儿明白，笑着说："好啊，有了好啊，真不容易。"

"好个鳖孙,办事处说明年才有指标,有了也白搭,非叫做喽,老巴已那么一大把年纪,我又多少年没怀上,眼望儿怀上了,叫做喽? 天爷。"

"丑妞抓咱团的计划生育,让她去办事处好好说说。"

"去罢啦,不管用,办事处管计划生育那个娘们说话噎死人,说,'又不是浆①猫浆狗,想咋着就咋着。'"

"咋就这说话,啥水平!"

"我的姐,眼望儿咱别管她啥水平,只要给咱个指标,叫咱顺顺当当把孩儿生喽,就谢天谢地。姐,我看这事还得你亲自出马,汴京城里,谁不给你面子? 再说,咱这又不是超生,老巴前面虽有三个孩儿,但我是大姑娘上轿——头一回,法律条文允许的……"秀儿说话爱激动,稍微一激动她脸上那些疙瘩就发红。

"我知,我知。"巧儿打住秀儿的话头,"今天不中,上午重排《唐知县审诰命》,下午排《窦娥冤》,团领导还要研究去山西演出的事儿,明天咋样? 明天我抽空去趟办事处,跑跑这事儿,中吧?"

"中,中,小妹这厢有理了。"秀儿高兴地从马扎上站起,给巧儿做万福。

"中了,中了,再和老巴打架,别往楼板上摔东西就中,俺家老太太神经衰弱,受不住。"

"不摔了,不摔了,向毛主席保证不摔了。"

秀儿酒窝里溢满醉人的笑,满面春风地踩着吱

――――――

① 汴京方言。"浆",生的意思。

吱呀呀的楼梯上楼去了。

秀儿前脚走，刘双后脚进门，把一封信递给巧儿："给，政协又通知你去开会，啥名堂也开不出来，庄稼不收年年种。"

巧儿拆开市政协的会议通知，用眼扫了一遍，把通知搁在条几上："两年没好好参加人家一次会，这又赶上去山西演出，没法儿，死猪不怕开水烫喽。"

刘双掏出买回的烟，拆封，抽出一支递给巧儿，自己也抽出一支，点燃后，把火柴撂给巧儿。

"你听说没，老妖住医院了，团里要返聘老巴回来打鼓，闹得人心惶惶，汴生、扎根他们说了，只要团里返聘老巴，他们就办停薪留职，和石俊卿一样去马道街卖袜子。"

巧儿没吭气，抽了几口烟后，问："老妖的病不知咋样了，去山西之前，咋着也得抽空去医院看看他。"

"安排兴旺去医院看老妖，兴旺不敢去，老妖张口就要医药费，哪来？我看你也别去。"

"躲了初一，能躲了十五？人有病了，不去看，留话把儿给人家？看归看，医药费归医药费，真要有钱还能不给？"

"要去你去，我是不去。"

巧儿瞪眼："你兼着工会主席，哪有不去的道理。"

刘双不吱声，掐灭手里的烟扔在桌上，顺势倚墙拿起大顶。巧儿瞅都不瞅他一眼，抽着烟若有所思，片刻说道："你抽空去找一下石俊卿，让他写个现代戏，明年全省要搞戏剧大赛，传统戏肯定吃亏。"

"人家袜子卖得好好的，又没稿费给人家，吃撑了，白给你写戏？"

12

"当初我就不赞成让他离团,就这么一个编剧……"巧儿想了一会儿,坚定地看着刘双说:"不管咋着,一定要上个现代戏,不定啥时就派上用场。"

三

上午响排,刘双在排练厅门口一个劲看表,快九点半了,人还没来齐,扎根、汴生、保安、八斤几个小年轻,索性坐在地上打起扑克。排练厅的角落里,老妖的徒弟宝财埋头在练鼓经,清脆响亮的班鼓丝毫影响不了其他人的谈笑。

副书记兼艺委会副主任的兴旺,甩着高腔对大家说:"说两件事儿,第一件,今年的职称评定工作就要开始,具体条件已经给大家说罢了,觉摸着够条件的,你就报到艺委会职称评定小组来。第二件事儿,咱团长准备去北京参赛梅花奖,谁能拉来赞助,提成按百分之五十,对半。联系一场戏才百分之三十了,这百分之五十可油水大大的啊。"

兴旺话刚说罢,排练厅拐角的过道处,传来秀儿的嗓门:"双导,大凤托我捎一个钟头假,她说有点小事儿。"

"汪汪汪,汪……"

"布景!把你的狗拴家中不中?"兴旺对布景说。

"旺,旺,旺哥,秀,秀,秀姐不叫,它,它,它咋会叫。"布景结巴着嘴对跨进排练厅门的秀儿说,"秀,秀,秀姐,你小点声中不?"

"我小点声?"秀儿指着角落里的宝财,"你让他小点声,也敲不上个点,让人听着心里像耗子挠。"

扎根用手指蘸着舌尖,抹着牌说:"恁别说,宝

财敲这一秋,还打出点老妖的味道来了咧。"

秀儿翻了扎根一眼,冲宝财喊道:"小,停下,别打了。"

布景的串京巴刚叫出一声,就被布景抱起捂住了嘴。满脸郁闷的宝财,无精打采地抬起眼皮,直愣愣瞅着秀儿。

秀儿说:"小,你师傅得啥病你还不知? 乙肝! 鼓条和手板消毒了没? 还使咧,就不怕传染?"

宝财没太多反应,仍旧无精打采瞅着秀儿。八斤、保安反应过来,立马嚷嚷起来:"就是,小,别再使老妖的家伙了,换套新的吧。"

大家三言五语说开,越说宝财越无动于衷,老半天才无精打采地说了一句:"俺师傅的家伙好使。"

一句话把大伙儿逗乐:

"小,恁师傅的家伙咋好使?"

"小,恁师傅的家伙是长是短?"

"小,恁师娘咋说?"

"小,恁师傅去住院再放心不过,你那玩艺儿耷拉头,不好使,恁师娘再急也没用,对吧? 小!"

"小,恁师傅不是说给你找偏方治你的耷拉头吗? 这回去球,治不成了,恁师傅自身难保。"

……

宝财满脸通红,抿着厚厚的嘴唇低头不语。这样的语言,他习以为常。他苦恼,并不是因为他的病成为大家的笑柄,而是仇恨那个已经同他离婚、比他大七岁的女人,是那个女人把和他离婚的原因告诉了他师傅老妖,促使他师傅经常在他敲不上点的时候,破口大骂他没出息,下面没性儿,上面也没性儿。他很悲观,自己才二十三岁,女人不可能再有,鼓又没敲出名堂。想到这里,他使劲地敲鼓,索性闭上了

14

眼睛。

"小,闭住眼弄啥,让秀姐领你去巴团长那儿取取经,瞅瞅人家巴团长,六十了,金枪不倒。"

"扎根,俺老巴金枪不倒你知啊?听你老婆说的吧?"

"秀姐,咋忘了?我是听你说的。"

八斤、保安、汴生在一旁起哄:"秀姐,俺也是听你说的,你忘了?"

秀儿的脸瞬间红了。她只要一生气,脸上那片本不明显的疙瘩就红起来。她曾去医院看过大夫,大夫说她脸上的疙瘩是色素块,没事儿,到老年变成老年斑,也就是医学上称的光化斑。团里爱打缠①的小年轻,背后利用她脸上的这片疙瘩寻了不少开心。

秀儿骂道:"老巴的金枪倒不倒,恁各自回家问恁的老婆,问恁姐问恁妹!"

汴生嘻皮笑脸地凑近秀儿的耳朵,不知轻轻说了点啥,秀儿听罢甩起膀子拼命追打开汴生,两人在排练厅里转起圈,汴生边跑嘴里边节奏鲜明地说着:"黑紧、白松、红腌臜,要搞还是麻疙瘩。"

"小哎,你不搞你是个孬孙,老娘非败败你的火!"

排练厅内开了锅,男女老少笑得前仰后合。扎根、保安、八斤和平常一帮爱和娘们打情骂俏的货们,得发了②,一同用快板书的节奏喊叫:"黑紧白松红腌臜,要搞还是麻疙瘩。"

秀儿恼了,停住脚,不再去追打汴生,站在排练

---

① 汴京方言。"打缠",开玩笑的意思。
② 汴京方言。"得发了",舒服的意思。

厅中央,叉着腰,嘴里喘着粗气,脸上的疙瘩由红变白,由白变青,在一圈人的注目下,经过片刻的喘息之后,突然爆发:"汴生!你回家问问恁妈,到底谁腌臜!摆地摊的野种!"

所有在场的人都闭住嘴,排练厅瞬间安静得掉根针都能听见,因为所有人都清楚秀儿这句话的内含的分量。直至此时,所有人似乎才醒悟,玩笑开过了头,骂人也骂过了头,所有人的目光从秀儿那里转向汴生。只见汴生安静地站在第一场林家门前的桂花树后面,突然,一脚踢飞桂花树:"我搗死你!"

汴生如同一只疯狂的豹子向秀儿扑去。扎根、布景、兴旺、保安、八斤挡住汴生的去路,死活不让他靠近秀儿,所有人都知,汴生此时此刻会杀人。排练厅乱作一团,抱的、拉的、推的、搡的、拦的、堵的、说的、劝的、哄的,热闹得像沸了锅。气得刘双狠命把剧本摔到地上,一言不发,找一个墙角,一俯身,拿起大顶。还有一个没有参与的就是宝财,他闹中取静地坐回他的位置,掂起他师傅的鼓条,打起了"急急风"。

"你们这是弄啥!"

"团长来啦,团长来啦……"

所有人都不吭气儿了,注视着站在排练厅门口的巧儿,只有宝财的鼓声依然清脆,刘双的脚还翘在天上。

"像啥样子,刘双!你下来!宝财!你停住手!"

排练厅里所有动静全然消失。

"恁这叫排戏?知道的知这是豫剧团,不知道的还以为是武斗队。咋啦?兜里都暖和是吧?那好,想弄啥弄啥去吧!我他妈的也正不想干呢,散伙儿,散伙儿,看饿着谁,有能耐走啊? 都走啊? 咱全团办停薪留职,我要不批我是个龟孙!"

巧儿使眼扫了一圈,停顿下来,歇了口气。兴旺有眼色,上前掏出烟递上,为其点燃:"团长,你消消气,消消气。"

巧儿浓重地吐出一口烟,扭头看了一眼扎根搬到身后的椅子,坐下,长长出了一口气,调门低了下来:"大伙儿想想,咱们走乡串村为啥? 谁不想呆在城市的园子里享受着空调唱戏? 咱有这个命没?"巧儿把脸转向扎根:"扎根他媳妇为啥来团里闹事儿? 因为扎根拿不到房补。"巧儿把脸又转向丑妞:"丑妞她丈夫为啥欺负她? 因为她工资单上每月只有四十七块钱。她的钱哪儿去了? 因为丢了大家的伙食费,她得照价赔偿。"巧儿猛抽了两口烟,急促地咳嗽了几声:"我不想让扎根拿到房补? 我不愿替丑妞填上这个亏空? 钱呢? 不排戏,锣鼓家伙不响,老天爷屙钱给咱啊?"巧儿又环视一圈,喝道:"排戏!"

巧儿从椅子上站起来,大家随之呼呼啦啦动起来。刘双走到巧儿面前,哭丧着脸问:"鼓咋办?"

"让宝财先顶着。"

"难心。"

"那咋办? 总不能让老巴回来吧。"

"让老巴回来? 刚才因为啥打架? 别说老巴,这帮家伙连他老婆都不容忍。老巴回来,才成样哩。"

"那不就妥了。不能让老巴回来,眼望儿又没人,宝财不顶着,咋办? 先凑合着吧。"

"是凑合的事吗?"

"中了中了,恁先排着,团部还有人等我。"

巧儿走出排练厅,在拐弯处停住脚步,手扶着回廊的柱子,瞅着山陕甘会馆的拜殿顶端愣了一会儿神儿,从兜里掏出烟点燃。她脑子里乱糟糟的,想静一静,稳定一下。团部里还坐着一位腰里揣着钱来的主儿,来联系唱丧的事儿。这客他娘死了,雇了军乐队和响器班子还嫌不过瘾,花钱请角儿去唱三晚上,一晚上一千。巧儿正为这事儿犹豫,这客点名要豫剧团的主角儿,三千块钱是公事公办,唱得卖力,小费另算,每人不低于五百。这诱惑真是太大,三千块,去山西雇车的费用有了,个人兜里还能暖和些。可是,堂堂一个国家豫剧团的团长,领着人公事公办去唱丧,真落不下身分。再说,这客又不是啥正儿八经的老板,是郊区一个体杀猪的。巧儿咋想心里咋别扭,咋想咋又不愿错过这个茬儿。这时,排练厅里响起了鼓乐,只听诰命唱道:

嘉靖皇爷驾坐在北京,
保江山全凭俺娘家哥哥,
西牛儿他舅舅,
阁老严嵩。
……

巧儿纳闷,咋从第二场开始排?转念一想,准是第一场演林秀英的大凤没来,刘双压第二场开始排了。再听听,宝财的鼓确实打得别扭。

四

要是喷戏曲行当里古往今来的事儿,豫剧团里的老人们一致会说:"马福顺知的最多。"提起马福顺,就连一肚子墨水的石俊卿也挑指称道。文革开始时,石俊卿和巧儿、刘双都是十五六岁的小青年,团里老人之间的恩怨了解得不深,哪门哪派也弄不清亮,石俊卿一九六八年刚进团当学员时,第一天坐在排练厅看哑排《红色娘子军》,就被扮洪常青的马福顺吸引住。那时拜师简单,开个茶话会,吃点瓜子、糖就齐了。石俊卿后来总结,他拜马福顺为师,用当时一句时髦的话说,就是世界观的根本转变。他对豫剧的认识是从样板戏开始的,投身于这个行当只是为逃避上山下乡,他是庒马福顺那里才真正懂得什么是豫剧,祥符调是咋着起源的,知什么是板音艺术。石俊卿清清亮亮记得,一九六八年底那个冬天,他和师傅马福顺在革委会值夜班,巡查完"牛棚"之后,师傅把他领到白楼拐角的服装仓库,师傅小心翼翼揭下革委会的封条,打开锁进去,给他上课。师傅指着一箱箱服装,一排排衣架,告诉他何为"一堂四身"、南北蟒、靠、箭衣的区别,挨着服装箱对他讲:大衣箱内装的是头牌主演的蟒、靠、褶子、闺门旦披和小衣包;二衣箱内装的是扎靠、箭衣;三衣箱内装的是把子、兵服;四衣箱内装的是头盔、髯口;五衣箱内装的是靴子、盘头……师傅打开大衣箱,倍加小心地压箱内掂出一件金光灿灿、珠光宝气的蟒来,挂到衣架上。师傅围着这蟒看个没够,告诉他这件蟒是当年梅兰芳看罢咱汴京豫剧团演出后送的,是用二十五两黄金,二十五两白银,化成丝绣成的,一件蟒整整绣了一年时间。师傅赞叹这蟒盘得好,它不仅是上等戏装,还是"镇团之宝"。说罢,师傅压衣架上掂起蟒,轻轻往地上一搁,石俊卿呆住了,那蟒竟像有筋骨一样扎架站立在地上。师傅说,啥叫好行头?这才叫好行头,穿上一百年照样不倒架!石俊卿知,若不是师傅一早早把服装仓库贴上封条,

这一库财富恐怕留不到今天。

石俊卿记得,师傅马福顺被开除公职抓起来的那一天,天飘着雪花,白楼上上下下站满了人,公安人员给师傅戴上手铐时,师傅的目光在天井院内寻找到他,师傅冲他淡淡一笑,然后被押上警车。这一走就是十年,十年之后师傅与他见面时,仍然是淡淡一笑。对他来说,这淡淡一笑所包含的容量太大,太多,太广,太深。师傅出狱之后,终于有一天,他鼓起勇气敲响了师傅的家门,他对师傅说:"……文化大革命,害了咱大家……"师傅淡淡一笑说:"没啥,唱戏的在哪儿都唱戏,我在监狱里唱程咬金时,管教们照样给我掂着金雀开山斧。"

尽管石俊卿与师傅马福顺一样不愿再翻文革的旧黄历,但著名花脸齐雅辉死在牛棚这一事实,却使当时任革委会主任的马福顺无可逃脱。至于石俊卿在揭发材料里写的都是啥?石本人说他并没有写马福顺是直接犯罪嫌疑人。唉,眼望儿想想,气蛋,为啥?啥也不为,不就是没让穿那件不倒架的蟒嘛,真没劲,自己人弄自己人。石俊卿曾经想写一个文革的戏,写两个唱花脸的在文革中的经历,草稿写了两场就搁下了。写不下去的原因是,咋想咋气蛋,你要说是自己人弄自己人吧,淮海战役是中国人跟中国人弄,可那弄出了名堂,共产党弄出了一个新中国,那是个啥劲头。文化大革命?吃不透劲,当朝人不说当朝事儿,留给后人去写吧。石俊卿写戏,也就压那个没写完的两场戏开始的。那些年,他窝在马道街小院的北屋里,研究"樊戏":《宇宙峰》、《三上轿》、《洛阳桥》、《凌云志》、《麻风女》、《涤耻血》……他一气儿把樊粹庭创作的四十一个樊戏,三十二个改编剧本研究了个透。他没日没夜地写戏,他

的野心,是想成为像樊粹庭那样的人物,把豫剧推向一个新的里程。因为他师傅说过,樊粹庭对豫剧来说,是前无古人后无来者,是樊粹庭把粗、穷、土的祥符调草台班子,拉上了能和京剧抗衡的舞台上。

石俊卿是纯种的汴京人,有家谱,祖上的辉煌能把人吓一大跳。据说"宋史"里有关于他祖先的记载,他常跟别人开玩笑,说他祖上是太监,别人说他胡扯,你祖上要是太监,哪会有你。他说那不一定,中国历史上假太监多着呢。别人不信,他就翻出"宋史"三九传,翻到一三六四五页,让别人看:"石得一,开封人,为内侍黄门,累官内殿承制。神宗时,带御器械,管干龙图天章宝文阁、皇城司,四迁入内副都知。……"别人看不懂,说:"胡溜八扯,这书上哪里说是太监?"他一指书说:"宋朝称太监叫黄门,内侍黄门就是在宫内直接和皇上打交道的太监,懂了吧。"

石家的家谱,不轻易拿出来让别人看,豫剧团里惟一看过的是前任打鼓的团长老巴,那时石俊卿与老巴还没闹崩,两人合作写戏。老巴打鼓就是科班出身,鼓是打得不错,他却认为,打一辈子鼓也难再打出啥名堂来,写戏倒有可能一举成名,当一名剧作家档次也高,可老巴的文化水平有限,靠自身力量很难达到目的。于是,他瞄准了石俊卿,三天两头掂着烧鸡下水,到马道街石俊卿家里来,两人好得穿一条裤子似的。一天,两人小酌之后,石俊卿压箱子底取出家谱,上面确有石得一其人,与宋史相吻合,只是宋史上没有记载神宗皇帝和哲宗皇帝赐第,家谱上记录的明白:"神宗熙宁二年八月,赐宅东榆林巷一区;元丰五年三月,赐宅下桥南斜街一区;元祐五年二月,赐宅东十字大街一区……"老巴看得两眼发绿,感慨万千地说:"乖乖,这些房要是搁到眼望儿唄,做房地产,得劲了。"石俊卿去图书馆里找过有关宋时汴京城的布局,发现那时并没有马道街,只有马行街,他不知那时的马行街和眼望儿的马道街是不是一回事儿,但他发现,皇上赐给他家的几处宅子,都挨着在马行街。他又从《东京梦华录》中看到对马行街的描述,和眼望儿的马道街大同小异:人物嘈杂,灯火照天,夜市繁华,酒楼药肆,弄啥的都有。老巴自信地说:"没错,马道街就是马行街,马行街就是马道街。"可石俊卿还是疑惑地说:"压地图上看,不在一个位置呀?"老巴说:"傻蛋,黄河淹罢多少回了,能在一个位置上吗?"他信了老巴的分析,想想也怪,文化局咋会在马道街上有这么个小院?还让他住上了。

眼望儿的马道街,寸土寸金,汴京城里无论盖多少百货大楼,马道街在人们心里商业中心的位置永远不可替代。石俊卿在这黄金地段有个摊位,令多少人羡慕不已。当时,他与老巴闹翻,之所以敢提出停薪留职,正是因为他有这得天独厚的地理位置,随随便便卖几双袜子,也比团里那几个工资强。马道街上从早到晚川流不息的人中,大多都对十一年前汴京舞台上演过的一出叫《残冬》的现代豫剧记忆犹新。那是一出以反腐倡廉为题材的戏,此戏的知名度高在于,夺得省戏剧大赛金牌后,一直演进了中南海里的怀仁堂。用老百姓的文:国家头儿们看罢也得哭湿几条手绢。《残冬》给两位作者带来的荣誉太多了,各调一级工资,省里一千元奖金各自五百,市里五百元奖金各自二百五。钱这玩艺儿,好办,两人合作,再多再少,二一添作五,谁也说不出啥。荣誉这玩艺就难说了,先进工作者,劳动模范,

特殊人才,往往指标就只有一个,二一添作五不了,咋办?石俊卿自然挺不住老巴。老巴这人,经历很复杂,一生取过四个老婆,第一个老婆,一九五八年老巴在西华农场劳改时与他离婚;第二个老婆,文化革命初期因老巴关牛棚,睡到军代表床上去了;第三个老婆得血癌死了;秀儿是他第四个老婆,比他小快三十岁。像爸爸一样年龄的老巴,在家虽然常扮演孙子的角色。在团里却不一样,别看他满脸笑嘻嘻,哪一任领导都怵他三分,又都喜欢他三分。石俊卿对老巴作过这么一个总结:在你不介意、不防备、不留神的时候,他就会成为你的朋友或你的敌人。很多人不明白这句话的意思,问石俊卿,石笑道:"朋友嘛,自然会帮你;敌人嘛,肯定会害你。这就是说,无论他是你的朋友或敌人,你都要介意,防备,留神。"

　　石俊卿和老巴撕破脸是在《残冬》引起反响的第二年。老巴当了团长,豫剧团要搞第三产业,样中了马道街的那个小院,想用它开两间门面卖羊毛衫,院内还可以屯集货物。团里头头商量来商量去,院里的几家住户没法安排。老巴在支部会上说:"团里给点补助,让他们自己找地儿,找不着地儿,就搬到团里来住,白楼上腾出几间屋子,啥都齐了。"这话说罢,老巴貌似不介意地顺口开了句玩笑:"石家咋没房,皇上赐给他家好几处房呢,都在马道街附近。"且不说老巴这句玩笑是介意还是不介意,可支部会上所说的话,不出半天就传到石俊卿耳朵眼里。当晚,在空降师慰问演出,石俊卿在后台操起穆桂英的双头枪,对准老巴的屁眼就扎过去,面带笑容说道:"巴团长的嘴得劲,长在这儿了!"老巴被激怒了,暴跳着操起一把站堂刀,两人开打。所有窝在肚

里的积怨统统爆发出来,所有以往在他们嘴里听不到的脏话,骂得淋漓尽致。老巴压石俊卿的骂语中听明白了意思,第二天找到文化局党委,状告支部内有人违反组织纪律,违反党性原则,导致在拥军活动中发生如此恶劣事件,造成极坏影响。当时的文化局长,是老巴在西华劳改时同监号的哥们,听罢后拍了桌子,下令一定要认真调查,严肃处理。

老巴当然清楚是谁把话过给石俊卿的,支部满共仨人,支部书记李相贤是个天塌下来都不会表态的老实人,再一个就是刘双,他和石俊卿是小学同学,逢年过节相互走动的朋友,不是他才怪!老巴认准了刘双,但又无确凿的证据。文化局派来个调查组,找刘双谈话,他死活不认账。找石俊卿谈话,他一条路走到黑,拒不承认有人过话。这一来,焦点就落在石俊卿身上。最终,团里给石作了记大过处分,在宣布处分那天,石俊卿把他多少年来所得的奖状、荣誉证书当众烧毁,并递交了一份停薪留职的报告。老巴抓过报告,瞅都没瞅,掂起笔就批字。报告批罢后,石俊卿笑着对老巴说:"眼望儿我才明白,五八年打右派不对,打坏人对。"

南北长五六百米的马道街,日复一日,年复一年的人流之中,没人介意这条街上多出一个卖袜子的摊位,除了偶尔从摊位旁经过的个把熟人,与这位剧作家打罢招呼离开后,或多或少在心里会滋生一丝不好受,但走出这条街也就自然而然地恢复了常态。久而久之,熟人们还会有一丝羡慕,卖袜子的生意还真中,比写剧本强多了。

五

刘双来到石俊卿的袜摊前,石俊卿不在,同院的汴生娘在帮他守摊。

"春姐，俊卿呢？"

"刚进的货，在院里盘呢。"

刘双随手拿起一双全棉袜子，瞅瞅商标："哟，还是名牌呢，啥价？"

汴生娘挤眉弄眼小声说："假的，真的得七八块，这，一块五一双。"

"噢，"刘双点头，随后掏钱，"给我拿两双大的。"

"噫，哪能要你的钱，拿走穿吧，拿走穿吧。"

汴生娘翻了半天，翻出两双大号的递给刘双，死活不接钱，但刘双坚持把钱搁到摊子上。正要往院里进，差点和正往院外出的一个女人撞个满怀。起先，刘双并没一眼瞅出是谁，迎面扑来的那股香水，熏得他直想流泪。定神一瞅，是大凤。

"是你呀，师傅。"大凤笑出声来。

"成天就知笑，有啥可笑的，我问你，下午排戏去哪了？"

"我让秀姐请罢假了呀。"

"你请一个钟头假，为啥一下午不见影儿？"

"师傅，你不知，我去看病，挂号排队，抓药排队，三弄两不弄，就晚了。"大凤咯咯笑了起来。

直到这时，刘双才从头到脚把大凤打量了一遍：脸上的粉糊得像一道墙，嘴上的口红涂得像刚吃罢人，眼眶周围也淡淡染上一些什么颜色，上身穿着一件廉价丝织品的外套，下身的皮短裙刚包住屁股，长筒丝袜顺腿而下，连着一双大红高跟皮鞋。虽然这副扮相似要向世人表白只有二十来岁的年龄，但从肌理与骨骼上看来，至少有三十出头。有关大凤的传闻，刘双也听到过，他从不爱打听别人的私生活，他只关心在排练厅和舞台上发生的一切。俗话说"马浪尿,人浪笑",大凤一笑,使刘双觉得这话不无道理。

"大凤,咱是做演员的,啥职业都得讲个职业道德不是?全团都等你一人排戏,林秀英这个角色给你,是对你的信任,咋能这么随便?下面还要排《梨花归唐》,你说咋办?"

"师傅,樊梨花说啥也得让我演,别管了,师傅,明儿个哪孬孙不准时到。"说罢又咯咯笑了起来。

刘双本想再说她几句,这时,大凤腰间的扩机鸣叫起来,刘双无可奈何地挥挥手,让她走了。

刘双进了院,见汴生正帮着石俊卿在一双一双倒腾纸箱里的袜子,两人都没察觉刘双进院。

"打假的来了。"

"师傅。"汴生停住手。

石俊卿抬头瞅了刘双一眼,继续手里的活儿:"咋着,有圣旨?"

"哎,你别说,这编剧本的脑子就是好使。"

"有话快说,有屁快放,没见我这儿正忙着的吗?"石俊卿指着脚下一堆纸箱对汴生说:"弟儿,把这一堆先搬到角里,明儿个找个收废品的把它都卖喽。"

刘双没吱声,下手和汴生一起搬纸箱。石俊卿也没吱声,等纸箱全部搬到角落里后,掏出烟,递给刘双:"说吧,啥事儿?"

"好事儿,请你出山。"

"出山?弄啥?不会是再改编'奥赛罗'吧?"

"中了,中了,我找你可是正经事儿。明年全省戏剧大赛,写个现代戏。"

石俊卿把刘双上下打量一遍,使劲眨巴着眼睛

说:"你要害我？见我买卖做得不错,恁不好受？"

"少说废话,活干完没有？干完活咱找个地儿喝酒。"

"拉干部下水是不是？拉倒吧,我请你喝酒中不中？"

"汴生,你和恁妈帮恁俊卿哥守着摊儿,我有话要和恁俊卿哥说。"刘双说罢,掐住石俊卿的胳膊就往院外拽。

"撒手,撒手,胳膊脱臼了……"

"脱臼就脱臼吧,今天你算秀才遇见兵了。"

"我跟兵走,跟兵走中不,撒开手吧。"

刘双撒开手:"哎,这种态度就端正了,我唱武生出身,你能挺过我喽？"

"恁丈母娘的脚！"

石俊卿揉着胳膊和刘双出院门,向汴生娘交代了几句,两人朝马道街北口走去。夜市尚未开始,两人在鼓楼街上找了一家叫"红高粱"的拉面馆,坐了进去。刘双看着身穿紫红衣服的服务小姐问石俊卿:"知这是谁开的吗？"

"不知。"

"你瞅那儿。"刘双用目光指向站在收银处指手画脚的胖女人,问石俊卿,"认识她吗？"

"不认识。"

"汴京电视台播汴京新闻的播音员呀,天天露脸儿,咋不认识。"

"我压根不看汴京新闻。"

"这馆子就是她开的。"刘双投去敬佩的目光,"你看人家,既抓革命又促生产。"

"人家是人家,我是我,我是好女不嫁二男,要不写剧本,要不卖袜子。"

"别咬着屎橛儿打滴溜儿,我还不了解你?身在曹营心在汉。"

"谁说?我早就呆在曹营不愿走了,瞅瞅豫剧都成啥了,一个大人领一帮孩儿在电视里又蹦又跳的,歌不像歌,舞不像舞,戏不像戏的。"

"别站着说话不嫌腰疼,你试试,来个像戏的。"

"使激将法儿,没用,恁该咋着咋着,我还卖我的袜子。"

两人坐了老半天也未见服务小姐来询问,刘双招手唤过一位小姐,一问才知,这是快餐店,自己买自己端还要先付钱。二人一恼,不在这儿吃了,走出"红高粱"时,石俊卿瞅了一眼那个胖女人,对刘双说:"电视里她可不显胖,电视骗人啊。"刘双白了他一眼:"你不是不看汴京新闻吗?"

他俩站在"红高粱"门口犹豫了一会,还是决定去吃夜市。刘双看表,七点整,夜市已经开始了。

在去夜市的途中,刘双用手搭上石俊卿的肩头,迎着四面八方袭来的喧闹,对石俊卿说:"去年,新加坡邀请豫剧十大名旦去访问,巧儿回来感受深得没法儿,人家新加坡人对咱传统戏曲的普及程度,就像咱当年普及样板戏一样。你知为啥?"

"为啥?"

"人家首先从教育抓起,很多年前就把戏曲教学列入所有大中专院校的教学规划,每一学期一般有一周左右的时间专门讲授戏曲知识和欣赏,新加坡三百多万人的城市,在俱乐部里学唱戏的就有好几千人。每有戏曲演出,开演前半小时,都有学生来主讲不同戏曲的艺术特色和如何欣赏。"

"我还是老话,人家是人家,咱是咱,人家有钱,咋弄咋中。咱要是有钱,比他还会弄,不管你是弄啥的,评职称,长工资,考你一段《小白鞋说媒》、《白奶奶醉酒》,你看咋样,全国人民不把豫剧唱疯才怪。"

"你这货,犟筋头,抬死杠。"刘双使掌用力在石俊卿肩头拍了一下,说,"我知,到死你也不会对豫剧有仇,过去的事就让他过去,振兴豫剧还少不了你,巧儿让我捎个话,你的那个处分取消了,停薪留职也取消了,少废话,回团,写个他妈的轰动全国的戏!"

"少扯淡,啥振兴豫剧? 不就是给恁夫妻店捧场吗? 我还没糊涂到这一地步,如果把巧儿比做当年的狗妞,你就是樊粹庭,我算哪一路? 唱傀儡戏的? 还是敲边鼓的?"

刘双停住脚,用十分陌生的目光注视着石俊卿,猛然大吼一句:"放你娘的臭狗屁!"骂罢扭头就走。

石俊卿愣在那里,招来路人许多眼光,他一人默默向鼓楼的夜市走去,他的脑子里,此刻没有思想,也没有过多支配,来到一家羊双肠摊前坐下,殷勤的主人卖力地抹净小木桌,问:"恁要几个凹腰?"

"俩'祖宗'。"

"俩'祖宗'?"

"对,俩'祖宗'。"

"啥'祖宗'?"

"亏你还是卖这的,祖宗都不知,辞海里,生殖器就是祖宗,祖宗就是生殖器,俩'祖宗'就是俩羊蛋!"

六

狮吼剧团震汴京,

狗妞主角正芳龄。

新编更有凌云志，
街巷争传樊粹庭。

这首民谣在汴京城里广泛流传时，汴生他娘还没出生。汴生娘叫春儿，一九四九年生人，比巧儿大两岁。十一岁那年，春儿跟她爹要饭压河北沿儿来到汴京，进汴京城之前，春儿她爹和春儿坐在沙岗上歇脚的空儿，爹教了她这句顺口溜。爹告诉她狗妞是何许人，樊粹庭又何等了得。在春儿的记忆里，爹只要提起唱戏，饿着肚皮也能喷得满嘴挂白沫。

春儿她爹每章儿唱过几天戏，粟裕打汴京那年，恰巧他跟戏班在杞县，两边的炮弹炸散了他们的戏班，她爹领着戏班子里一个叫粪叉的小孩窜了一整夜，窜到宁陵。天亮后才发现是在往南跑，她爹有头脑，知国民党挺不住共产党，仗肯定是越打越往南。于是她爹领着粪叉几经辗转，过黄河窜到河北沿儿。后来全国解放，粪叉去汴京投奔了亲戚。一九六〇年自然灾害，春儿她娘饿死后，爹领着春儿来汴京投奔粪叉。没料想，粪叉因害病吃错药瞎了眼，住在蔡河湾一间原三皇会留下的草房里。这三皇会是解放前盲人的行会组织，以其敬奉天、地、人三皇，解放后被盲聋哑人协会取代。自然灾害，那是啥年月，盲人面前只有三条路：算命、卖唱和讨要，粪叉有拉皮胡的一技之长，没被饿死就算命大，又来了两张嘴吃饭，咋办？一商量，结伙撂地摊吧。

在汴京城撂地摊，还是比别处强，再穷的人，只要一听皮胡声，决不白听，没钱，也会压家的面缸里挖上一瓢杂面倒进你盛小白钱的破盆里。但是，日子越长白听戏的越多。春儿她爹没几年就死了，死之前把女儿拉到床跟，把她许给瞎子粪叉。那年春儿才十六岁,她咋甘心跟一个瞎子成日睡在一张床上。不久,她就背地和一个常来蔡河湾送煤土的乡里小伙儿勾搭成奸,怀了他的孩子,这孩子就是汴生。蔡河湾一带的人们,背后指春儿的脊梁骨骂她坏良心,当着自家男人的面搞出了别人的孩儿。她几次想抱着汴生偷偷跑掉,回回都下不了狠心撇下粪叉。后来,蔡河湾的人们联合起来不买那乡里小伙儿的煤土。那小伙儿觉得亏心,不知从哪儿拉来许多木料砖瓦,把粪叉的那间草房翻成瓦房后,再就没来过。时隔不久,传说那乡里小伙儿得暴病死了,原因是拆了一座土地庙。

在汴生的记忆里,压小耳边就没断过他爹粪叉的皮胡声,那皮胡就像他母亲的蜜蜜①让他丢不下。他吃蜜蜜的历史一般二般比不了,七八岁了,只要得空还去掀他娘的衣襟。那蜜蜜干瘪得已经没啥咂头,吃不上白面鱼肉,咂几口蜜蜜也算过瘾。汴生清清亮亮记得,那是一年夏天的黄昏,他跟爹娘在徐府街西口拉摊,唱的是《孟丽君》第五回。当娘坐在那儿唱到"老太后心中真高兴,打量状元好面容,眉清目秀脸方正,唇红齿白英气生"时,赤着肚②的汴生窜到娘跟前,撩起衣襟,一手便把娘的蜜蜜拽进嘴里,引得围观者哄笑,不愿扔子的人乘机溜走。

"还没给子儿呢! 白听呀!"

一听讨子儿,离圈的人不敢扭头,加快步伐。瞎眼爹停下弓子,挤巴着鲜红的瞎眼骂开:"妈那赖孙×! 老天爷使雷轰死恁! 生孩儿没屁眼! 妈那赖孙×!"

---

① 汴京方言。"蜜蜜",奶、奶头的意思。
② 汴京方言。"赤着肚",光屁股的意思。

爹的骂声像一声号令,汴生丢开娘的蜜蜜,压布衫里钻出,就去寻地上的砖头瓦片,拾起就向不掏子儿的货们扔去,赤肚撑了半道街。

"一家三口撂摊些①不容易,有钱捧钱场,没钱捧人场,叫个好,喝声彩,也算体面听戏,审啥?恁姐给恁生了个外甥,应舅了?应舅也别急,光光棍棍应舅,慢慢走,别摔折喽你小舅的腿!"

帮腔骂这话的,是个筋瘦筋瘦的老女人,不是别人,正是巧儿她妈老喷壶。老喷壶兰花指上夹着烟卷,上前抱起赤肚的汴生,拍了拍他的小屁股蛋儿,朝他脸上喷了口烟,唱道:"老太后心中真高兴,打量状元好面容,眉清目秀脸方正,唇红齿白英气生。"

"大大,你唱得真好听。"汴生娘说。

"废话,她再唱得不好,汴京城里可没唱得好的了。"一旁看热闹的人说,"恁撂地摊不挑个地儿,在这儿唱还不砸恁的饭碗啊?"

老喷壶斜了一眼看热闹的人:"谁砸谁的饭碗啊?他们敢唱《孟丽君》,这道街上好唱家怪多,有一个敢唱的吗?走,孩子乖,跟我回家吃捞面条。"

那年月,除了这些没人管没人问的街头艺人,汴京城里四家豫剧团,同时在唱《奇袭白虎团》。就冲这一家敢在徐府街上唱《孟丽君》,老喷壶把这一家三口领回家去吃了一顿蕃茄鸡蛋荆芥捞面条。那天,小汴生高兴得像过年,吃饱后在白楼的天井院里一个劲地翻马车轱辘,还时不时扯着嫩奶腔唱两句:"身穿红袍系玉带,头戴纱帽插金翅。"

---

① 汴京方言。"些",很的意思。

老喷壶点着头说:"中,中,这小崽子生就是弄这的虫。"

用老喷壶的话,不管咋着,汴生也算个"门里出身",不两年,他就考进豫剧团当了学员,跟的第一个师傅就是刘双。他清清亮亮记得,师傅给他上第一堂课,是坐在山陕甘会馆的牌楼下面,他的头顶是赞颂关羽的楷书"大义参天"。师傅的声调不高,却句句如钟:"啥叫豫剧?豫剧也叫'河南梆子',也叫'河南高调',是早年明代秦腔、蒲州梆子先后传入咱河南,同咱的民歌小调结合形成的。另有说法是由北曲弦索调直接演变成的。依我看,啥说法都有道理。"

"师傅,啥叫北曲弦索?"

"北曲弦索就是宋元时北方的戏曲、散曲所用各种曲调的统称,大都渊源于唐宋大曲、宋词和北方民间曲调,并吸收了金元音乐,盛行于元代,用韵以《中原音韵》为准。"

"师傅,啥叫中原音韵?"

"中原音韵就是中州韵,许多戏曲剧种在唱曲和念白时使用的一种传统字音标准,读音、咬字、归韵、四声调各方面均以咱中原地区语音特点为基准,啥京剧、昆剧、汉剧、徽剧等,都是在中州韵的基础上结合当地方音。"

"师傅,恁学问真大。"

"不是师傅学问大,而是唱戏就得知戏、懂戏,咱唱戏的人,就该知戏比天高,戏比命大。"师傅刘双一指牌楼两旁浅浮雕木刻画,说:"关云长'挂印封金'、'脱离曹营'、'过五关斩六将'为了啥?就是头顶上这四个字儿——大义参天。咱唱戏的人也是一回事儿,不忠不孝,不得回报;不仁不义,唱不好

戏。"

那时候,山陕甘会馆还没收门票这一说,每天清晨,汴生和师兄布景、师姐大凤一起来到会馆内练功:拔筋、踢腿、劈叉、下腰、打飞脚、使旋子、砸毽子、撂小翻;台步、圆场、走边、起霸、亮相、吊毛、抢背、云手、趟马;出手打、自报家门、定场诗、定场白、中州韵,唱做念打手眼身法步……

汴生问师兄布景:"俺妈给我起名汴生,因为我是在汴京生的,恁妈咋给你起名叫布景呢?"

布景一边练着风火轮,一边说:"俺,俺,俺家人没文化,不识字,俺,俺,俺妈生我那天,对俺,俺,俺爸说:'去,出门看先碰见啥?碰见啥就叫啥吧。'俺,俺,俺爸一出门,正好碰,碰见剧团去俺县演《杜鹃山》,压俺,俺,俺门口搬布景,就给起了个这名儿。"

汴生又问师姐大凤:"俺学戏俺是门里出身,你是咋入这行的呢?"

大凤一边踢着旁腿,一边咯咯咯地笑着说:"俺不是门里出身,俺压小喜欢这,念小学三年级时就逃学,相国寺剧场检票的是俺家邻居,有日场就进园子,没日场,人家上课,我躲进学校女厕所后面,使绳把布扎在袖口上走圆场。"

师姐大凤,比汴生大五六岁,十三岁进团,赶上了几天好时候。七十年代末八十年代初,正逢她十八九岁,人长得水灵。一回巧儿生病,她替上了"红娘",满共替了三场戏,她的命运便由此而不幸。主抓文化的朱副市长陪同外宾来看戏,闭幕后上台与演员握手时,在大凤跟儿停了好一会儿,像查户口一样,问了个仔细:多大了?谈对相了没?家里有几口人?父母是弄啥的?学戏几年了?都演过啥呀?一

月多少工资啊？面对领导的关心，她一一作了回答。而这一切，团长老巴窥视在眼里。时隔不久，不知压哪儿刮起一阵移植世界名剧的风来，河北的评剧带头移植了莎士比亚的《奥塞罗》，评剧、汉剧、晋剧等纷纷效仿，豫剧不甘落后，团里派刘双进京观摩，回来后决定移植《奥塞罗》。排这样的戏，对服装布景要求很高，所有行头都要重新购置，经费成了大问题。老巴胸有成竹地把大凤叫到团部，语重心长地对大凤说："凤儿，这次排世界名剧，是豫剧一次大改革，也是咱团一次大的突破，角色安排上团领导动了大脑筋，按惯例，女主角黛丝德蒙娜肯定是巧儿没跑，我提出要多给新人登台机会，才决定这女一号让你演。"

"谢谢，谢谢，谢谢团长。"大凤感激地不知所措，"别管了团长，我请你喝酒，你说吧，喝啥酒？"

"你也别请我喝啥酒了，这团里的事儿，也是咱自己的事儿，你去一趟市政府，找一下朱副市长，帮咱向财政局申请一点经费。"

"我？我去找朱市长？俺一个唱戏的，见恁大的官，算个弄啥的呀？"大凤咯咯笑个不停。

"别笑了，想演这个角儿，就去跑一趟，没事儿，保你马到成功。"

大凤瞅着老巴像个算命先生，那神色似乎已经料到事情的结果。她忐忑不安地去了市政府……果然不出所料，大凤马到成功，日理万机的朱副市长，在百忙之中接见了大凤，又是一番问寒问暖，并爽快地在豫剧团送的报告上批了字。没出一个星期，市里特拨的经费就到位了。但有一点是老巴没有料到的，并不是朱副市长本人要打大凤什么主意，而是样中了这个当儿媳妇的人选。

《奥塞罗》演砸了是在意料之中的事儿,正如进行三度创作的石俊卿描述的那样:"瞎整,流水板转二八板,摩尔人张口唱:'她背着俺和人通奸,俺有过什么知觉呢?'咋唱那威尼斯城堡让人觉着是咱的龙亭。"但,大凤却是《奥塞罗》惟一的受益者,正如大凤在扮黛丝德蒙娜所唱的一段:"人们都知道俺大胆的行为和命运的骤变……"

就像豫剧演《奥塞罗》一样是一种错位,大凤嫁给市长当儿媳妇也是一种错位。婆婆经常在大凤咯咯正笑的时候冷冷地警告道:"要注意涵养。"丈夫经常在睡觉前责备:"长筒袜不要乱扔,屋里要有秩序,咋就记不住!"丈夫和婆婆都是在政府机关工作,在厨房里说话的语气都像在传达文件。在那座明亮宽敞的小洋楼里,大凤没有一点家的感觉,而像一年四季在党校培训。更让她难以容忍的是,她那个戴金丝眼镜的科长丈夫,经常像幽灵一样注视着她的行踪,在演出散场后,在路灯照不着的暗处尾随她。经常躲在山陕甘会馆的照壁旁,用表掐着她上下班的时间。并明确阻止她去外地演出。若是遇见她与男人说话,便会像军统特务审问共产党员一样刨根挖底。

为了满足人们的羡慕和自己的虚荣,大凤忍受了,她小心翼翼地孝敬公婆,侍候丈夫,直到突然有一天,丈夫被一副无情的手铐铐走,她不得不提出离婚时,她才恍然大悟,她不该成为这个家庭中的一员,并非是丈夫擅自挪用了希望工程的款项,而她本应该自自在在出入于汴京城随处可见的大杂院里,随意地串门,随意地说笑,随意地在麻将桌上开一语双关的玩笑。大凤把儿子留在了那座明亮宽敞的小洋楼,独自一人搬进马道街小院里一间六平方的东屋。这间东屋原是石俊卿堆货用的,腾出来让大凤住了进去,石俊卿感慨地说:"同是天涯沦落人嘛。"

七

巧儿接了唱丧的活儿。吃罢晚饭,杀猪的派人雇了两辆面的来徐府街接人。

杀猪这家的院子,盖得气派,红砖院墙比监狱的墙还高,北屋门前放着一口棺材,院里黑压压全是人,身穿白孝衣的在人堆里忙碌着。大孝子正和几个人在说话,扭脸看见巧儿一帮子人拿着家伙式进院。

"呦,恁来了。"

巧儿向大孝子点了点头,由大孝子陪同进了北屋。屋里暗沉沉的,香火缭绕,正面挂着老太太的遗像,一圈皆是帐子,遗像下是一张方桌,上面摆着囫囵的鸡鸭鱼肉,方桌前是一张条桌,上面摆着假"金元宝"和真人民币,搭眼一瞅,足有上万。巧儿不知摆那么多钱做什么?眼望儿有很多每章儿没听说过的风俗、礼节、规矩、讲究,呼呼啦啦都出现了,好像一时兴起来,就变成了传统。

巧儿近前鞠了三个躬,大孝子和一同进屋的几位孝子呼呼啦啦地跪在一旁,嚎啕大哭起来。巧儿定神一瞅,孝帏下面还有几个孩儿伏在草垫子上,也是穿白衣,剃光的头上缠着一条缀红点的白布,巧儿明白,这是第三辈人。第三辈人根本不在意长辈的悲痛,一边打闹一边嘴里吃着什么。

压北屋出来,大孝子凑到巧儿身旁,低声说:"团长,忘跟你说了,'子午卯酉'四生肖得回避,犯冲。"

"噢……"巧儿点头。

巧儿把大家招呼到院门口,说明了主家的意思。

拉板胡的保安说:"他知咱属啥?挣个死人钱,穰①还怪多。"

"小点声,人家是客户。"

敲二锣的扎根想笑,撇着嘴说:"团长,把观众改客户,听着别扭,还是叫上帝吧。"

"叫啥都中,咱挣咱的钱。"巧儿瞪了扎根一眼,然后对大家说,"就这,咱回去俩仨人,还少给他唱两段,今晚我先唱《秦雪梅吊孝》,明晚汴生唱《诸葛亮吊孝》,后晚再说,就这。"

扎根凑到巧儿跟说:"团长,汴生也会敲二锣,今晚让他替替我……"

"你弄啥?"

扎根腼腆地说:"我那点生意……"

"不中,宝财头次敲秦雪梅,不知敲成个啥样呢,大锣是板,手镲是眼,二锣是舌头,全靠恁几个支着,工作重要还是你收购猪皮重要!"

扎根不吭了。几年来,扎根一直利用下去演出的机会做猪皮生意,巧儿也睁只眼闭只眼,有人替他的二锣就替,都挺不容易的,今天如果老妖在,也就算了,宝财敲秦雪梅,巧儿本来就不放心,扎根再去收购猪皮,还不彻底乱套。

巧儿领她的手下唱过几回喜事儿,用公事公办的方法儿领手下出来唱丧事儿还属头次。北方丧事儿礼稠,一举一动都是礼儿。巧儿理解,死亡比结婚,更是人生一件大事儿,一个人可能结很多次婚,却只能死一次亡,那是生命的终结,抛下一生创造的

---

① 汴京方言。"穰",事的意思。

一切,撒手西去,确是人最重要的事情,丧礼儿作为一个人最后的仪式,大折腾一下也是应该的。

院里人稠,四处找不齐凳子椅子,主家差人去隔壁借椅子的空儿,巧儿在观察那些吊客。只见一个胖子进院,觉着眼熟,一时半会儿想不起在哪儿见过。胖子先进到北屋灵前鞠躬致祭,满脸悲哀地走出来,一扭脸瞅见了巧儿,于是一个箭步窜上前来,大喜,咧着大黄牙:"哎呀,这不是咱豫剧团的巧儿团长吗?咋,不认得我了?"

巧儿轻轻摇头,回忆不起来。

"你忘了,去年收罢麦,恁去俺庄唱戏,下雨没唱成,忘了?……"

"噢……逊唐李庄的支书……李……"

"是哩,是哩,李玉堂。"胖子掏出烟,给巧儿身边的兴旺、扎根等人一一扔烟,喜笑颜开地说,"去年没唱成,今年去唱吧,说吧,啥价?"

"李支书真是痛快。"

"恁是名角儿,俺那儿的人喜欢听恁唱的《打金枝》。钱,好商量。"

巧儿使眼一扫院里的人,似有点不得劲儿,人家办丧事,这儿谈起了价钱,是不是有点太那个了。

李支书看出了巧儿的心思,笑着说:"没事儿,咱说咱的。"

巧儿一瞅,周围的人都在与平时难以碰面的熟人交谈,整个院子就像社交俱乐部一样,丧礼似乎成了婚礼的翻版,于是放心下来。

"是这,眼望儿的戏价,水涨船高,也得跟着物价走不是?去年,郊区是一场六百,今年八百。"

"不还价儿?"

"没法儿还,费用多高你不知,刨掉各种费用,

俺也就刚顾着吃儿。"

胖子沉吟片刻,说:"就这,六百五,管接管送管顿饭,咋样?"

巧儿考虑了一下,和兴旺一商量,觉着还中,于是就答应下来:"中啊,就搁到阴历十月十五吧。"

主家叫人搬来几条长凳,让家伙式落座,大孝子上前给兴旺、扎根等人又撒了一圈烟,用商量的口气与巧儿说:"团长,有件不合适的事儿,想和大伙商量,咱这儿不是办丧事嘛,前后里外得像回事儿不是?再说俺妈是老的,咱都是小的不是?我的意思,咱一水穿孝衣,显得整装不是?别管了,只要大家伙愿意,我加钱。"

大孝子的话说罢,巧儿哭笑不得,她正要张口拒绝,只听扎根直截了当地问道:"加多少?"

大孝子伸出一掌。

"五十?不中,太少。"扎根伸出掌一翻:"一百。"

大孝子本想再讨价还价,瞅瞅巧儿烦躁的表情,瞅瞅扎根坚定不移的脸,立即放弃讨价还价的念头,干净朗利脆①地说:"一百就一百。"说罢立即吆喝人去取孝衣。

巧儿不痛快地埋怨扎根:"咱算哪一门孝子?"

"巧儿姐,全当这是舞台上的行头,咱别跟人民币过不去呀。"

保安也说:"管他呢,脸一抹虎,当孙当爷都是假的,只有兜里装暖和才是真的。"

巧儿瞅了其他几人,脸上均没有反对的表情,自

---

① 汴京方言。"干净朗利脆",很痛快的意思。

己也就不好再坚持什么，无奈地说道："没法儿，有奶便是娘，有钱便是爹，就这吧……"

套上主家拿来的孝服，乐队就位，笛子奏出高音，板胡、二胡、琵琶开始调弦。院里的动静，吸引了院外看热闹的人们往院里拥。

"唱戏咧，快来，市里豫剧团的名角。"

院里的人们拥到很近的地方，他们簇拥站着，喜悦兴奋的眼光盯着巧儿他们的一举一动。巧儿看见他们的眼睛里都含着亲切的专注神情，自己脸上还可以感觉到他们温暖的呼吸，并没有人在意城里的角儿也穿着孝衣。尽管如此，那么多眼光落在她的身上，便觉得颧骨以下的脸似乎有些热，她下意识地摸了一下脸，温度确实升高许多。

拉板胡的保安荡着空弦问："团长，秦雪梅前面那句喊'商郎……'还要不要？合适不合适？"

"啥合适不合适，要！不要咋起板儿？咋唱？"

"中，要，要，这谁也当不了咱的家。"保安说罢，扭脸对已经扎好架势的宝财嘱咐："别慌，孩子乖，党考验你的时候到了，起点性儿。"

宝财使劲儿点头，显得紧张，《秦雪梅吊孝》他头一次敲，头一次敲的活儿，是最容易出错的。手板一起，鼓条就僵硬起来，敲二锣的八斤盯不住宝财的鼓条，干脆去盯兴旺的手镲，兴旺也盯不住宝财的鼓条，干脆去盯敲大锣的扎根，扎根就更别说了，干脆不管宝财的手式，瞅着保安的板胡，这一起板就乱了套，巧儿也管不了那么多，凑合着唱吧。"哭滚白"罢，巧儿唱道：

秦雪梅见夫灵悲声大放，
恨不能一声哭活我那短命的夫郎。

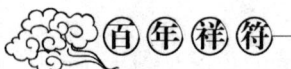

实指望结良缘妇随夫唱,
有谁知婚未成你就撇我早亡。
你说你中状元名登金榜,
窈窕女歌于归出嫁状元郎。
你说是凤冠霞帔我穿戴,
却不料我今日穿上孝服衣裳。
……

巧儿唱罢,博得好一阵喝彩,知戏底的老头老婆们,不少扯起衣襟袖口还揾起泪来。

"唱恁好,到底是市里来的名角,和县里的就是不一样……"

"几年头里俺在相国寺剧场听过她的《穆杨会》,才好哩,这好的旦角全国也拔尖……"

"恁说了句大实话,我请的啥角儿恁怕是不知,全国豫剧十大名旦之一。"大孝子眼珠注满了兴奋,上前来给大家发烟,倒茶,"中,真中,把人都唱落泪了,院里都塞满进不来了,院子外头尽人,这钱花得值,值。"

扎根点着烟,抽了一口,说:"你值,俺值不值,给恁家当了孝子。"

"眼望儿别提这,花钱当孝子算啥?还有花钱摔老盆的哩。"大孝子不以为然地。

"花钱请个摔老盆的,可不是一般二般的价。"扎根也不以为然地。

大孝子突然半真不假地说道:"我倒真想花这个钱,恁要是真愿治这个钱,让唱家跪着唱,别管了,价由恁开。"

扎根以为是玩笑,翻了大孝子一眼:"打麻缠①,跪着唱,你不拔个一万两万,谁干?"

"一万两万就一万两万,算不算?"

"你当真了?"扎根严肃起来。

"当真,别说一万两万,巧儿团长愿意跪着唱,我给五万!"

大孝子和扎根的对话,巧儿听得清楚,她的脸由红到白,由白到青,张口想说啥没说出来,只见她上下嘴片颤抖,带动着两个鼻翼和眉头一块儿颤抖,随之她哼哼一笑,站起身来,从容地脱下孝衣。

"扎根这五万块钱你治吧,我得回家上厕所。"

巧儿说罢把脱下的孝衣扔到放茶水的木桌上,拨开人堆往外走。大孝子尚未迷瞪②过来是咋回事儿,冲着巧儿喊道:"团长,院里有茅厕,东面墙角里咧。"

汴生、扎根、兴旺、保安、八斤一伙儿明白是咋回事了,谁也不敢再多言,纷纷收拾家伙式。大孝子一瞅不对劲,慌忙问道:"咋着了?这是咋着了,我可是花钱雇恁的。"

汴生笑着拍拍大孝子的肩,说:"哥,知,你花钱雇得俺,钱好说,不中俺倒找给恁中不中?俺回家解个手,肥水不流外人田不是?"

一帮子人呼呼啦啦挤出人堆走了。大孝子撵到院门跟儿,带着哭腔大声骂道:"啥鸡巴了不起的,下九流,戏子!杀猪的入得祖坟,恁入不得!⋯⋯"

大孝子后面再骂的啥,就不知了。可想而知,不光是主家骂,全村上下肯定都在骂,骂汴京豫剧团这

---

① 汴京方言。"打麻缠",开玩笑的意思。
② 汴京方言。"迷瞪",迷糊的意思。

帮货七千六百辈儿。

此刻,巧儿一伙儿人也在骂:"俺下九流,入不了祖坟,俺还知俺的祖宗是谁,是唐玄宗选的三百梨园弟子,俺的祖坟在西安,杀猪的有没有祖坟,谁知!"

走了一截土路,一伙儿人上了公路,在路边截面的时,扎根大声唱道:

> 老包路过高粱地,
> 见一位大嫂把裤脱,
> 王朝马汉两边站,
> 俺老包审罢恁再说,
> 王朝马汉不愿意,
> 俺弟俩看出恁俩是一伙……

八

一上午,巧儿忙得连上厕所的空儿都没,一上班,先接待了一个压山西来的戏贩子。喝,这个戏贩子真牛,自个儿开着奔驰小卧车来的。巧儿去年曾经和这个戏贩子打过交道,一场戏价他得杀进腰包一半。起先巧儿有点肚疼,嫌他杀去的太多,这戏贩子十分礼貌地与巧儿一握手,微笑着说:"伙计捭不成,咱还是朋友,需要帮忙打我的手机。"为联系演出,团里专门成立了外联小组,刘双和兴旺跑了好几个省,也没联系上几场戏。尤其是山西,喜欢豫剧的观众很多,但就是没人答理你,有些地方话说的明白,"没有中间人,这生意做不成"。这事儿真是怪了,说明给他们回扣他们都不要,非认死中间人了,气蛋。万般无奈之下,巧儿又想到这个戏贩子,打了他的手机。去年这戏贩子是开桑塔纳来的,今年换成了奔驰。双方谈得很融洽,条件和去年一样,每场各百分之五十,周瑜打黄盖,愿打愿挨吧。戏贩子临走时,依旧像去年那样十分礼貌地与巧儿握手,微笑着说:"伙计掰好,咱们永远是朋友。"

送走戏贩子,巧儿便去街道办事处疏通秀儿无指标怀孕的事儿。办事处管计划生育的那个女人执行政策的态度一丝不苟,口气倒和蔼,对巧儿时不时流露出几分尊敬,说二十几年前看过她演的吴琼花,夸巧儿模样没咋变,就是胖了一点。还说那个扮演洪常青的男演员很帅,剧场门口的剧照经常被下夜班的女工偷揭走,问洪常青眼望儿在弄啥?巧儿说洪常青眼望儿在家,啥都不弄,洪常青的儿子眼望儿在团里管拉幕和道具。管计划生育的女人一个劲儿地撇嘴,为洪常青惋惜,说那是个好唱家,进城拾粪的农民都会他的唱段。在办事处坐了半个小时,管计划生育的女人语重心长地告诉巧儿:计划生育政策是咱国家最严厉的政策,虽不在法律条款却是重中之重,并不是不给巧儿面子,而是今年下半年的指标分配完了,指标的分配办事处当不了家,是中央分给省里,省里分给市里,市里再分给办事处,没有指标谁也没办法,并告诉巧儿一意孤行的后果。巧儿明白国家在计划生育上的手腕有多硬,心里清亮,秀儿的路只有一条,就是把孩儿做掉。要不,除非去学那些住在城墙防空洞里的盲流,只管生,永远不在乎那户口本是红颜色还是绿颜色。

出街道办事处出来,巧儿决定去医院看老妖,本来是想叫着刘双一同去,一想还是算了吧,团里排戏正紧,怕是刘双脱不开身。巧儿在医院门口的水果摊上买了一兜水果,提着进了医院,在穿过前院通后院的长廊时,看见一位身穿病号服装的老太太坐在轮椅上晒暖,那满头银发和她苍白的脸在阳光下格外显得触目惊心。巧儿认出,这老太太是前二夹弦剧团的团长郭宝珍,一位一辈子从未有过婚姻的老艺人。前好些年,巧儿常去看她,后来因为太忙,就没再去过。没记错的话,这老太太已有八十好几,搭眼一瞅,或许是一辈子没有男人的纠缠和婚姻家庭的烦恼,虽是风烛残年,但老太太坐在轮椅上却依然一副矜持纯洁、高贵自重的模样。

巧儿的脚在轮椅旁停住:"恁老还认识我吗?"

"瞅着面熟。"

"俺妈外号叫老喷壶。"

老太太脸上有了感觉,要抬抖动的手时,巧儿先抓起老太太的手。

"你是巧儿?"

"是哩,我是巧儿。"

"还在豫剧团呢?"

"还在豫剧团哩。"

"恁妈还在唱?"

"退罢休了,有时也唱,在电视里唱广告,三株口服液听过没,电视里那好大一段,就是俺妈唱的。"

"我不看电视,眼睛不中,多少年就不看了,三株口服液我喝过,尽権人,不管用。噢,恁妈眼望儿在卖三株口服液啊。"老太太指指自己的腿,嗓音颤悠着说道:"不是腿的毛病,是心脏,站不稳,把腿摔了。"

巧儿瞅了一眼长廊旁坐着的一个正在做棉袄的中年农村妇女,不用问,这肯定是老太太的陪护。巧儿环视一圈,长廊内外,乱糟糟的,病员和探视的家属,医生护士和勤杂工到处皆是。

"恁老在这儿住多长时间了?"

"两年了。"

"这医院可是够乱的。"

"没规矩,不比从前。当年江青在北京协和医院住院,毛主席去看她也得按探视时间。"老太太向做棉袄的农村妇女抬了一下手:"给我两块饼干,有点饥。"

农村妇女停住手里的活儿,用粗糙黑黢黢的手从身边的塑料袋里拿出两块饼干递给老太太,老太太抖动着手把饼干慢慢送进嘴里。巧儿心里挺不是滋味,回忆童年,母亲领她去老太太家玩,老太太压铁盒子里拿出饼干让她吃时,嫌她手脏,把她拉到水管跟前用香肥皂给她洗手……想到这儿,巧儿心中感叹:人老真没意思,自己老了会是个啥样子呢?

老太太慢慢地吃,慢慢地说:"就这,也不死,夜个儿①晚上我还梦见自己死了,一睁眼,还活着。"

"恁老长寿着哩。"

"长寿?"老太太一哼哼,"长受!"

巧儿把农村妇女拉到一旁,从兜里掏出二十块钱塞进她手中,嘱咐她多操点心,照看好老太太,并告诉她这可不是个一般的老太太,一生演过好多戏,还见过毛主席和周总理。农村妇女感激地把钱塞进裤兜,说道:"我知,这老太太不是凡人,爱美着哩,睡觉前睡觉后都要梳头。别管了,大妹子,放心吧。"

告辞了老太太,巧儿找到了老妖住的传染病区,

---

① 汴京方言。"夜个儿",昨天的意思。

一问值班护士,才知老妖今天一早转院了,护士得知巧儿是病人的单位领导,也不知是埋怨谁地说:"这病,咋会在俺这儿住了这么多天,真是……"

"啥病? 不是乙肝吗?"

"啥乙肝? 麻风病!"

"麻风病? ……"巧儿懵了,半晌才缓过劲来,急忙追问那个护士,"转到哪个医院去了?"

"不知,这种病人属于国家直接控制,转到哪儿得去卫生局打听,俺不知。"

巧儿两腿像注满了铅,每迈开一步都无比沉重。她压四楼上下来,脑子在急剧转动着:"麻风病不是早就和天花、血吸虫病一起在中国大地上根除了吗? 麻风病是传染病,老妖是在何处传染的呢? 团里其他人有没有? ……许多可怕的念头在巧儿脑子里滋生出来,她一路昏沉沉回到团里。

一进大门,正用大盆腌芥菜的传达赵嫂,神神鬼鬼地搁下手中的芥菜,提溜着通红的手指,凑到巧儿跟前:"团长,台湾来人啦。"

"哪儿?"

"台湾,一个老头。"

巧儿瞅着赵嫂的神情,活像东海最前线与美蒋特务接头的地主婆。

"台湾来人弄啥?"

"不知,人在团部。"

巧儿上楼,听见团部里头人声嘈杂,她推开团部的门,好热闹,排练厅里的人几乎都跑到这儿来了,围着一个西装革履的老头,东一句西一句地问,一见巧儿进来,齐刷刷闭住嘴,一个个溜着边出了团部。巧儿没去理睬屋里的客人,冲着大腿翘二腿坐在那里吸烟的刘双嗷嗷起来:"时间恁紧,十五要去逊唐李庄,下月初十出发去山西,还有仨戏要排,你倒好,带头在这儿喷空儿①!"

"急啥,这不是来客了嘛。"刘双把烟掐灭,起身给双方介绍,"这位是压台湾过来的林先生,六十年前在咱这白楼里住过,故地重游。这是俺团长,恁俩喷吧,我去排戏。"

"欢迎,欢迎。"巧儿上前与林先生握手,"林先生今年高寿?"

"八十整。"

"听口音,是咱汴京人?"巧儿听出老头的乡音。

"老汴京,俺家原先住午朝门,后来搬到三圣街。"老头儿用手整了整脖子上的领带,压西装口袋里摸出名片夹,抽出一张名片递给巧儿。巧儿立马掏出自己的名片递了过去。

"恁老是台湾河南同乡会的呀。"

"是呀,再不回来瞅瞅,怕是瞅不着了。"老头儿扶着椅子坐下,说,"不知团长可知道这房子的来历?"

"知一点,不多,听说从前是冯玉祥盖的?"

"没错,当年我给这座房子站岗,哨位在西房山后面,山陕甘会馆内的一草一木瞅得清清亮亮。那时会馆戏楼天天唱戏,我连站岗带看戏啥都有了,可美。"

"恁老喜欢豫剧?"

"喜欢。冯玉祥、吉鸿昌、刘茂恩、刘镇华,西北军中的河南人都喜欢咱的豫剧,吉鸿昌黑头唱得好着哩。"

---

① 汴京方言。"喷空儿",聊天的意思。

"听说台湾有好几家豫剧团?"

"有,水平不中,离开咱这地儿,总不那么原汁原味。"

巧儿笑道:"那恁河南同乡会,把俺这原汁原味的邀请去台湾,咋样?保险叫座。"

"中啊,我来帮恁联络,没问题。"

巧儿本不在意的一句话,林老头儿却当真,记下了团里的地址、邮编、电话,一再表示回台湾后争取促成这项文化交流。巧儿觉着有门,若真能去台湾唱一把,别的不说,挣点台币折合成美元不在话下。林老头说了,河南同乡会可以组织包场,一场至少三万新台币,划人民币六七千,确是个好买卖。除此之外,宝岛风不更是令人垂涎?巧儿决心抓住这次机会,她亲自领林老头儿在白楼天井院内的旮旮旯旯里转了转,又把老头儿领进排练厅去看排戏。她把刘双拉到一旁嘱咐,晌午头请林老头儿吃顿饭,下午找个人陪老头儿去龙亭、铁塔、包公祠转转,打发好点。

巧儿把林老头儿交给刘双,自己回了团部,一进门,见石俊卿坐在那里抽烟。

"喝,该来的今天都来了,你是稀客。"

石俊卿慢悠悠地说:"团长大人下诏,俺还敢不来。"

"这就对了,咱团的出路,还在本子上,剧作家卖袜子,没名堂。"

"少扯那么多,啥时候要本子?"

"阴历年后,五月参加大赛。"

"我有一个要求。"

"说吧。"

"把马福顺聘回团。"

"为啥?"

"不为啥,多少年没看他的戏了,想看。"

巧儿笑了:"怪念师徒之情呀。"

"与师徒之情无关。"石俊卿手指点着排练厅方向,"你瞅瞅那些戏校分配来的学生,连个点步翻身、云手翻身都做不到位,丢人不丢,得让马福顺好好给他们上上课后再来排我写的戏。"

"还有啥条件没有?"

"没了。"

"就这么定了。"巧儿很爽快。

"那就这,我走了。"石俊卿同样爽快。

"慢。"巧儿唤住石俊卿,掏钥匙打开抽屉,压里头翻出一包红塔山烟抛给石俊卿,"给。"

"咋? 收买我?"

"对。收买你。熊脸。"

石俊卿笑笑,把红塔山装进口袋,走了。

巧儿舒了一口气,压兜里掏出汴京烟,点着,深深吸了一口,吐出浓浓的烟雾,她用手掌把脸前的烟雾扇开,扇了几下不扇了,那些该死的烟雾好像越扇越多,烟雾中她反而显得安然一些。她和刘双早就在打马福顺的主意,马老头儿坐十年牢出来,已有六十出头,硬朗朗的身板,压后头一瞅,活似三四十岁的年轻人。听说老头儿每天一早去龙亭坑吊嗓练功,正腿、旁腿、十字腿、月亮门翻腿,错步、云步、驱步、垫步、蹲裆步之类的基本功还是那么扎实。老头儿出狱后,刘双不断往老头儿家去,每次去罢回来,都点着头:"老头儿,可惜了,眼望儿的年轻演员,别说演,恐怕知都不知'列国戏'是咋回事儿。"巧儿当团长后,曾和刘双商量过聘马福顺回团的事儿,商量了几次都犹豫不决,怕引来非议,今天巧儿下定决

心,要把马福顺聘请回团,这对她来说,并不是一种急功近利的做法,而是为了豫剧发源的这块土地,为了这块土地上继承发展豫剧艺术的这一群人。想到这里,巧儿心中一阵惆怅,汴京豫剧团是樊粹庭的班底,豫剧的发扬光大就是压这个班底走到今天,可眼下的汴京豫剧团,又靠什么去再创辉煌呢?一个马福顺改变不了现实,但最起码可以言传身教,让这帮不知天高地厚的家伙知道,每章儿的三年出科和眼望儿的三年戏校,是如何的十万八千里。

有人敲门。巧儿掐灭烟头:"进。"

宝财推开门,站在门口:

"小,有事?"。

宝财肉肉叽叽地说:"团长,手板劈了。"

"手板咋会劈?"

"夜个儿唱丧,不招呼,打拧劲了……"

"恁师傅一块板打十来年也打不劈,你这好,一年打坏两块板。"

宝财低头不吭气,眼盯着洋灰地面。

"手板是紫檀木的,要顺丝打,一拧劲儿当然要劈,让你赔吧,你治不几个钱,不让你赔吧,不长脑子,多少板不让你打劈。"巧儿抽一口烟,想了想,说,"就这,再买副新板吧,学啥都是三分学七分悟,没悟性干啥都不中,知不知?"

"知。"

"去吧。"

宝财扭脸要走,巧儿突然想起啥来:"小,别走,我问你,今年开春的时候,你师傅请了一月假,去哪儿你知不知?"

宝财摇头。

"别摇头,你师傅对你比亲儿还亲,你不知?鬼话!"巧儿把脸拉长,"小,巧儿姨对你咋样你清楚,你要不说实话,孩子乖,以后你的事儿,巧儿姨不管。"

宝财的头没敢抬起来,半晌,肉肉叽叽小声地说:"俺师傅跟河北的杨四搭班子去甘肃了。"

"甘肃啥地儿?"

"不知,好像是个山沟。"

巧儿不再问,心里清亮,老妖这病八成与去甘肃有关。老妖这人,巧儿再清楚不过,五十岁不到,啥阅历都有,很似他爹,据说,他爹是吸"松叶梅"(老海)吸死的,老妖平时闲喷,常带有羡慕他爹的口气,最爱提的一板儿是,他爹解放前给豫东大土匪高仁义唱堂会,一次能拿六块火柴盒大小的"松叶梅"。老妖前些年常背着团里在外与人搭班子,小钱没少挣,近几年外头的路子越来越不好跑,出去的回数也就少了。今年开春,他向团里请假,说是为儿子考戏校的事儿去许昌跑一趟,假请了一星期,一个月没见他回来。对老妖这样的人,巧儿很头疼,他这个岁数的司鼓,炉火纯青,正是为团里卖力的时候,打熟了一百多个戏,一般的活儿根本难不倒他,怕就怕的是他不正经干,属于戏好德差那一路货。老妖得麻风病的消息,巧儿准备尽最大程度封锁。尽可能晚一天让团里知道。

宝财刚走,秀儿压排练厅跑到团部来了,进门就问:"团长,事办成了吧?"

巧儿苦苦一笑。

九

晌午,刘双和另外两个团领导,拉着林老头儿上街吃饭去了,巧儿推脱有事儿,没一起去。回到家,

问在厨房里做饭的妈晌午吃啥？厨房里传出妈的声音："吃啥，老三样，馍、菜、汤。"

"又是面筋汤，就不会换个花样，打一回鸡蛋汤？"

"花样？恁娘这一辈子就因为不会玩花样，才落个这。"老喷壶把饭端出厨房，往小方桌上一搁，"四八年恁爹拉着我去台湾，怨我，没出息孙，舍不得离开汴京，舍不得唱戏。唉！傻孙，这哪儿好？唱戏又唱了个啥名堂？要是当年去台湾，说不定眼望儿在美国哩……唉，还说啥，啥都不说了，不吃馍菜汤，吃啥？"

巧儿想到了衣锦还乡的林老头儿。她一言不发，坐下抓过馍就是一大口。娘儿俩正吃饭，楼上叮零咣郎不知把啥东西又往地上摔，听上去不是小物件，像是彩电一类的玩艺儿，楼板震得往下落灰。

老喷壶用手遮盖饭菜，骂道："赖孙哎，离呗，一楼人跟着恁遭罪！"

楼上的动静很大，秀儿的叫骂伴随着布景串京巴的吼声，在楼内回荡："妈那赖孙×！没本事，让老娘受罪，平时五把粗三把长，我告诉你妈那个巴子，老娘非要把这孩儿生出来，开除我，也要把这孩儿生出来！"巧儿终于头一回听到老巴反抗的声音："怨我吗？我咋知眼望儿有恁多条条框框！摔，狠摔，摔光去球！哪鳖孙再买！"……

"去吧，去劝劝，当团长的不去劝劝不得劲儿。"巧儿妈劝巧儿。

"我才不去，老巴家的事儿没法管，管不好惹一身臊。"

巧儿不去，接着吃饭。这时，布景抱着他的串京巴进了巧儿家的门，他用手捂着狗嘴说："正，正，正吃着哩,巧儿姐。"

"有事儿?"

"没,没啥事儿。"布景拉过马扎坐到一旁,呲眯带笑地说,"巧儿姐,这,这,这老巴真不是人过的日子,比,比那渣子洞集中营强,强不了多少。"

巧儿"扑哧"差点把嘴里的饭喷出来:"孩子乖,没事儿遛狗去,让我把饭吃完中不?"

"不,不,不说他家,不说他家。"布景摸着狗身上的毛,身子前倾问道,"巧儿姐,咱,咱,咱团去台湾,你,你可别忘了我呀。"

"谁跟你说咱团要去台湾?"

"噫,"布景脖子一歪,"都,都,都知了,全,全团都这么说。"

"你是听谁说的?"

"传,传,传达室赵嫂啊,扎根、保安、兴旺、汴生,他,他,他们都知啊。"

"都是听赵嫂说的吧?"

"巧儿姐,有,有这事没,没这事吧?赵嫂说已经定了,咱,咱团都请那个台湾老头儿吃,吃饭了。"

巧儿妈把面筋汤碗搁在桌上,惊讶地说:"乖乖,真中,嘴真严实,去台湾也不言一声,咋?怕恁娘也跟你去,发迷,老娘要去,一九四八年就去罢了。"

"八字没一撇的事儿,一顿饭的工夫咋就传成这!"巧儿生气了,把筷子往桌上一拍。

布景见巧儿发脾气,不敢再吭,抱着狗站起身:"我,我,我说也不会这么快,巧儿姐,我,我,我走了,你吃饭吧。"

"布景,再有人问这事儿,就说我说的,去罢台湾,还要去巴黎,去纽约!"

"哎,哎……"布景抱着狗没趣地走了。

老喷壶晌午头从来不睡,嘴上叼着烟,去找刘三打牌去了。巧儿瞅一眼墙上的钟,离集合还有半个钟头,就倚着沙发想迷糊一小会儿,刚合住眼,就听刘双哼着《马二牛学剃头》跨进门。巧儿没睁眼。

"呦,睡了?"

红头涨脸的刘双在马扎上坐下,接了一根烟,一口接一口吸,不说话。巧儿听不见刘双的动静,睁开眼:"咋样?"

"啥咋样?"

"喝得咋样?"

"台湾老头儿不喝酒,咱的人都是半斤八两的。"

"谈得咋样?"

"中,台湾老头儿是混家①,跟着冯玉祥没少受罪,身上好些枪眼,你别说,真是大难不死必有后福,老头儿的儿子女儿都在美国,他在台湾有一个农场,好大一片地儿,老头儿当地主,每年收租子……"

"还谈些啥?"

"戏,豫剧,老头儿不外行,常香玉、陈素真、马金凤的戏全听过……"

"谈谈台湾人对豫剧咋看的了吗?"

"台湾,人家台湾成立有豫剧改进会,民间自发组织,每年研究经费使不完。咱这儿,官办剧团,见天为开工资发愁……"

"去台湾的事儿深谈了吗?"

"老头儿拍胸脯打保票,说没问题。"

"汴京人就爱拍胸脯打保票,在外面呆这么多

---

① 汴京方言。"混家",市面人物的意思。

年的人也改不了这个毛病。"

"别不识好人心,人家是诚心诚意的。老头儿说了,叶落归根,他要在汴京买套房子,找个老伴安度余生。"刘双突然想起什么,说,"哎,我看咱娘中,给老头介绍介绍……"

"放你妈的出溜屁,谁跟你咱,把恁娘介绍给老头儿吧!"

刘双见巧儿认真,不敢再说,笑笑,又接上一支,继续抽。

"说句不咋样的话,真要是这,恁妈才排不上号哩,这不出半天,已经有年轻的贴上去了。"

"年轻的?谁呀?"

"谁?还能有谁,大凤呗。"

"大凤也去喝酒了?"

"没人叫她,不请自到,上午老头儿一进团,她就瞄上了。"

巧儿呼地从沙发上直起身来:"丢人贼!她晚上在外头坐台咱管不着,别把豫剧团当成鸡窝!"

"别急,咋恁不清亮啊……"

"咋不清亮?"

"随她的便呗,真要是把老头儿勾住了,老头儿还不替咱……"

"噢,我成放'鹰'的了,旧社会妓院里妈妈的称呼叫啥的呢?"

"老鸨。"

"对,老鸨,我成他妈的老鸨了!"巧儿手伸向刘双,"给我一支烟!"

刘双一边给巧儿掏烟点上,一边说:"你不是老鸨,你还是你的团长,凡事要想开一点,大凤的所作所为,属于她的个人行为,与组织无关,犯法犯罪有

公安局法院,话又说回来,眼望儿这算个啥事儿?真不算个啥事儿,全国人民都睁只眼闭只眼,你弄啥。"

巧儿埋头抽烟,似乎冷静了许多,片刻,长长叹一口气:"唉——"

"唉啥?有骨气没钱,白搭。"

刘双抬头瞅一眼墙上的钟,催巧儿该集合了。巧儿瞅了一眼钟,压沙发上站起,她嘱咐刘双,尽量把戏往前赶,能响排的响排一遍就过,明后天争取弄完,然后兵分两路,她领着团去山西,刘双去豫西煤矿拉赞助,回来后再和石俊卿碰个头,共同商量一下明年大赛本子的事儿。刘双得知石俊卿愿意出山,自然是高兴,提出让石俊卿和他一起去煤矿,一来路上有个照应,二来在路上可以谈本子,一举两得。巧儿同意,让刘双抓紧时间,压煤矿回来后立即去山西与团汇合。巧儿心里盘算,山西回来后再联系一两个点,演上十来场,就该过春节了,如果煤矿的赞助能拉来,过罢春节正好接上茬儿,进京去争梅花奖,无论结果咋样,不耽误排大赛的戏。若石俊卿的戏写得好,不管大赛的名次咋样,明年下半年掺和着传统剧目演,明年一年就有保障了。

在去排练厅的路上,刘双听完巧儿的如意算盘,轻轻哼了一声,说:"但愿如此吧。"

两点半,排练厅里稀稀落落坐着七八个人,刘双一直在看表,看到快三点人还不齐,于是兴旺开始点名。八斤给保安代假。说是保安家开的小店下午要进方便面,晚来一会儿;汴生给扎根代假,说是扎根去送加工好的猪皮,也晚来一会儿;大凤没请假也没人代假,不知谁说了一句:"大凤挎着台湾老头逛龙亭去了。"

十

老妖得的不是乙肝是麻风病,就像八字没一撇去台湾一样,第二天就在团里传开。巧儿原来要把这事压一压,谁知卫生局打来电话,要在团里进行全面检查,传达室的电话是分机,和团部的电话一根线,全被屏着呼吸的赵嫂给听去了。这下好,如同老蒋当年在花园口掘堤,把啥都淹了。第二天上午,排练厅里像鳖翻潭,唧唧喳喳,乱吼乱骂,宝财像个瘟神一样,被孤立在排练厅一角,面无表情地在击打他师傅撇下的班鼓。

"小,还不掂着家伙滚蛋,那上面不知有多少细菌哩!"

"妈那×,小,你有啥病你师傅知,你师傅有啥病你也知吧!咋?想害死俺?"

"小,跟恁师傅睡过没,可得说实话,这病和爱滋病一样,压下面传染的!"

宝财不吭气,咬着嘴唇,一下一下击着他的鼓。

刘双规劝着大家:"别吵了,大家冷静冷静,团长陪卫生局的同志一会儿就来给大家做检查,这病好查,验个血就齐了。"

扎根说:"没那么简单吧?据我所知,这麻风病可是要拉到大沙漠里圈起来的,一辈子不让回家。"

保安说:"双导,要是查出个仨俩的,咱这戏可就去球了。"

"还戏哩,命都保不住了,去大沙漠里排戏去吧。"秀儿红着脸上的疙瘩狠狠地说。

刘双白了秀儿一眼:"没那么玄乎,眼望儿的医学技术,治这病没啥问题。"

八斤冲着刘双吼了句:"你咋知没问题?你得

过这病呀?"

"你才得过这病!"刘双反吼了八斤一句,气哼哼去一边拿大顶了。豫剧团的演员,早已摸透刘双的脾气,一见导演拿起大顶,更一派群魔无首之态,抱怨、愤懑、伤感、悲观,统统化作污言秽语,铺天盖地向瘦弱、孤立无援的宝财砸过去。这时,只见汴生走到宝财跟儿,压宝财身旁抓起大锣,扬槌一击,排练厅里的所有嘈杂都在锣声中停止。汴生的脸很难看,两只眼都能杀人,他把大锣和槌往地上一扔,一把拽过宝财手中的鼓条:"中啦!恁还有完没完!瞅着小孩好欺负是吧?他师傅得病跟他有啥关系?谁再没轻没重,可别怪我翻脸不认人!"

汴生说罢,把鼓条还给宝财,走到刘双旁边,学着他师傅的样,也拿起大顶。排练厅里安静下来,汴京有句话:楞的怕横的,横的怕不要命的,团里人都知,汴生属于那种不要命的,或许是压小在街上摆地摊,深的浅的,黑的白的都经过见过,急起眼啥都敢挺。有一回在外演出,流氓在台下捣乱,调戏台上的女演员,忍无可忍的汴生手持长枪压台上蹦下,劈头盖脸就打。强龙不压地头蛇,末了他让当地流氓打得头破血流,不孬,压地上爬起来,掂起那杆打折的枪,撵人家半道街。压那以后,团里的年轻人见面总先给他上烟,老演员们见面总爱拍拍他的肩膀。

排练厅里安生多了,人们说话调门变低了,仿佛在等待着最后时刻的到来。宝财手里掂着鼓条,重新在班鼓后坐下,没有敲,嘴里却唱起了一个团里人不常听过的鼓点:"仓仓 | 才〇 | 仓才另仓 | 乙才仓 |。"

汴生的大顶拿不住,坐在了地上,刘双的脚依然高举在空中,显得还是那么从容,他听出宝财嘴里的鼓点,是他师傅老妖才能传授的"倒脱靴",这也只有汴京豫剧团才能敲出的鼓点,别处没家用。这鼓点很怪,它用于唱腔部分,是用于唱上下韵同唱"栽板"后,唱慢板头句腔开始。拿着大顶的刘双眼中,排练厅里所有人都是倒着的,刘双不由自主也在嘴里哼叽出"倒脱靴"的鼓点。

大约十点半左右,巧儿陪着一大帮穿白大褂的拥进排练厅,先是四处喷洒药水,后是查人头验血吃药,整折腾了一上午。十二点十分,巧儿和刘双正要下班,逊唐李庄的支书李玉堂,带着两辆大拖拉机、四辆小手扶,冒着满街黑烟停在团门口。一见面,李玉堂就发牢骚:"真气蛋,早起八点就出来了,走哪儿都不让进城,费老事儿了。"

刘双问:"咋进来的呢?"

李玉堂抬手画了个大圈:"压外环路绕圈,见哪儿城墙豁口大,压哪儿进,乖乖,又填坑又铺板的,比当年金兵攻城还难哩。"

"恁胆真大,国家一级文物恁也不保护。"

"啥,它要是一级保护文物,俺还进不来哩。"

巧儿让刘双安排农民弟兄吃饭,下午三点半装车,七点半等交警下班再出城。李玉堂摆手说,吃饭恁别管了,有件小事得再商量一下,五场全是古装戏,是不是能换一场现代戏。这小事让巧儿和刘双作难了。团里已经多年没上过现代戏,从前排过的,要说还能记住点的,就数复排过的几出样板戏,其余的难拾。商量了半天,李玉堂坚持要演一出现代戏,巧儿和刘双没法儿,商量来商量去。商量出一个李玉堂比较满意的法儿来,选一出《红灯记》赴宴斗鸠山的折子戏,一出《江姐》绣红旗的折子戏,再清唱一段《杜鹃山》,一段《歌唱焦裕禄》,一段《朝阳沟》,一段《倒霉大叔的婚事》,一段《马二牛学剃头》,大差不差凑够一台拉倒。商量敲定之后,李玉堂领着他的人找地儿喝糊辣汤吃油馍去了。

刘双一分钟也不敢怠慢,回家胡乱往嘴里扒了几口饭,赶忙通知人去排练厅,把这一台大杂烩响排过上一遍,心里好有个数,清唱倒没多大问题,主要是那两段折子戏,演员得在一块捏一捏才中。

被通知的人陆续到了排练厅。刘双再一次重申,迓唐李庄的支书李玉堂如何要求咱演现代戏,咱如何强调咱的困难,李玉堂如何不愿意,最后如何和李玉堂达成的协议。刘双讲话的时候,团门口已经开始装车,刘双不敢多说,开始先拉《赴宴斗鸠山》,该扮演日本军曹的二蛋上场了,却不见动静,刘双大声吆喝二蛋,只见二蛋在一旁瞌睡的一个劲儿栽墩儿。

"二蛋!醒醒,尿泡再睡!"

二蛋一激灵压一旁站起,一瞅该自己上场,端着架势跨上场去,向鸠山立正报告:"报告队长,李玉堂招了!"

鸠山一愣:"啥?"

二蛋继续立正:"报告队长,李玉堂招了!"

"胡说!"

"李玉堂确实招了!"

扮演鸠山的老胡更正道:"错了,不是李玉堂招了,是李玉和招了!"

刘双气得直拍大腿,吼道:"李玉和啥时候招了?李玉和咋能招哩?不是李玉和招了,是李玉堂……咳,叫恁气迷了,谁都没招!"

排练厅里一片笑声。

整个下午,差错百出,气得刘双拿大顶都没空。

那布景更是要把人气翻，平时一得空就往刘双家跑，哼哼唧唧要求多给他锻炼的机会。这好，给他安排清唱《歌唱焦裕禄》，跟着乐队过一遍都唱不成，头一句"焦裕禄好书记"，他"焦，焦，焦焦焦焦焦……"焦不出下面的词了。他眼里噙着泪对刘双说："双导，我，我，我对不起你……"戏校刚刚分配进团的兴国清唱《杜鹃山》，把"打土豪分积谷"唱成"打土豪分地主"，刘双指着他的鼻子问："打土豪分地主？有多少地主让你分啊？恁戏校老师教恁分地主的吧？"

晚上去逊唐李庄的路上，刘双就感到不顺，去年因为下雨没演成，这次倒没下雨，满天的星星惨白惨白的，坐在手扶拖拉机的斗里，汴生问刘双："师傅，当年李后主真是被押在逊唐李庄吗？"刘双瞅着满天的星星说："历史是就这记载的，唉，'春花秋月何时了，往事知多少'啊……"

当天晚上，搭夜装台，第二天一连演出了三场。刘双担心的那一台杂烩还是出了毛病，江姐被押出牢房时，扮匪兵的汴生应该大声喝"走"，却鬼使神差大声喝出"站住"。下场后刘双问他咋回事，他说他那时不知为啥在想，李后主咋会亡国当阶下囚了呢？也许是怪他只会写词不会打仗。刘双拍了一下汴生后脑勺，说："有点想法，知咱宋朝是咋完蛋的吗？和李后主一样。"

逊唐李庄的五场演完后，卫生局传来一个令人高兴的消息，全团检查合格，无麻风病菌携带者。老妖并没被送到大沙漠里圈起来，被送进传染病医院后院一座高墙小院内监护治疗，尽管豫剧团拿不出医疗费，医院也不让他出来。巧儿长出了一口气说："这病，扼上了。"

临出发山西之前,戏贩子打来电话,通知巧儿,把原先定下来的《唐知县审诰命》改成《窦娥冤》,山西人爱看被冤枉的戏。刘双对巧儿说:"看来山西人命苦,经常受冤枉。"

十一

巧儿和刘双三顾茅庐才请出马福顺。马福顺的出山,与他在团里管道具拉幕的儿子有很大关系,若拿架子不出来,儿子还在团里工作,怕影响到儿子。其实,马福顺在巧儿和刘双头一次登门时,就想到这个问题。巧儿两口子走后,儿子反复对他说,巧儿和老巴不是一样人,老巴当团长时,抱的是一种不求有功,但求无过的当官哲学,啥事情都得过且过,文化局给钱他就演出,不给钱也懒得出去挣,发不下工资就发不下工资,有意见找局里提去。巧儿上台后情况大不一样,首先把现实血淋淋地摆在大家面前,没有什么神仙皇帝,全靠大家自己,爱这个行当,不想坐以待毙,就得把锣鼓家伙敲起来,去找工资,去找观众,不论是矿山、农村、军营,还是边疆,只要有人愿意看豫剧,只要不赔本,顾着个吃喝就行。对于剧团来说,戏就是口粮,戏少,自然吃不饱,不敢往外跑。抓紧一切时间多排戏,才能保证有更多挣钱的机会。短短四五年工夫,一下子连排带拾了二三十台戏,不管质量怎样,全团五六十号人的工资得到了保障。这一切马福顺是清楚的。儿子每次外出回家,他都关心演出的情况,虽然他已不再是汴京豫剧团的一员,但他的脉搏似乎还在与这个团体一起跳动。他对儿子说:豫剧解放前有人称它为国戏。这个说法虽不准确,但必定有一定道理,他把儿子叫到地图跟前,一处一处使红笔画上标记:河北、山东、山西、陕西、安徽、湖北、甘肃、黑龙江，远至拉萨、乌鲁木齐都有豫剧团，能与京剧扛膀子的地方戏只有豫剧，普天下的豫剧团统统垮台，咱汴京豫剧团也不能垮台，咱这是啥地方，豫剧老祖宗待的地方，情查了，有豫剧这段历史以来，大凡能称上角儿的，哪个不认这个账！儿子清亮，父亲每天坚持练功就是他热爱这个行当最根本的表现。巧儿和刘双更清楚，一个演员一生为钟爱的艺术付出太多，他的每一个细胞里都注满了戏的"毒素"，想清除是清除不掉的，马福顺坐了十年牢，家徒四壁，但他决不会是因为聘请回团的酬劳太低而拒绝。当巧儿和刘双第三次登门时，马福顺说："钱恁随便给，多少都中，要求只有一个，头场演出，得让我穿齐雅辉那身行头。"

那"镇团之宝"，准确说是当年梅兰芳看罢齐雅辉的程咬金后，送给齐雅辉的，当时齐雅辉既是团长又是头牌，被戏曲界称为活程咬金，马福顺压小进团，在幕腿旁看着齐雅辉一招一式长大，他模仿齐雅辉的程咬金到了出神入化的程度，在艺术特点上甚至比齐雅辉有过之而无不及，他做梦都想穿那身行头。一九六五年阴历十月二十三是他二十八岁的生日。那天在和平剧场演《花打朝》，化罢妆，头顶扎好网子，戴好水领，他蹭磨到齐雅辉跟儿，乞求道："团长，今个我生儿，我想穿大衣箱里那……"他话还没说完，盘腿坐箱，手端紫砂壶的齐雅辉，一笑，说："孩子乖，别着急，我还有多少年呀？"如果没有画在脸上那张程咬金的脸谱，不知他脸上会出现什么色，而他的整个身体，顿时像被人一脚压铁塔顶上踹下。那天晚上一下场，他一言不发，此时此刻他才深深感到，齐雅辉就像一座泰山压在他的身上，使本该自由呼吸的他，每时每刻都觉得喘不过气来。他

盼望有朝一日能穿上那身行头,直到文化大革命,他失去信心,认为这一辈子再也没穿上它的机会了。

巧儿答应了马福顺的条件。

巧儿和刘双兵分两路出发。刘双和石俊卿轻装去了豫西煤矿,巧儿带着大队倾巢出动去山西。

眼望儿的农村观众,眼力头高,尤其是豫剧,一般二般的野班子根本唬不住他们。拥挤在村口道两旁的农民们,搭眼一瞅,就知恁属于哪个级别。喝,汴京豫剧团,大门楼头,两辆东风加长卡车,满当当的,后面跟着一辆大轿子,塞满穿绿军大衣的演员,不用说,这是大团,不看演员,看压车上卸下多少大箱就知。再瞅装台,就更不用说,不管你是县城里的园子,还是乡里村街上的土台,只要够尺寸,能装上的东西统统不卯:大幕、二幕、纱幕、天幕;面光、侧光、顶光、脚光;一道幕腿、二道幕腿、幕沿儿;换色器、聚光灯、调光台、谱架、鼓架,一座整装的彩台呈现在蓝天黄土之间,顿时让叔叔大爷、大哥大嫂、侄佺侄女们兴奋不已。他们压舞台前面拥到舞台后面,把头勾进帆布和编织袋拉成的后台,他们的眼中更觉一片灿烂:凤冠、帅盔、王帽、纱帽、罗帽、毡帽、九龙盔、小王帽、武生巾、七星勒、飞蝶盔、虎头盔、小生巾、员外巾、兵帽、丑巾、大尾巴巾;凤冠霞帔、偏凤压鬓花、宝石花、溜溜花、九叶鬓、正凤发壳;相纱、相雕、站发、娃娃发、娃娃面、四门斗、一把抓;蟒、靠、披、褶子、箭衣、兵衣、彩裤,一堂四身,文武分色;小包衣、朝水服、太监衣、家丁服、茶衣、短打、把子、玉带、头绸、丝绦、靠绸、扣带板、虎头靴、棺材头靴;黑白髯口、翎子、排须、虎尾;单头枪、双头枪、站堂刀、金瓜玉斧、金雀开山斧、男刀、女刀、腰刀、男剑、女剑、拂尘、马鞭、皂板;伸手銮驾、屈手銮驾、龙头拐、黄罗伞、宫灯提炉、日月龙凤扇、令箭、签筒、桌搭、椅搭、印盒、圣旨、惊堂木、文房四宝……

要说懂行,农村可真有懂行的,瞅得仔细,说得清亮,老者批讲道:"戏装说法可大,蟒和蟒大不一样,皇帝绣龙,皇后妃子绣凤,文官绣麒麟,武官绣老虎,品级低的绣太阳加海水、仙鹤和鹿,公家人穿红彩裤,身分低的穿黑彩裤。舞台上学问也大,桌椅板凳不能瞎摆,分大场、小场、对场、高场;椅子搁在桌子后叫大场,椅子搁在桌子前头叫小场,桌子两边一边一把椅子叫对场。枪都是枪,也不能瞎拿。男的拿单头枪,女的拿双头枪。男刀的把大,女刀的把小……"人们向老者投以敬佩的目光,也有鸡蛋里挑骨头的货,问道:"这帽上绣个'万'字是啥意思?给批讲批讲。"这还真把老者问住了。老者说:"这我不知,唱戏名堂多哩,中央还办唱戏学校哩,我都说完,不就去中央戏校当教授去了嘛。"挑毛病的问:"那你说说是豫东调好唱哩,还是豫西调好唱?"老者翻着眼说:"你都不懂,唱不成豫东调才唱豫西调,豫剧讲究唱寒韵,老话说,京剧唱不成去唱评剧,豫剧唱不成去唱道情。"对方又发问:"那你说京剧是老大?还是豫剧是老大?"老者不以为然地说:"俺也不知谁是老大,俺只知,不管文开台武开台,四大扇,一起腔,二起腔,尖腔,就连京剧班鼓打的连环点,都是跟咱豫剧学的。俗话说'唐三千宋八百',咱豫剧的年头早了,京剧男唱女,每章儿咱豫剧的四梁八柱也都是男的。"老者喷的板板在谱,一圈人不能不服。有人又问:"汴京市豫剧团咋样?"

老者一笑说："又问白脖话①了不是，祥符调压哪儿来的？就是这个团，陈素真——狗妞，就是这个团的。"对方一操袖口，一歪头，一斜眼，说："还陈素真咧，早死罢了，说不死的。"老者一指空中说："村里的广播没听啊，说的多清亮，毛主席有面子吧？江总书记官不算小吧？都看过他们的戏，几次把锣敲进中南海，咋，伺候你还不中？"对方不言语了，扭头就走，去占好位子。

这样的场面，巧儿和演员们见的不少，尤其在河南农村，不知省长县长是谁，狗妞陈素真却家喻户晓。他们的爷爷或他们的孙子，根本不去关心有啥影片又获国际大奖，今晚电视里又有啥如何了得的节目，只要有剧团来了，百十里外的人拖家带口，穿上过年的布衫，顶着凛冽的寒风，坐着无遮无掩的拖拉机，向一处汇集，炸油馍的、炸糖糕的、卖粘馍的、卖糖葫芦的、卖饭的、卖木梳的、卖布的、卖针卖线卖瓜子水果的，把场子团团围住。据老人们说，眼望儿已经不算啥了，每章儿剧团一下乡势力大了，八步场内归剧团安排，小商小贩靠剧团吃饭，一个台口接一个台口跟着剧团走。一旦舞台上出事儿，杏黄旗在台上一摇，八步场内卖木梳的把伞一收，在小商小贩带动之下，呼啦就冲上台救助，那真是鱼儿离不开水，瓜儿离不了秧。

在前往山西的路上，车坐时间长了寂寞，汴生请求马福顺给大家喷一板。起先马福顺不太愿意，说："喷啥，喷叉劈②喽，不得。"汴生说："爷儿们，眼望儿都啥年头，喷啥都没事儿，喷吧。"在大家伙一致

---

① 汴京方言。"白脖话"，外行话的意思。
② 汴京方言。"叉劈"，出岔子的意思。

要求下,马福顺只好喷了一板:

他八岁学戏那年,一九四三年,随豫声剧团去山西演出,住的那一个山村已经记不得名了。白天正演《黄鹤楼》,后台突然爬进一个满身是血的男人,背上有枪伤,说是日本人在追他。当时后台的人都吓傻了,已不知所措。派戏的李小九见此情形,二话没说,把那人搀扶到台后边,让他跳进大缸里。旧时的农村土台,前后都埋有几口大缸,用它代替音响设备。若是演员嗓好,加上几口大缸,声音一哄,八里之外听得清清亮亮。日本兵使三八大盖挑开围后台的布挡,吓得演员们缩成一堆儿。日本兵把前台后台搜了遍,偏偏忽几了①埋在地下的几口大缸,因为缸在后台布挡之外,日本兵的注意力在布挡之内。日本兵撤罢,李小九把那人压缸里拽出,为他包了枪伤。天黑透后,方才将那人送出村外。那人临别时讨了李小九的姓名。事情一过七八年。解放初期,李小九因贩烟土被押进死牢,临枪毙的前一天,忽然来了两个穿呢子军服的解放军军官,打开牢门,把李小九带出,塞进一辆明光发亮的小卧车里,一溜烟拉进省政府的院里。下车后,李小九跟着两名军官进到大楼内一间摆着大沙发的屋里。不一会儿进来一个大官模样的人,问李小九还认不认得他?一面之交,李小九哪里还有印象,当他知当年在山西救得那客来此上任省长时,"扑通"一声跪在地上,嘴中高喊:"天爷!好人有好报啊!"就这,李小九无罪释放。一九六〇年自然灾害,李小九因抢粮杀人又被下入死牢,这一回没法了,省长调走了。临枪毙之

---

① 汴京方言。"忽几了",忽略的意思。

前,李小九跪在地上,仰天长呼:"天爷,我救过共产党的大官啊!"

大轿车在山间盘旋,透过车窗,大伙看着山西的秃岭野丘,寒冷的天空中,老鸹扇动着乌黑的翅膀,随着车一同盘旋。

傍晚的时候,大轿车抛锚了,原因是租这辆车时,客运公司说得明白,租新车一千二百块,租旧车七百五十块,这辆车的公里表上,指针停留在二十万公里上。在司机的招呼下,全团男女下来推车,推过一个山梁,天完全黑下来,司机已经无技可施,看来只有在这寒冷的山坳间度过一个难熬的夜晚。这一天,千家万户的日历上都有这样的字样:丁丑年十一月初八,今日大雪,10时05分。

十 二

巧儿和几个团干部凑在一堆儿商量,大家认为不能在这半山梁上过夜,一旦冻病几个开不成戏,麻烦就更大了。于是,巧儿决定,全体演员徒步翻过这道山梁,到不远处的黎兴县城过夜。

这个叫黎兴的县城不大,说是县城,充其量是个大镇。全团抵达县城已是晚上近九点钟。一进县城,一双双疲乏无神的眼睛里注入了新的神气儿,犹如进入北京一般的大城市。兴旺在闹市区比较了几家旅店,觉得一家名为"刘德华旅馆"的比较合适,并不是因为这旅店的老板和香港大歌星刘德华同名,而是因为这家旅店的房价便宜得让人咋舌。两人标准间五块钱一张床,大房间能睡十几个人,两块半钱一个铺,还是铁架子床。打动兴旺的另一原因是,旅店大门上贴的两句话十分有力度,"看好自己门,管好自己人"。兴旺说:"出门在外住好住孬无所谓,图个保险,冲刘德华这条标语,就住这儿了。"

生意萧条的"刘德华旅馆"一下热闹起来,兴旺要了两个标准间,一间给了团长,一间给了马福顺,其余的统统安排进大房子,男的住二楼,女的住三楼。兴旺在楼道里吆喝:"搁下东西去门口吃山西刀削面,不贵,一块钱一碗。"布景在大屋里一边铺着床一边摇晃着头说:"乖,乖乖,真便宜,听,听说一个媳妇在山西才卖两,两千块钱。"汴生问:"咋,你想买个媳妇回去?"布景说:"那,那也不值啥,买,买,买个狗还几千块钱呢。"兴旺进大房间催促大家快去吃饭,提醒说:"照护点,穷山恶水出刁民,别乱跑,吃罢饭回来早点睡。"

旅店里停水,院内搁有一口大缸,吃罢饭的人来到院内舀水。秀儿一边舀水一边对兴旺发牢骚:"旺哥,再分房时先注意一下卫生,把那不卫生的房让男的住。"

兴旺叫苦连天:"中啦中啦,大小姐,进北京演出想住这房还找不着呢,山西这一趟不来,这月工资还不知在哪儿呢?就这吧,妹妹,别给哥哥添乱了,你当这分房是个好差事?不卫生?咱就是这不卫生的命。"

"旺哥,我可不是说床铺腌臜,你去瞅瞅那墙上净写点啥。"

兴旺明白了,笑着说:"噢,那有啥,无非是'人在人上,肉在肉中'的打油诗嘛,见怪不怪,算个啥。"

秀儿把手里的水瓢递给兴旺,说:"光是几句下流诗也罢了,画了一个那玩艺儿,比你的头还大,你说恶不恶心。"

兴旺眼一瞪:"比你的头还大!你这妞,真会比

较。"

秀儿咯咯地笑出声来,端着脸盆扭着腰走了。

也许是太累了,吃罢饭,三楼大房间里的女人洗洗涮涮后都早早睡下,二楼大房间里的男人大多也都钻进被窝打开呼噜。兴旺临睡之前瞅瞅扎根、八斤、保安的空铺问汴生:"他们哪里去了?"汴生说:"还能去哪儿,你想呗。"

似睡非睡的布景睁开眼说:"没,没啥意思,那片,看,看来看去就,就,就那么回事儿。"

兴旺钻进被窝说:"我算服气,这帮货,到哪儿都能找到自己的朋友和同志。"

汴生说:"吃饭前我就见扎根在刘德华跟前凑来凑去,吃罢饭八斤叫我,我瞌睡,不想去。"

布景挤着眼说:"最,最黄的我都看过,真,真没啥意思,还,还,还是立体的过瘾。"

宝财压被窝里探出头,对汴生说:"汴生哥,下次看你叫着我呗。"

"小孩家,不能看,影响发育。"汴生说。

"小,小孩家?"布景的眼依然没有睁开,"人,人,人小志气大,上车下车他咋知帮大凤掂,掂,掂包。"

宝财的头又缩回被窝里。这时,走廊上传来刘德华浓郁的山西腔,大概意思是不让用热水器烧开水,睡觉要关灯,若再发现用热水器或睡觉不关灯就要罚款。汴生骂了一句:"去恁妈的吧,老子偏不关灯!"

扎根、八斤、保安一夜未归,天亮时,仨人满脸夜色地回来。八斤首先发现自己床头搁着的旅行包不见了,紧接着保安惊呼着:"我的包被人翻了!'随身听'不见了!"扎根大声向正在熟睡中的人们吼着:"别睡了!快起来!遭贼了!"

仨人的叫声惊醒了全屋人,纷纷坐起查看自己的行囊,大屋里顿时一片骚乱。

"尻他娘,钱没了!"

"我的皮茄克没了!"

"妈那×,牛仔裤也偷!"

"我的衣服全没了!"

……

扎根质问兴旺:"开着灯,一屋睡恁多大汉,进来人偷东西都不知?"

"知还能让他偷,这多人还不打飞他!"兴旺申诉道。

八斤埋怨道:"咋不把门插上?"

"插上门恁咋进?谁知恁几点回来?看个鸡巴三级片……唉!……"汴生气得直咬牙。

兴旺赶忙去敲巧儿的门,又去喊来旅店老板刘德华。巧儿来到大房子,宝财瞅见团长来了,眼泪一下流出来:"团长,我的衣服让偷光了,毛衣是才买的……"巧儿见损失惨重,立即让刘德华先打110报案,刘德华去打电话时委屈十足地说道:"咋么回事情么,一伙子人亮着灯还让人给偷了。"

"咋回事情,你们山西人能蛋!"汴生砸了一句过去。

"啥蛋?我们山西人啥蛋?"刘德华转过身来,"我们山西人啥蛋不啥蛋吧,你们一屋子河南人亮着灯还能让人给偷了,你们河南人是啥蛋?傻蛋!"

汴生两眼直盯着刘德华,嘴里冷冷放出一句话:"我搦死你!"

"啥死我?别吹牛了,你们河南人啥时候也不是我们山西人的对手,知道中原大战不?冯玉祥厉

害不,还是没玩过阎锡山。你们河南人就这毛病,不知天高地厚,特别是你们汴京人,了不得的样子,有啥了不得的? 宋朝不就毁在你们汴京人手里的吗!"

搦着拳头就往刘德华跟前凑的汴生,被巧儿拦阻。巧儿对刘德华说:"扯那么远有啥用,不管是哪的人,都是咱中国人,不能话说得漂亮,'管好自己人,看好自己门',你的门看好没有? 我们的人住在你这里被偷这是事实,你就一点责任没有? 你觉着我们是外乡人,说点难听话,欺负一下没啥,那我告诉你,这些外乡人都是进过中南海的人,你要是把他们惹急喽,跟你挺到底,对你也没啥好处。"

刘德华自知输理,嘴里嘟嘟囔囔地去打电话了。

兴旺走到巧儿跟前,说:"团长,咱可不能在这儿耽搁,按合同咱已经误了一天,再……"

巧儿沉默了,伸手向兴旺要烟,点燃后深吸了一口,说:"这么多同志被偷,像宝财这被偷得干干净净,咋着也得给大家半天时间上街买几件衣服吧。"

兴旺把巧儿拉到一旁,耳语说道:"夏天好办,裤头背心不值几个钱,这偷的全是冬天的衣裳,好孬买一件就是好几十,工资没发,团里剩的钱还要租车,到演出点还要开伙……"

巧儿狠狠抽了几口烟,果断地说:"没钱买衣服,就把蟒、披、箭衣、棉坎全拿出来穿,110 来了咱就走!"

黎兴县的 110 半个钟头后才到,领头的是个大胖子警察,说起话来盛气凌人,对待受害人的口气就像对待犯罪嫌疑人一样。巧儿心想:这倒是没啥区别,山西的警察河南的警察都一个模子里刻出来的。胖警察详细问罢情况作完记录后,立正向巧儿敬了一个礼,说道:"团长,我是豫剧戏迷,电视上看过你的'抬花轿',郑州的张宝英抬不过你。"

巧儿震惊,没料想落难之处竟然还有这么一个警察戏迷。胖警察的态度就像川剧里的变脸一样,瞬间面目全非,河南的豫剧名流在他嘴里如数家珍:马金凤、张宝英、王清芬、虎美玲……胖警察一听巧儿他们要走,说啥不让,定要在黎兴县城最牛的"海王"酒楼摆酒席请巧儿一行吃罢再走。胖警察笑着一指刘德华说:"我可不比他,他想留你们不一定留住,我想留你们,你们可就真出不了黎兴县城。"

盛情难却,巧儿和几个团干部一商量,只有让兴旺先头里走一步,大队人马在黎兴县再呆上一天。

中午,在黎兴县的"海王"酒楼上,全团喝得是人仰马翻。那胖警察真牛,巧儿估计了一下那几桌酒席每桌都不在三四百块之下,喝的是五粮液,抽的是红塔山,巧儿过意不去地说:"让你破费了。"脸红脖子粗的胖子说:"我破啥费,刘德华结账,看不好门,管不好人,没罚他是看你团长的面子。这小子没文化,不知汴京是个啥地方,宋朝九个皇帝呆过的地方,他知道个屁!"一旁陪坐的刘德华一个劲点头说道:"是,是是……"

巧儿率全团离开黎兴县城时,那真叫气派,胖警察带着两辆警车拉着警报在前面开道。临上车前,刘德华又送上了几件棉大衣和几床棉被。汴生在车上说:"这小子,赔得劲了。"布景说:"这,这,这叫墙里开花,墙外香,在,在汴京咱可享受不了这,这,这待遇。"

大轿车又在山里转了六个小时,终于到了晋北关帝山中的邢庄。

十 三

巧儿和大凤住进妇女主任家的粮仓,撂下行李,巧儿先去看了团里的伙房,交代管伙的铁柱头一天要吃好点,去村里找两个帮伙,以免拉不开拴。离开伙房,巧儿就去看台子。这村是大村,台子搭在村正中的十字路口。台子倒是搭得不错,八十块洋灰板组成,宽十二米,深十米,高八米,是一座事先按要求搭的土台,在城里相当于一个小园子的舞台。舞台上方扯有横幅:"邢村每月农历逢三、八缏会";舞台左侧墙上有醒目白灰大字:"单月孕检莫忘5号邢村检查日";舞台右侧墙山上更有五个斩钉截铁大字:"邢村有种牛"。

舞美队正在装台。队长建国压舞台旁的电线杆子上跳下,惊讶地告诉巧儿:"乖乖,裸线,这儿人胆真大!"

"啥叫裸线?"

"不穿衣服,一丝不挂的电线。"

"他们就不怕出事儿?"

"山沟里人,怕啥。"建国一边往台上甩着线一边说:"这儿有电也是没几年的事儿,当年日本人都没来过的地儿,你想吧。"

"谁告诉你日本人都没来过?"

"老会首,村民委员会主任,老头儿快八十了,老蒋在时就干村公所,德高望重,这里村长,村支书全听他的,戏贩子认识他儿子,要不咱咋会来这儿演出。"

巧儿正和建国说话,秀儿和一个女演员走过来。两三天奔波,秀儿显得疲惫,两只酒窝快成两道干水渠,灰皂皂的头发,乱糟糟的。秀儿把手里提的包往地上一撂，一副寻事脸儿。

"恁都住得劲了，让俺俩住兽医站里，这冷的天，没床，没草，咋住？"

"床？你还想要床，我接线借个梯子都借不着，老西，抠！"建国发着牢骚。

"建国，把你手里的活儿先搁搁，去找老会首联系点草。"巧儿说。

"我怀孕了，不能睡地上。"秀儿脸上的疙瘩开始泛红。

"你不是答应做了吗？"

"不做，该开除开除我好了！"

"秀儿，计划生育是全国的大事儿，连这山沟沟里都一样，谁也抗不过，你不做手术，连我这个团长都要撤职的。"

"那我管不着。"

"不论理了不是？"

"论理？你当团长就该睡床，俺就该睡在地上，不是把方便留给群众嘛？嘴上的劲！"秀儿脸上的疙瘩已是鲜红一片。

巧儿嘴里冒着白气，半晌说不出话来，她本想发作，但看了看灰雾蒙蒙的村庄，看了看新搭起的土台，还是忍耐住了。

"秀儿，你去问问马老师，旧社会的戏班是啥样？班主、头牌，吃饭都让人端到床上！"

"眼望儿是新社会。"

"不错，是新社会，但是我们在城里已经没有旧社会那样的观众，我们得跑到这日本人都没来过的地儿，不管是新社会还是旧社会，不管在城里还是在山里，观众看啥？看角儿，看头牌！我比恁多拿？比恁多分？演一场不同样四块钱的补助吗？"巧儿愤

愤地。

"哼,说的好听,每次下来演出,人家送的'腰台',咋只见猪肉,不见猪头猪蹄猪尾巴?都哪儿去了?别以为俺不知,恁几个团领导卤卤自己吃了!"秀儿毫不退让。

"是,你说的对,是团领导吃了,团领导咋吃的你知不知?穷山僻野的,戏贩子咋答谢?村里、乡里的方方面面咋表示?咋联络感情下次再来?你咋就不想想,在城里,你吃猪头?吃猪杂碎吗……"

巧儿不愿再往下说,她深深明白,自己这个头牌,最难面对的不是成千上万的观众,最难面对的是自己,是自己那颗不愿意面对自己的心。和秀儿同住的女演员,提起秀儿撂在地上的包,扯住秀儿的胳膊说:"行了行了,走吧,孩儿生不生回家再说,等着建国弄草来吧。"

女演员拉着不屈不挠的秀儿走了。不一会儿,建国领来了一个长得像螳螂一样的老头儿,羊皮大袄在他干瘦的躯干上,就像竹杆上挑着的酒幌。建国向巧儿介绍,这位就是本村的老会首。巧儿跟他寒暄了半天,还看不出老头儿脸上的表情。当巧儿提出需要草时,老会首浑浊的老眼连续眨巴了好几下,用粗糙的手摸了摸脑门:"草?草是有啊,一角四分一斤。"

巧儿和建国对视了一下,嗓子里好像同时被啥东西卡住。

建国笑着说:"恁这儿麦秸稻草还怪主贵咧,比俺汴京的大白菜还贵一分钱。"

"买。"巧儿果断地说。

建国跟着老会首走后,巧儿找到分配住处的兴旺,让他领着四处转了一圈。来到村支书家盖的新房内,见马福顺手抄在军大衣袖子里,在屋里踱步。巧儿问这屋咋没装玻璃?马福顺笑着说,已经不错了,总比常香玉当年挨手榴弹强吧。马福顺告诉她,这是支书给儿子娶媳妇盖的房子,他压袖口里掏出手,指指隔壁,小声地说:"媳妇是夜个儿压安徽买来的,锁在屋里,怕窜喽。"

压支书家出来,刚拐过街口,巧儿见扎根、布景、八斤、汴生、保安、宝财几个迎面走来。大远巧儿就问:"恁几个住哪儿了?"

"团长,俺这回住的得劲,跟龙王爷住在一块儿。"

"龙王爷?"

"火龙庙,里头搁着棺材哩,宝财睡在棺材上,乖乖,那棺材要是给女人打的呗,夜里女鬼往身上一趴,得劲,给宝财治病了。"

"火龙庙里咋会有棺材?"

"这儿人兴这,新打好的棺材都得在龙王老爷那里摆几天,龙王老爷一过目,知这回事儿,死人走了,好保佑活人风调雨顺啊。"

这时,村上的广播响了:"注意了,说个事儿,剧团来演戏,外出的人都回村来了,回来就不要再外出了,结了婚的妇女更不要再乱跑,县上的计划生育检查组明天要来,结了婚的妇女都要接受检查,计划生育人人有责……"

扎根说:"乖乖,这不是通知妇女跑嘛。"

布景说:"秀,秀,秀姐可跑不了。"

大家笑起来。

十四

在演员们头还拱在被窝里不愿出来时,赶缉的

人们已经一群一群在街上转悠了,他们望着花花绿绿的舞台,脸上显出不同程度的兴奋。夜个儿还冷冷清清的村街,今个儿一下成了热闹的集市,各种货物用品布满在狭小的村街上。据老会首讲,邢村的绠会沿袭了几辈人的传统,各种不同的货物都在固定的地段摆摊,如今生活不同了,又有新摊位出现,尤其是剧团的到来,原来的传统多少会有改变。老会首说,党中央要求发展经济,为和中央保持一致,村委会决定,无论哪村的,只要来邢村摆摊,村委会一律奖励5块钱,为的是吸引来客。老会首嘴里有不少新词儿。

巧儿迷迷糊糊睁开眼,见大凤伸着脑袋,聚精会神地瞅床头的贴墙纸。

"瞅啥咧,恁仔细?"

"师娘,我给您念念。"大凤咯咯笑了起来,一字一句地念道:"吕丽萍、濮存昕面对爱情考验。"

"他俩咋弄到一块了?"

"对,合作演戏。"大凤咯咯笑了两声,继续念,"您想胸部丰满吧?请认明激光防伪商标购买'悄健胸'乳罩;中美合资'双悦'牌避孕套在上海投产……神医、神药、神效、阳萎一针灵……"

"别瞎呲了。"

"真的,不信你瞅瞅。"大凤笑得收不住嘴。

巧儿伸出身往床头的墙上一看,果然如此,她伸了个大懒腰,爬出被窝说:"世界都成啥了,咱还往山沟里钻哩,孩子乖,这就是命呀。"

大凤用她的红指甲把墙纸抠破,小心地把那一则广告撕下,笑着说:"让宝财按这地址联系一下,我想管用,不管用不敢吹这么大。"

"你呀……"巧儿也笑了。

去伙上吃罢早起饭，巧儿在去后台的路上，浏览着热闹的缙会，路旁是一片各色各样的地摊，数不清的杂货：香烟、白酒、烟嘴、小剪子、顶针、锥子、挖耳勺，还有一些别的日用小家什、小物件；走过去是菜摊、肉案，野味地摊上摆着野鸡，还有一盆盆的死鱼；再往前走是卖布衫卖鞋袜的，和女人用的脂粉花朵、梳子、篦子、质量低劣而又金光灿烂的首饰；左手一条街里，陶土器皿、瓦罐水缸、木桶木凳、笊篱柳筐，应有尽有；右手一条街里，张着不少布篷卖吃食的坐摊；饺子、肉汤、芝麻酥饼、蒸糕、丸子、炸豆腐……丁字街口四圈还有不少卖膏药的、测字算卦的、摸奖的、套圈的、押宝的，吸引了许多围观的人。

巧儿到了后台，除去舞美队的人在收拾着前台，后台只有马福顺一人，在一群孩子津津有味的围观之中，正一掌一掌往脸上拍底色。

"顺叔，怪早呀。"

"不早，这场戏三十多年前就该化妆了。"

巧儿感触万千地说："是啊，人要是能从头再活一次该多好。"

"要是从头活一次，你还唱豫剧吗？"马福顺问。

"不唱了。"

马福顺粘满油彩的双手举在空中停住，他认真地思考了一下，说："唱，我还唱。"

"为啥？"

"都说人生是个舞台，这话没错，当年抄齐雅辉家的时候，发现他藏有一个十分精致的盒子，打开一瞅，里面装的不是黄金白银，是整整齐齐一摞说明书，他看过的戏，他演过的戏，里面全有。如果说人生是戏，或戏是人生，一个演员一辈子在舞台上，无论把戏当做人生，还是把人生当做戏，说明书就是他

最珍贵的人生证明。老话说:'演戏的是疯子,看戏的是傻子',那我宁可当疯子也不当傻子。"马福顺说罢,继续一掌一掌往脸上拍油彩,那么的严肃、凝重。

巧儿听明白了马福顺的意思,她望着这位用油彩将满脸纹痕覆盖的老人,望着他周围那一群即将跨上人生舞台边沿的孩子,脑子里一片短暂的空白,仿佛有一粉色的大幕轻轻拉开……

马福顺化罢妆,穿上彩裤,蹬上靴子,罩上网子,穿上水领、绵垫、箭衣,然后静坐在箱上。

巧儿走过去轻轻在马福顺耳边说了一句:"顺叔,蟒给你备好了。"

马福顺点点头,闭上眼睛。从他微闭的眼上,巧儿仿佛看见,他所有的思想已经敞开,人生的酸甜苦辣、悲欢离合,都被这敞开的思想送得很远很远……

裹着绿军大衣,手捧水杯的演员们陆续来化妆了。巧儿突然想到一个很奇怪的问题,演员们手中的水杯日新月异,从大瓷茶缸变换到不锈钢保温杯,可演员们为何老舍不得更新身上的绿军大衣?他们是在向人们说明着什么?显示着什么?不得而知……

开幕之前,巧儿发现不对劲儿,台下三三两两没几个人,原有一些围观的人也不见了,台前的场子空荡荡一片。巧儿正在纳闷,只瞅见场子的右面路上,五六个小伙儿抬来一座泥塑像,恭恭敬敬将它放在场子正中央,然后瞅见老会首、村支书和村长坐在泥塑像左右,静等着开演。巧儿这时似乎才明白,这头场演出不是人看的,是请神看的,剧团去陕西时也曾有过此类事情。

巧儿问调光台上的建国:"这是哪路神仙?"

"不知,大概是老君爷吧?"

一小会儿,三四个小伙掂着两只大白公鸡,一只猪头,四只猪蹄,一根尾巴,一块肥膘肉,一挂火鞭上台,搁置舞台中央的桌上,猪头在前,四只猪蹄各前后两只分开,肥膘肉居中,猪尾巴在后,摆出整头猪的意思。

建国小声对巧儿说:"老西儿,就是抠,'破台'还不给个囫囵猪。"

巧儿问建国:"'破台杀鸡溅血,为保新搭的台子平安,'我知,为啥要杀白公鸡呢?"

建国说:"这我也说不清,好像是为纪念杨贵妃吧?"

"纪念她弄啥?"

"皇上喜欢看戏是因为她。"

"她给梨园做过啥贡献?"

"咱去陕西时,那儿的人称杨贵妃是庄老爷,祭台就是祭庄老爷,搞不明白。"

巧儿也算是干了一辈子戏,这里面的道道多得她也弄不清,别说弄不清公鸡母鸡,兴旺拍的手镲为何还分公镲母镲呢?

疾风暴雨的打开台锣鼓震荡起来,火鞭骤响之中,钟馗手下一名判官持扇压九龙口跳上台去,跳蹦一圈,压入相处下去。紧接着四名小鬼蹦出,乱舞一气儿,判官又压九龙口跳出,驱使四名小鬼用菜刀,在台口将大白公鸡的头斩下。小鬼掂着无头公鸡四下挥舞,压前台跑到后台,血溅四方。这时,老会首上台,将鸡头拾走后,村支书上台讲话,面对空空的场子,面对老君爷,支书讲得非常认真。

"……俺们村,三十多年没请剧团来唱戏了,今年为啥要请?今年香港回家,再一个十五大召开,再一个发展经济,收成不错,再一个大快人心,再一个注意防火,再一个加强团结,再一个……"

村支书在讲话时,建国瞅着舞台上的地毯,心疼地说:"也不招呼点,地毯上弄的尽血。"

巧儿来到后台,见马福顺依然端坐在箱上闭目养神,那件三十多年来首次露面的盘金绣银的蟒挂在衣架上,招来一圈人的品头论足。巧儿扫了一眼坐箱的年轻演员,心中感叹:时代真是变了,按过去的规矩,行头穿齐整是不允许坐箱的。一阵刺骨北风刮过,巧儿一哆嗦,她瞅瞅天空,高天滚动着寒流,似要下雪,她又瞅瞅那几个坐箱的年轻演员,心中又有感叹:也难怪他们的,传统在这样的现实面前,是苍白无力的。

马福顺听着台上的动静差不多了,睁开眼,压箱上站起,走到衣架前,将那蟒从上至下打量一遍,鼻子短促有力地"哼"了一声,在服装员的帮助下,将蟒套上了身,然后扎靠旗,戴上八角盔。一切穿戴朗利,再瞅那老头儿,就像一节刚充罢电的电池,满劲。

十　五

马福顺《花打朝》里扮的程咬金,老君爷是看不出名堂,空旷的场子里更是毫无反响,他的观众全在幕腿两侧,那些不知深浅的后辈们全看傻了。在那个时刻,一身金光闪耀的行头早已无关紧要,老头儿的板音,老头儿的身段,老头儿那充满活力的表演,不用去看台上的老头儿,只需瞅一眼乐队一副副不敢怠慢的面孔,瞅一眼扎根、兴旺、保安、八斤那全神贯注的神情,就知了。

演出罢吃中饭时,巧儿让兴旺通知大家,凡今年参加评职称的人,利用空余时间把述职报告写好,等刘双从豫西回来,评委会人员就到齐了,争取在这次演出期间将职称评定工作搞完。兴旺说罢职称的事儿,巧儿接着表扬了宝财,说他今个儿的鼓打得不错,大有长进。

扎根笑着说:"恁知为啥长进?起性了。"

在众人一片笑声中,宝财红着脸,一手掐着馍,一手端着菜碗,低头凑到马福顺跟前,问:"顺爷,我想问问,程咬金是啥脸谱?我咋觉着你画的和别人不一样呢?"

马福顺点着头说:"孩子乖,爱问爱学就是求上进。孩子乖,咱豫剧,单脸谱一项,学问就比京剧大。"马福顺告诉宝财,豫剧程咬金的脸谱最乱,在《对花枪》中画红脸,在《花打朝》中画老脸妆,而在《秦英征西》中按老生扮相,在《黑打朝》中又画丑角妆。宝财问为啥?马福顺说,因为程咬金性格鲜明,老百姓喜爱,永远一张面孔,会影响魅力。马福顺把最后一口馍送进嘴里,用手拍着宝财的脑袋说:"孩子乖,用心学,慢慢就中了,今个儿敲得确实长进。"

宝财低着脑袋说:"夜个儿他们给龙王爷磕头了,我没磕。"

马福顺哈哈笑起来:"孩子乖,他们的头磕错了,龙王爷只管下雨,不管你鼓打得咋样。"

八斤说:"可龙王爷管治好小的病。"

宝财低着头,表情却得意。

夜个儿,一进火龙庙,其他人各自争占有利铺位,宝财搁下行李,就支开鼓架,他牢记"笨鸟先飞"、"心诚则灵"、"只要功夫深,铁棒磨成针"这类老话。或许是龙王爷真的显灵,关照了这个小可怜,整台戏下来,出错还真不多,全团人在天寒地冻中颤抖,只有宝财使得满头大汗。

夜个儿晚上,住在火龙庙里这几个货,真是给龙

王爷磕头了。这座火龙庙,是这个村子的远久古迹,据老会首说,县志上曾在古迹门里给它一个位置,也是这山村里惟一的旧建筑物,除去四周脱落尽的红色粉墙外,山门两旁的钟鼓楼,院里的龙王阁子,都是青砖砌成,大部分已被风化,这些斑驳脱色的砖瓦,足能代表这野庙的历史。夜个儿吃罢晚饭,宝财接着练鼓,汴生陪扎根到村里收购猪皮,兴旺、布景、八斤、保安,点着蜡烛摸了几把扑克,因为太冷,冻得受不住,一早拱进被窝里谈起女人。一直到扎根和汴生回来,宝财才停住手里的鼓条,回到龙王阁子对面摆放棺材的阁子里睡觉。也许是日久年长,夜里又起了北风,龙王阁子山墙上被风化的砖脱落下一块,正砸在布景身上。布景一跃而起,结巴嘴被吓得无影无踪,鬼哭狼嚎般大叫:"有鬼啊!"这一声叫,吓得其他几个货全都爬起。汴生摸出打火机点亮蜡烛,在摇曳的烛光中,几个货大气不敢出,聆听着墙外的风哨阵阵旋过,在这样的夜里,啥都没有,只有宝财的鼾声和寒风正酿制着的严霜。保安建议:"咱给龙王爷磕几个头吧。"几个货一致同意,压被窝里爬出,面对龙王爷跪了一排,扑身磕起头来。龙王阁内发生的一切,睡在棺材上的宝财一无所知,第二天早上起床,宝财手里抓着一团纸去院外厕屎,突然察觉身下一反常态,擦了一把屁股就往回跑,窜进龙王阁内,把裤往下脱,大声喊道:"快瞅啊,快瞅啊,我的病好了!"几个货同时压被窝里伸出头,往宝财身下一瞅,惊诧地说不出话,只见宝财那根阳物像一门炮对准了他们。

演罢《花打朝》当天晚上,因为宝财受了巧儿的表扬,住在火龙庙里的几个货逼着宝财掏钱请客。宝财没法儿,去供销社买了两瓶没商标的罐头,和两瓶山西汾酒。山西的酒就是好喝,几个货在龙王阁内喝到半夜,相互传授着与女人打交道的经验,喷着喷着,坐在被窝里正写述职报告的汴生,说出一句大刹风景的话:"恁搞别人的老婆,没准恁不在家,眼望儿别人正在搞恁的老婆。"

缄默。汴生一棒敲在麻骨上,各自在想各自的心事儿。

保安大出了一口气,无奈地说:"眼不见为净,谁想搞就搞吧,没法儿,猫想偷嘴吃,拴也拴不住。"

八斤接着也十分看透地说:"唉,男人女人就这么回事儿,这又不是米面,挖一瓢少一瓢。"

布景绿着眼,咬着牙说:"别,别,别叫我发现,发,发,发现我宰了她!"

扎根对着酒瓶喝了一大口,一抹嘴唱道:

家住山西在山西,
来到河南做生意,
三年生意没做成,
感谢俺的好邻居,
给俺生了一小俩闺女。

只有宝财无忧无虑,红红的眼里,流露着一个懂秩序的小酒鬼的神态,自言自语地说:"气蛋,夜个儿睡在棺材上,恁猜我梦见谁了?梦见大凤姐跟周润发好上了,可浪,俩人弄那事。"

布景醉醺醺地说:"弄,弄,弄吧,谁跟谁弄,都,都正好。"

八斤拍了一把宝财:"小,还是你得劲,没老婆,光搞别人的老婆。"

"他想搞要能搞成哩?那玩艺又不管使。"保安也拍了宝财一把,"小,你那玩艺儿咋就不管使呢?"

宝财吃力睁了睁眼,说:"都怪俺爹,俺妈生俺四个姐,他觉着丢脸,成天骂俺妈没本事,俺妈生下我,俺爹快高兴疯了,成天抱着我到处转,逢人就摆弄我的小鸡儿让别人瞅,硬叫俺爹给摆弄坏了。"

汴生在一旁说:"摆弄坏了也好,省得惹是生非。"

因为写述职报告,汴生没有喝酒。这份述职报告让他作大难了,压小跟着爹娘撂地摊儿,进团后才跟着师傅刘双学会几个字儿,平时写总结什么的,他都买盒烟,或掂瓶酒请别人代写,可这次大冷的天没人愿替他写。他参考了扎根写的,照葫芦画瓢总算写成了。正当他愉快地伸一个懒腰,准备钻被窝睡觉时,听见已喝了八成的扎根说:"年年都弄这么一回,长不几个钱,咬得血糊淋落①的,掐吧,看今年谁掐过谁吧。"

汴生听罢扎根的话,一把将写好的述职报告揉成一团,往龙王阁外一扔,嘴里骂道:"评鸡巴啥职称,自己人尻自己人!"

十 六

此刻,邢村的大队部内也在喝酒,是邢村的支部做东,宴请剧团领导和主要演员。喝酒的艺术巧儿是懂得的,她叫来了大凤。双方在一条长木桌前就座,桌上摆着一排汾酒,支书将一瓶瓶酒打开,屋里顿时溢满芬香。支书说:"俺们山西人痛快,喝酒爱端大碗碗。"说罢将酒倒进一只只大粗瓷碗内,咕咚

---

① 汴京方言。"血糊淋落",血淋淋的意思。

咚倒完三四瓶。巧儿一瞅这个架势,有点怯气,看了一眼身边坐的建国。建国挠挠头,轻声地说:"不能孬喽,挺吧。"巧儿知建国有些酒量,一般酒场,半斤八两不会倒;巧儿自己能喝,但一般场合不愿露相;兴旺是靠临场发挥,情绪好,半斤八两,提不上劲,三四两就醉人;马福顺倒是天天喝酒的主儿,但受年龄局限,喝不多;估计真正能抵挡一阵的就属大凤了。大凤以前不会喝酒,她的酒量,是她与市长儿子离婚后发现的。当时正逢进京演《焦裕禄》,怀仁堂演出罢,全团庆祝演出成功,摆了几桌。那天,男女老少在人民大会堂餐厅喝得东歪西倒,只有大凤平静如初,全团人睁着眼瞅她把剩余的酒倒进玻璃杯里,说了一句:"为焦裕禄干杯!"然后一口气儿喝了个底朝天。压那以后,男人们喝酒爱叫她,她跟谁喝谁又怯气。每次外出逢主家宴请,或遇麻烦事打不开局面宴请别人,团首长们准异口同声呼唤大凤。每在这时候,大凤总不带好气儿地说:"评职称咋想不到我?演主演咋把我忘了?不喝!"每碰这样的钉子,只有刘双出面才能把大凤拉来,师傅的面子不给是不中的。之后,师傅也给了徒弟一些机会,这一次下来,师傅把《梨花归唐》的樊梨花,《窦娥冤》的窦娥指定给她,并交代巧儿,大凤这孩子命不顺当,多给她一点温暖,所以巧儿安排大凤和她住在一起。

村长抱来一袋子生花生,顺着长条桌"呼啦"倒了一溜儿,村长说:"开喝吧,这么多花生吃不完的。"

酒过三巡,巧儿纳闷儿,咋还不见上菜呢?轻声问身边的建国,建国挠着头说:"大概就是这了,山西人喝酒不要菜。"

老会首端起碗说:"我喝一大口口,行一个酒令。"

大家伙儿吓了一跳，老会首这一口酒下去半碗，瞅着八十岁老汉的酒量，可想这山沟里的人对酒的态度。老会首喝罢，压桌子下面提出来一只碗口大、明光铮亮的老年竹筒，里头插满竹签子，老会首告诉，这是一百根筹子，是他爷爷留下的，是从元人王实甫名剧《西厢记》中摘选的一百句曲文，分别刻于一百根筹上，每筹一句，再根据曲文的意思，酌定行令、饮酒方法。

马福顺说："恁这是酒筹令，不划拳，不猜枚，谁抽啥谁喝啥，有文化。"

"啥文化，我也不识字，祖上传的，喝酒的时候，让识字的人一念，就知道是谁喝酒。"

建国说："喝酒的时候没有识字的人咋办？"

"不可能，别看俺们这儿是穷山沟沟，关云长他老娘家舅舅在俺们这儿住，离这儿不远，百十里地。"

巧儿等人一块儿肃然起敬地点头。

老会首抱起竹筒摇晃了几摇晃，抽出一筹，交给马福顺，马福顺压兜里摸出眼镜戴上一瞅，念道："'我是特来参访'。"

"敬客一杯。"老会首说。

客自然是剧团的人，没啥说，喝。

老会首抽出第二根筹子，交给马福顺："接着念。"

"'香烟人气，两般儿氤氲得不分明'。"

"吸烟的人喝。"

除马福顺外，宾主男女老少手里都夹着烟卷，统统得喝。

老会首抽出第三根筹子。

"'那人一事精百事精'。"
"多艺者喝。"
多艺者跑不了别人,剧团的人喝。
接着是第四根筹子。
"'大小车儿如何载得起'。"
"胖子喝。"
众人一瞅,兴旺最胖,兴旺喝。
第五根筹子。
"'侵入鬓云边'。"
"连鬓胡子喝。"
众人一瞅,还是兴旺,再喝。
第六根筹子。
"'只少个圆光,便是个捏塑的僧伽像'。"
"秃头者喝。"
众人一瞅,兴旺头秃,还是兴旺喝。
第七根筹子。
"'氤的改变了朱颜'。"
"喝酒脸红者喝。"
众人一瞅,又是兴旺,还得他喝。
连喝四碗的兴旺,已经没了腰,瘫趴在那里……
老会首的这个酒令,确实厉害,十来根筹子抽罢,双方都眼发直了。村长替老会首喝,大凤替马福顺喝,建国替巧儿喝。建国实在是招架不住,走又走不了,又劝阻不了对方的进攻,无计可施的建国,干脆学舞台上演员们用的"僵尸"动作,大呼一声"苦——啊——"笔挺挺地往地上一倒,老天爷让喝,他也不喝了。村支书血红的双眼盯着大凤,像一只醉狼,他上前抓过大凤的手不撒,硬着不听使唤的舌头说:"你模样像刘晓庆,俺还要和你喝一碗碗。"大凤咯咯笑着,晃着脑袋说:"说吧,啥意思,是不是

想买我做媳妇。"巧儿一看架势不对,劝说早点散摊,村支书不依,上前又抓住巧儿的手不撒,又对巧儿下着死眼。无计可施的巧儿,不知如何是好,她心里清亮,再这样喝下去,要出事儿。她瞅了一眼马福顺,想让他来解围。可马福顺老头儿,满脸醉意,眯着眼睛正在一旁摇头晃脑地给老会首学唱晋剧里程咬金的唱腔,两个老头儿惬意得根本不管周围所发生的事。

"放开!放开我师娘!"大凤冲着村支书吼罢,咯咯笑道:"孩子乖,想好事儿是吧?来!你要能把我喝翻,老娘就留下来给你做媳妇!"

大凤抓起酒瓶,咕咕咚咚又倒了满满两大碗。村支书撒开巧儿,晃晃悠悠地端起了碗。

"大凤……"巧儿一把拉住大凤。

"别管,你别管,想占便宜,中啊,来吧,老娘啥没见过,来,喝!谁不喝完谁是孬孙!"

村支书喝罢大凤这碗酒,打了两个酒嗝儿,就往屋外走,还没走到门口,"哇"地一口,紧接着又"哇哇"两三口,五脏六腑倒海翻江了。大凤咯咯地笑起来,眼越笑越直,脸越笑越白,她把头往巧儿肩膀上一栽,说:"师娘,回吧,明个儿还有我的樊梨花……"巧儿再看那条桌下面,已经躺了好几个,建国、兴旺、村长……马福顺和老会首仍在一旁说戏,只听老会首说,年轻时他去过太原,看过晋剧的程咬金,疵毛,"过五关"时,金雀开山斧从程咬金手指头上掉下来了……

十七

大凤半夜里吐血,可吓坏了巧儿,妇女主任领着巧儿敲开了村卫生所的门,大夫是一个小年轻,据说是在太原读过什么医学专科。小大夫挎着药箱来到妇女主任家,一看大凤这情形,摇头说,恐怕是胃穿孔了,必须立刻送到县医院去。巧儿摸黑跑到火龙庙,叫起那帮也酒气熏天的家伙,一同把大凤抬上妇女主任儿子开的拖拉机,搭夜送往县医院。

县医院离邢村四五十里,山路崎岖,夜黑难行,巧儿生怕误了明儿的上午场,嘱咐护送的汴生和宝财,无论如何要争取十点之前赶回。拖拉机开走后,巧儿睡不着觉,明个儿的上下午两场都是大凤的主角,改戏吧?不行,这两出戏是村委会点的戏,明个儿又是绠会的正会,百十里外的人都是冲这两场戏来的。《窦娥冤》吧,自己替上一场问题不大。《梨花归唐》因为年龄偏大,又有《穆杨会》在身,放弃给B角大凤演多时了,眼下就是温排一遍也来不及,十点就要演出,总不能把演员立刻叫起来排戏吧。想来想去,只有一个救场办法,就是让秀儿顶樊梨花。秀儿一直是樊梨花的C角,虽一直没有上台的机会,但每一次演《梨花归唐》,她都不离左右幕腿,她嫉妒大凤的B角,每看一次都要挑出一大堆毛病。尤其是近来,她与大凤关系紧张,因为不知谁把她背后说大凤的话传到大凤耳朵眼里,说大凤坐台夜生活太劳累,台上一开打,气喘吁吁,两腿都发软;还说已和那个台湾的老林头儿睡上了,亲眼瞅见大凤挎着老林头儿的胳膊在宾馆出出进进。巧儿相信秀儿的话都是真的,但秀儿与大凤的矛盾越来越深也是真的,秀儿对她这个团长的嫉恨也是真的。噢,刘双是大凤的师傅,你是她的师娘,主角让她演,下来安排住处你们安排在一起,这种种不平衡堆积在秀儿的心里,秀儿想装孬,这下可是天赐良机。

巧儿一早就把团艺委会的成员挨个儿叫起,商量该如何办。艺委会成员一致认为,最好的办法还是说服村委会改戏。巧儿找到老会首,老会首一口拒绝,说哪怕樊梨花不是主要演员演,也必须演《梨花归唐》,因为这出戏也不是村委会点的,是县长的舅老爷点的。县长舅老爷是三十里外辛庄的,他特地来看《梨花归唐》,上午演不成问题不大,做做老爷子的工作,下午要再演不成,就不好说了,演出的费用搞不好就要大打折扣。巧儿和团艺委会没法儿,一方面去做秀儿的工作,一方面等待大凤的消息,另外还必需做第三手准备,就是靠巧儿的经验,把这出戏糊弄完,但这是下策,因为山西人懂豫剧,似乎比河南人更懂。巧儿想,难怪汴京城里的山陕甘会馆那么牛,难怪要在汴京城建一座山陕甘会馆。

团艺委会决定,上午先演《窦娥冤》,团长顶上窦娥。巧儿在后台一边化着妆,一边在做秀儿的工作,不出所料,秀儿一边织着手中的毛衣,一边摆出一副为难面孔:"团长,我和你一样,得好好排排戏才管上台,你是国家一级演员,你还不清楚?再说了,我不和汴生配戏,俺俩不答理,全团都知。"

"秀儿,救场如救火,咱是干演员的,这里面的轻重咱都知。"

"团长,说这话就没意思了,我不是不愿意演,只是不排戏就上台,我这水平怕对不起观众,演砸了咋办?"

"秀儿,眼下可不是计较个人恩怨的时候,咱们演员的职业道德……"

秀儿停住手中毛活儿,说:"道德?大凤是在舞台上胃穿孔的吗?道德?坐台,膀大款就有道德吗?"

"你怎么这样?……"

"我怎么样了？我没作亏心事儿，我没把好处都捞进自己怀里。"秀儿脸上那片疙瘩又泛起红来。

"你的意思是说，我做了亏心事儿？我把好处都捞进自己怀里了？"

"自己清楚。"秀儿轻轻说了一句后，手又开始机械运动。

巧儿停住手中的眉笔，两眼直盯着秀儿，大声质问道："不错，我是团长，我是国家一级演员，可我是不是和你一样拿百分之七十的工资？是不是每场演出四块钱的补助？我知你想说啥，想说我进北京争梅花奖，是要利用职权花大家血汗钱，那你就错了，我就是拉不来赞助，卖房子，卖家具，我也要去北京瞅瞅那个梅花奖是个啥样！"

大粒大粒的眼泪从巧儿的眼眶内滑落下来，她伸手向对面正化妆的男演员要了一支烟，大口大口地抽着，以此来稳定自己的情绪。

天空中一丝风也没有，但冷得出奇，云压得很底，一副要下雪的模样，有人在后台感叹，每逢演《花为媒》就下雨，每到演《窦娥冤》就下雪，真斜门。

汴生和宝财临开场前才回来了。汴生说拖拉机坏在半途，他和宝财轮流替换着把大凤背到县医院的，大凤可能要做手术，看样子一时半会儿不能再演出了。宝财坐到鼓架前，拿起鼓条愣了半天，默默地说了一句："大凤姐真可怜，一个人呆在医院里，那医院的护士好厉害……"

在演第三场时，天果然下起雪，先是小朵小朵的雪花，柳絮般的轻轻飘落着，然后越下越大，一阵紧似一阵，又起风了，风绞着雪，团团片片，纷纷扬扬，顷刻间天地一色，风雪弥漫了整个山村。台上的巧儿，迎着飞舞的雪花在哭诉"自己"的冤情。台下的

几千名观众，顶着铺天盖地的大雪，眨动着眼睛，为窦娥的冤情不平。台上的巧儿在想，这大概是天下最好的观众，无怨无悔，忠心耿耿……

吃晌午饭的时候，风尘仆仆的刘双和石俊卿压豫西赶到邢村，一见巧儿面，石俊卿放声痛哭，哭得让带妆在伙上吃饭的人们摸不着丈二。巧儿问出了啥事儿？石俊卿泣不成声，刘双一抱头往地上一蹲，叹着粗气，不说话。巧儿急了，冲着刘双急道："到底出了啥事？你说嘛！"

刘双慢慢抬起脸，带着哭腔说："豫西煤矿给的两万块钱，让俺给丢了。"

"啥？丢了？"

"在长途车上，让小偷割了包……"

"恁……"

巧儿盯着刘双，呆愣在那里。石俊卿蹲在地上，使劲用拳砸着自己的头，泣道："都怪我，是我没用，我不该把包搁在行李架上，我对不起你们两口子，我是个废物，是个没用的废物……"

"两万块啊……"

巧儿再也说不出话来，刘双在她耳旁讲述的被盗经过，仿佛是很遥远的地方传来的声音，只有很小的音频震荡，她就是想听也听不明白，有什么东西在咬着她的心，不是哀愁，不是憧憬，也不是失落的感觉。她的眼睛里燃烧着一种苦涩的红光，她感到自己胸中冒出来一阵可怕的呜咽，仿佛快要把胸膛都撕裂了。她一根接一根地抽烟，直到管伙的铁柱再一次把热过的饭端到她眼前，她才抬手看了一眼表，又该化妆了，她真不知下午这场《梨花归唐》该如何演。

巧儿没有吃晌午饭，拖着无力的脚步，踩着已经落厚的积雪,朝戏台走去。建国手持一把不知从哪儿弄来的竹扫帚,把舞台地毯上的雪往台下扫,见巧儿到来,建国指着头顶说:"团长,上面漏雪是小事儿,我担心雪再大,那吊顶灯的竹杆吃不住劲。"巧儿抬头看了台顶一圈,发现整个台顶已经开始往里撮,风雪之中,支撑在顶部的几根大竹杆,不时发出吱吱呀呀的响声。她嘱咐建国先把压在顶部编织布上的积雪捣掉,等下午戏演完,再把主要几根杆子加固。

巧儿穿过前台,来到后台,她一下被眼前的情形怔住:风雪鼓动着挡布,穿透过挡布之间的缝隙,旋绕着破烂的化妆小桌,身披绿军大衣的秀儿,毛巾挡住刘海儿已经往脸上拍完底色,手持眉笔正全神贯注画着眉眼。

秀儿看了一眼巧儿,没吭气儿,继续面对化妆盒上的镜子,一股一股的白气从她的鼻和嘴中冒出,她似乎不觉寒冷,那样的平静,那样的从容不迫。巧儿张口想说什么,又闭上了嘴。

演员三三两两来到后台时,秀儿已经化完妆,正在吊眉鬓,大家似乎都感到惊讶,布景凑到秀儿跟前,说:"秀,秀姐,你,你演啥?"

"演你妈!"

秀儿勒上娃娃发,上网子,穿水纱,戴宝石花,盘撮。软头面戴好之后,穿彩裤、彩鞋、水衣、棉垫,一早早扎上靠,戴上七星勒子,往后台角落里一站,谁也不答理。虽带妆,但所有人都不难看出,在她那浓妆之下,是她的尊严,一旦这种尊严若再遭受侵犯,她会毫不留情地把侵犯者撕成碎片。

整个后台一反常态的肃静,人们默默地做着自己的事情。秀儿临上场前,巧儿走到她跟儿,啥话也

没说，只是用手理了理她七星勒子后面的靠旗。

风雪越发肆虐了。

十 八

巧儿操心着舞台顶吊面灯的竹杆，和大架上的积雪，同时关注着秀儿在舞台上的一举一动。可是没有料到，另一件可怕的事儿发生了。

当戏演到樊梨花拼死救出丁山，刀劈杨凡、樊虎之时，樊梨花使一个长腕刀翻身接蹦子，坤刀下劈之后，秀儿随着一头栽到台上。幕腿两旁的人原以为是秀儿脚的重心不对，摔了一跤，可半晌不见秀儿爬起来，便知出事儿了。一直站在调音台旁的巧儿惊呼："拉幕！快拉幕！"

头道幕急闭住后，巧儿和两旁的人奔上台，只见倒在那里的秀儿，双眼紧闭，双眉紧锁，双唇紧咬，浑身颤抖，豆大汗珠顺着头盔沿着压鬓花往下淌。

"秀儿，怎么了？秀儿……"

秀儿没睁开眼，抖动着嘴巴说："我站不起来了……"

巧儿对一旁的汴生说："快把她抱下台。"

扮丁山的汴生，弯下腰伸出双臂将秀儿抱起，走下后台。巧儿让汴生把秀儿抬到紧挨后台的一家农民的屋中，让建国用广播告诉观众，演员有病请稍候。巧儿解开秀儿身上的靠，摘下秀儿的头盔，松去鬓带，用干毛巾揩着她脸上的汗，问："秀儿，你哪儿不舒服？"

秀儿有气无力地在巧儿耳边说了些什么，巧儿便让屋里的男人离开了屋子。

"巧儿姐，我大概是来例假了，好些好些。"

巧儿下意识往秀儿的下身一瞅，大吃一惊，殷红殷红的血已经渗透出彩裤,溢了好大一片。例假?哪儿会有如此这般厉害的例假?巧儿急忙帮着秀儿把腰带解开,顿时感到一阵目眩,秀儿的整条内裤以及毛裤全被鲜血浸透。

"秀儿,你这是咋的了?"

"我不知,小腹搅着疼,腿肚子一转筋,就栽倒了。"

"秀儿,你是不是流产了呀?"

巧儿的话提醒了秀儿,她强支起身往下身一瞅,"妈呀"喊了一声,一下瘫软在床,昏了过去。巧儿一见此景,声嘶力竭地大叫起来:"快去叫大夫!快去把大夫找来!……"

屋里的女人们和屋外的男人们乱作一团,男人们去找村里的大夫,女人们去找卫生巾和卫生纸。建国的喇叭响了,急呼村里的大夫,可迟迟不见人来。满身靠旗的汴生在村里四处奔跑,终于在村北角的兽医站找到了那个在太原念过医专的小伙儿,他正在给一头病牛打针。汴生帮他拎起药箱,不由分说将他拉到后台旁的小院。小大夫一瞅秀儿身下哪儿都是血,懵顶①,束手无策,说他在太原学的是内科,不是妇产科,药箱内也只是一些治头疼脑热拉肚子的药,惟一派上用场的是药箱里的两卷纱布和两包药棉。

躺在床上的秀儿睁开眼睛,见此情景,眼泪不停地往下流,她抓住身边巧儿的手,恐惧地说道:"巧儿姐,我怕是不中了,我要是死在这里,说啥恁也得把我拉回汴京……"

---

① 汴京方言。"懵顶",傻了的意思。

巧儿知,秀儿是害怕。她自己也怕,听了秀儿的话,巧儿的泪水像断了线的珠子,抱着秀儿说:"不会有事,不会有事的……"

正在这时,老会首把巧儿叫出屋来。

老会首裹着大皮袄说:"哭啥呢,不就是流产嘛,没啥大事,俺山沟沟里有山沟沟里的土法子,烧一把豆稞子灰,往身下一捂,包管啥事没有。"

巧儿半信半疑瞅着老会首,半晌没动势。老会首发怒了,大吼一声:"磨蹭啥,快去!出了事我负责!"

巧儿一哆嗦,扭头对汴生大喊一声:"快找豆稞子去!"

全副披挂的汴生扭头就向村北头奔跑,满身靠旗在风雪之中猎猎作响,他刚才去找小大夫时,见兽医站里有一堆豆稞子。大约有七八分钟,汴生满怀里抱着豆稞子满头大汗奔回来。巧儿转身进到灶屋,把豆稞子塞进灶膛内点燃,化为灰烬之后,用手绢包出,按老会首说的土法儿糊在秀儿的下身。

秀儿紧闭着眼睛,但,此时她似乎平静多了,看着巧儿的举动,秀儿说:"巧儿姐,把彩裤脱下吧,别弄脏了服装。"

一听这话,巧儿再次呜呜地哭出声来:"秀儿,是姐对不住你,不该让你上台,姐不好……"

"巧儿姐,双哥他们丢了恁多钱,你心里难受,我知,是我自愿上台的,我没演过主演,我想演……"

"秀儿,姐让你受苦了。"

"别就这说,这孩子不该来,这是天意。"

老会首的土法儿真灵,秀儿的血果真止住了。然而,天上的雪依然在下,举目望去,山野全白了。

100

带着湿味的初冬的雪片飘积在舞台边干枯的杨树上,那些已经发脆的树枝丫儿被雪压断了。冷森森的雪花,蛮横的飘落在这座三十多年没见过的彩台上,仿佛在向大雪地里的观众表演着它们随心所欲的舞蹈。

四村八乡的农民,聚集在风雪之中,无人退场,他们当中那些上年纪的人,大多已知下面那没有演完的剧情,可他们和想知结尾的人一样,在等候丁山与樊梨花最后各自的暗诉衷肠终归于好。

建国的声音在白雪飘扬的空中再次回响:"各位父老乡亲们,樊梨花同志病倒了,正在治疗,下面的戏,还剩一场,天气太冷,雪又大,回吧,回家吧,汴京市豫剧团全体演员在此有礼了……"

近一个钟头过去,依旧无人愿意退场。村长和支书找到巧儿,让她到前头去瞅瞅,观众恋台不走,得想个法儿才是。巧儿压后台走到前台,往台下一瞅,感动得又差一点落下泪来。没人去理睬建国的反复广播,不少人在大声乞求:

"那妮子得啥病例?腿脚便利吗?"

"演吧,大老远来了,看个有头没尾,心里猫挝挝的。"

"一辈子难看这好的戏,俺们不走,等樊梨花歇刻刻,俺们不急。"

"演吧,演吧……"

巧儿压前台走到后台,默默回到秀儿躺的屋里。建国的反复广播,秀儿听得真切,当她瞅见巧儿那张面孔,舞台下的情景也全部想到了。

"巧儿姐,掉一场戏了,再歇一会儿,我就上台。"

"秀儿,还是我赶个妆,上去把最后一场凑合完

吧。"

"不，巧儿姐，我也算演了十来年的戏了，龙套跑够了，C角上戏对我也是头一次，让我演完，这或许是我这一辈子最辉煌的一次机会。"

"秀儿……"巧儿哽咽了，短短的一下午，她好像流完了一辈子的眼泪。她觉得做女人太不容易了，无论你是角儿不是角儿。

十来分钟后，当秀儿出现在九龙口时，白茫茫的台下，掌声轰散了白雪的寒冷，高天寒流似乎在这一瞬间绕避了舞台，一张张粗糙的脸，在白雪映照之中，像迎接阳光一样，等候到了温暖。最后一场一开场，就有半大男孩儿领着"开脸"的弟弟上台，压前台欢欣地走过，选择这个时机"开脸"，似乎更加显得一个小孩长成一个大人的必然性，是与这场风雪之中也能唱成的戏大有关联。

打鼓的宝财，留意查了查，这场戏共有五个孩儿上台"开脸"，共有十八次为樊梨花叫好的掌声。坐在后台箱上的马福顺，闭着眼睛说："啥叫演员，这就叫演员，天不塌，地不陷，只要有口气儿，往舞台上一站，顶天立地！"

十九

冬天时候短，《梨花归唐》散罢戏，天已经全黑了。巧儿在演员卸妆时，让兴旺通知大家，因秀儿不能再演出，明天的《三哭殿》改演《抬花轿》，《斩西宫》改演《斩太师》，并提醒参加今年职称评定的同志抓紧将述职报告交给职称评定小组。

吃罢晚饭，巧儿让刘双和石俊卿把秀儿扶到妇女主任家里和自己一起住，让兴旺重新为他俩安排住处。兴旺为难，说能住的农民家都住满了，要不还去火龙庙和扎根他们挤挤,多铺一点草,将就两天算了。刘双和石俊卿同意,便跟着兴旺去了火龙庙。走到半道,碰见扎根和布景,扎根问见到宝财没有,说一散戏就不见宝财的踪影,也没见他去吃晚饭,村里演员的住处都找遍,不知哪儿去了。刘双借着雪光一瞅表,已是九点半,这宝财能去哪儿了呢?

夜里十二点了,宝财还未归,火龙庙里的人挤在一堆,各种念头在大家脑子里闪现。

八斤怀疑:"是不是被狼吃喽?老会首说,冬天这山里有狼。"

保安怀疑:"搞不好是被村里的小寡妇勾走了?"

布景说:"有,有可能,宝,宝财的病刚好,翘,翘,翘急。"

身体一阵阵发冷的汴生,打抱不平说:"别把别人想得跟恁一样,跟鬼子进村似的。铁柱找个帮伙的,瞅恁几个没出息样,像狼一样围着转,不就是听说人家男人死了吗。"

布景辩解道:"那,那,那是保安,在那个帮伙的娘们跟,蹭,蹭,蹭来蹭去的。"

保安不挺了,揭布景的老底:"谁像你,剜到篮里都是菜,去豫西煤矿那一回,跟个体窑主的瘸小姨子,俩人钻到废矿井里,差点出不来。"

布景没否认,反而一个劲地点头,回味无穷地说道:"得,得劲,别看那娘们瘸,比,比大灰狼还厉害。"

"别不要脸了。"石俊卿压铺上爬起来,披上大衣,发话,"走,咱再去找找宝财。"

几个货压被窝里爬起来,跟石俊卿一同去找宝财。他们出了火龙庙,分两帮,一帮压村南往村北找,一帮压村西往村东找。两帮人踏着厚厚的积雪,用不同的声调在雪夜之中高喊着:"小——小——""宝财——宝财——"白皑皑的山野寂静无声,只有村上的狗,不知寒冷地在屋外回应着。

宝财一夜未归。这天夜里,舞台顶吊面灯的竹杆,终于被雪压塌了。第二天一早,全团上下一齐整修舞台。建国接在裸线上的电线也被雪压断,建国爬上电线杆重新接时,不留神被电打了下来,摔伤了右腿。汴生因为夜个儿在雪地里奔来奔去,出大汗后被寒气袭着,夜里发起高烧,说了一宿胡话。大家心里全都在发毛,更加担心到现在还没有露面的宝财,不会再出什么事儿吧?

《刘公案》推迟到上午十一点开场,若不是舞台被雪压塌,宝财肯定误场。当疲惫不堪的宝财出现在后台时,人们看到他的眉上、睫上、头发梢上全是霜花,两只眼珠布满血丝,嘴片冻得发紫。后台的人一下围了上去,问他一夜去哪儿了?宝财呆呆地环视大家,目光停在石俊卿脸上,他伸出没有血色的手,要过石俊卿手中的保温杯,连连喝了几口热茶之后,把保温杯还给石俊卿:"石老师,你是高层次,写剧本的,我说不对,你别在意。"

"小,你说吧。"石俊卿用爱怜的目光看着宝财。

"石老师,你写剧本,要写现代戏,写啥?写啥也不如写写咱们自己,写写顺爷为啥跟咱到这山沟里来,大凤姐为啥住进了医院,秀姐为啥晕倒在台上,你和双叔又为啥丢了两万块钱……石老师,你写写这,保你一炮打响,让全国都知咱受的啥罪……咱唱豫剧的不想散伙……"

石俊卿直愣愣两眼看着宝财,好像被什么震撼,也就是在这一瞬间,面前这个往日里遭人蹂落,不被重视,在人眼里永远也不成器的孩子,一下子将他整个幻想天国砸碎,在这一瞬间,他没有了空虚,没有了悲哀,没有过眼烟云的生活,眼前所发生的一切,使他顿时感到一种无声无息的扎实,他把目光穿越后台那遮掩不住的布挡,投到远处天地一片白色之中,思绪在那里凝聚,又在那里扩展……

"夜个儿散罢戏,我去看大凤姐去了,病房里很冷,我却觉着比火龙庙暖和多了。大凤姐说,住医院真好,不用在舞台上遭风刮雪淋了。病房里一夜没关灯,我坐在那里瞅大凤姐,离她那么近,她才三十多岁,眼角上全是皱纹,脸皮松得吓人,这都是扎鬓带扎的,她说等回了汴京,要去做美容手术,把脸皮重新绷绷……大凤姐说,唱戏真没意思,但她就是喜欢唱戏……"

"小,孩子乖,别说了……"马福顺把手放在宝财头顶,摸着他的头,意味深长地眨动着老眼,然后对大家说,"咱这些搞豫剧的,为啥不想想,咱这个大门楼头,为啥眼望儿在城里不遭人待见?没有立足之地?为啥在农村咱又有这好的市场?有恁多的观众?我成夜琢磨,确实有琢磨头。每章儿,是没电视,城里人都拥到剧场里看戏,眼望儿乡里也有电视,为啥台子一搭人就往跟前拥呢?这种城乡差别,说明了每章儿城里人的素质和眼望儿乡里人的素质一样,一旦有一天,眼望儿乡里人的素质和城里人撵平了,试想想,咱的豫剧去哪儿演?樊粹庭是有功之臣,是他把草台班子的豫剧形成规模拉进了大剧场,可眼望儿呢?咱又压大剧场里被撵出来沦为草台班子,这种悲哀是谁造成的?是时代?是观众?还是咱豫剧自身?我看,没有走不了的路,只有穿不上的鞋。咱豫剧这双鞋已被樊粹庭穿旧,穿破,跟不上时

代步伐了,咱要重新换一双新鞋才中。要想走回城里的大剧场,咱先得给咱自己挑挑毛病,咱自身的素质还配不配进大剧场?每章儿的艺人,压台上下来就说下流话,眼望儿的艺人,压台上下来还是说下流话,台上演戏和台下做人其实是一回事儿,难道让世人给咱们'戏子'这个永远不变的称呼不成?旧社会有句话,'没有君子,不养艺人',眼望儿即便有一百个君子,一人拿一百万块钱把咱养起来,汴京市豫剧团就能把城里的观众拉回剧场里?我不信。依我看,咱豫剧一方面需要君子出钱,需要大量像樊粹庭这样高层次的文化人介入,另一方面,得靠咱们自己,压基本功一点一滴练起,不知祖宗是谁不中,不知将来的上帝是谁更不中!"

在马福顺慷慨激昂讲话的时候,雪停了,台前的丁字路口又拥满了人,戏开场之前,村长上台作了简短的讲话,告诉四村八乡来赶缏的人,河南有人来收牛犊,价钱合适;陕西有人来收白玉米,价格面议;村东头配种的种牛来了,莫错过时机。

二十

巧儿领着团,是农历十二月初七打道回府的,离阳历年还有三天。徐府街上的人已经习惯了加长东风大卡车在豫剧团门前的装装卸卸,传达赵嫂也平平常常地与大轿车上下来的演员们打一声"回来了"的招呼。老喷壶和刘三依旧凑在山陕甘会馆的照壁旁一边晒暖,一边搓麻将。老喷壶兰花指上夹着烟,瞅了一眼狼狈不堪的女儿女婿,对正码牌的刘三说:"瞅恁儿和恁儿媳妇这模样,这月大概能发全工资,孩子乖脸都累歪了。"老刘三没抬眼,打出一张牌:"给,全工资;九条。"

巧儿看着母亲和公公,悄悄问正往肩膀头上扛行李的刘双:"如果当年恁爸和俺妈成事儿了,会是个啥结局?"

"啥结局,咱俩就不会一块儿受这罪。"

赵嫂压传达室拿出两封信,走到巧儿跟前,递给巧儿,神神鬼鬼地说:"团长,台湾来信了。"

巧儿先将台湾的信拆开,边走边看读给刘双听:

团长女士:

回台多时,四处奔忙,不负故人,已与同乡会同仁达成一致,乡土戏曲颇受台人欢迎,共同弘扬我民族文化艺术为己任,振兴乡土为宗旨,强化乡谊,联系乡情,特愿邀请以巧儿女士为首之汴京市豫剧团来台访问演艺,餐饮住宿费用共免,交通支援,单程来台机票自理,访问演艺时为10天,票房收入三七分成,同乡会占三,演艺团体占七,附协议书,双方商榷,互通电话传真,台北方面联络人:林重富,电话:(〇二)八八三四六五六,传真:(〇二)八八三八六〇三。

谨祝

健康、愉快与精神焕发!

林重富上

公元一九八七年十一月三日 于台北

另一封信是一份讣告,二夹弦剧团留守处寄来的,上面短短印着两行字:"原二夹弦剧团团长,著名表演艺术家郭宝珍同志,因突发心脏病,于×年×月×日不幸去世,享年84岁。郭宝珍同志追悼会于×年×

月×日在市殡仪馆追悼大厅举行。"巧儿看罢,半晌没有说话,和那老太太最后在医院的碰面,在她脑际里萦绕。

巧儿和刘双没有回家,直接去了办公室,在家留守的丑妞告诉巧儿两件事儿:第一件事儿,省剧协来了两三次电话,询问进京参赛"梅花奖"的准备情况;第二件事儿,卫生局来电话,说老妖的病,是由于吸了甘肃某地一种非法种植的大麻而引起的。

"大麻?"

"就是毒品,老海。"刘双叹气,"唉,旧社会的玩艺儿,新社会又拾起来了,这叫啥事儿。"

"啥事儿?还是有钱,没钱他吸个屁!"

"你说怪不怪,人一有钱,咋就办坏事的多,办好事的少呢?钱这玩艺儿真是凶,有它毁,没它也毁。"

"还得有它,争'梅花奖',去台湾,没钱不说事儿。"巧儿一屁股坐到那早已没有弹性的沙发里,向刘双一伸手,"给烟。"

刘双掏着烟,问:"咱大概得有多少钱才够这俩事儿?"

"那得要看去多少人,'梅花奖'好说,一台戏,演员少,底包用不几个人。去台湾是商业演出,至少得带六七台戏,去人少了拿不下来,可去人多了,费用就高了,连单程机票钱都凑不够。"

"单程机票得花多少钱?"

"一个人就按五千算,咱不去多,去二十人,二五一十,十万。"

"我的娘,咱得卖几口人。"

他们两口沉默,坐在沙发上,你一口我一口地对着抽烟。对巧儿来说,去台湾演出和去争梅花奖同等重要,林老头信上写的清楚,豫剧在台湾颇有市场,如果十天满座,是一笔相当可观的收入,即便是借钱负债,也能赚回来。而梅花奖是最头疼的,争上了,破点本也值得,争不上,劳民伤财,已经丢了两万块的赞助……巧儿不愿再往下想。

"双,我看梅花奖算了吧,还是奔台湾的事儿吧。"

"你正好说反,梅花奖才是正儿八经的事儿,一辈子的荣誉。"

"要是争不上呢?"

"争上争不上也得去争,你都四十大几的人了,还有啥机会?你瞅瞅恁妈,再瞅瞅马福顺,他们唱了一辈子戏,有这样的机会吗?人活一世为啥?咱不唱高调,人活一世就是为名为利,干咱们这行的,有了名才会有利,才会脱贫。去台湾,不错,有一点眼前利益,但你不想想,吃苦受累,你能比别人多拿个吗?有了梅花奖,情况就不一样,你的团长不干了,照样有人认你,到哪儿照样吃香喝辣。"

刘双说的是一句实实在在的话。巧儿又沉默,再次伸手向刘双要烟,她嘴里吐出浓重的烟云,在这烟云之中,她眼前仿佛又飘起山西的大雪……

刘双看出巧儿的心思,说:"这样吧,去台湾的事儿,你先向局里汇报,你放心,去山沟里没人去,去台湾会争破头,头头们动劲了,啥事儿都好办,十万给不了,给个七八万估计不在话下,再拉上市里的头头,拉上几个企业家,这事儿就成了。咱们的主要精力,还是放在梅花奖上。"

"钱呢?不是还得钱说事儿?"

"我再去一趟豫北金矿,找找前年在那儿认识的金矿老板,他要有兴趣,就拉着他一块进北京。"

巧儿和刘双回到家,还没喝上几口热茶,楼上的老巴踩着吱吱呀呀的楼梯下来,跨进门槛。老巴神情严峻地质问巧儿,明知秀儿有身孕,为啥逼着她演武戏?巧儿反复解释,老巴毫不谅解,并提出补偿的条件:营养补助费,精神补偿费,记大功一次,当一次先进工作者,最关键两条是这次的职称评定和去台湾,必须得有秀儿的份儿。巧儿无精打采地听着,再也找不到一句合适的语言与他对话。老巴一瞅巧儿不吭气了,反而越说越提劲,越说声音越大,严肃告诫巧儿领导要关心群众,要时刻把群众疾苦挂在心上。这时,只听到楼上传来秀儿的声音:"妈那个巴子,你回来!你知个球啥!"奇怪的是,布景的串"京巴"不知为何不叫了。

老巴刚离脚,扎根的老婆就上门。巧儿很害怕这个女人,亲眼目睹她在中山路上,横躺在公共汽车前头,迫使主干道交通阻塞,四名警察将她四脚朝天抬走的场面。为了扎根的房补,她来团里和巧儿家里不下五六次,谁见谁头大,尤其是兴旺,巧儿让他代表团领导和她谈话时,兴旺一句话没招呼,实打实地挨了这娘们一嘴巴。巧儿想,这娘们肯定是听扎根回家说了评职称的事儿,来打探一下情况。果然如此,扎根媳妇一坐下,单刀直入,直奔要害。她对扎根的表扬,比扎根的述职报告精彩得多。夸奖扎根如何如何热爱本职工作,如何如何带病演出,如何如何捧巧儿两口子的场,如何如何遭受不公正的待遇……巧儿筋疲力尽听着,实在是无法忍受,便问扎根媳妇道:"嫂,扎根眼望儿在家弄啥?"扎根媳妇说:"刚回来,还能弄啥?累得跟啥似的,脸也不洗,倒头就睡了。"巧儿乞求道:"嫂,我也刚回来,行行好,让我也睡会儿,中不?"扎根媳妇很不情愿地压椅子上站起身,临出门撂下一句话:"别管了,这一回要评不上二级,俺家扎根是敲大锣的,俺辞职不干了,在团门口摆个摊敲锣卖梨膏①。"

扎根媳妇走后,巧儿顾不着洗脸,进到卧室,往床上一栽,刚闭上眼,就听到放学回来的小儿子,在门外高声唱道:

辕门外三声屁不用使劲,
大军帐里走出来不正经的人,
头戴马鳖尾巴压住鬓,
身穿着破烂大袄没有衣襟……

巧儿一下子压床上蹦起来,冲着外屋正在拿大顶的刘双吼道:"刘双!去,把你儿子的嘴给我扇歪!"

二十一

正像刘双分析的那样,巧儿向局里有关领导汇报之后,去台湾的事儿受到高度重视。局领导向市领导汇报,市领导明确表示,市财政再困难,也要想法儿解决一部分费用,市领导让打个预算报告上来。去台湾演出可不比在内地,豫剧团现有的古装戏的服装,都是文革期间马福顺封留下来的,用马福顺的话,这些服装又是齐雅辉还没成角儿的时候购置的。半个多世纪的服装,太不像样子,大多数服装已脱丝起毛,靴子开口,哪像帝王将相穿的,跟济公的鞋差不多,咋地也得换上一台像样的服装,咱不能上台湾

---

① 汴京方言。"梨膏",块糖的意思。

去展览破烂吧？省啥，这服装的钱不能省。单这一项预算就造出去七八万。全团六十人就算去上一半，单程机票钱也将近二十万，没有三十万块钱的垫底，去台湾恐怕没门。豫剧团打了三十万块钱的预算报告给文化局，文化局又将报告给财政局。主管财政的韩副市长，看罢报告说："豫剧团去台湾的事儿，已经研究过了，大力支持文化事业嘛，振兴咱的豫剧嘛。"韩副市长大笔一挥，朗利①地一批——三万。

"三万？"巧儿有点哭笑不得。

刘双却满足地说："期望的太高，失望的太重。三万就不错了，给一点儿总比不给强。"

"三万够啥？够几位前去观光领导的机票？"

"中了，人家要不答理你，你不照样傻脸。"刘双胸有成竹地说，"市领导不是答应出面找几位企业家吗，咱们给他定个数，一个企业家不拿十万八万，哪儿凉快让他去哪儿。"

"发迷，人家有钱哪儿不能去，非让恁这帮唱戏的扼？"

"这你就不懂了，他有钱，英国美国他随便去，这去台湾呐，可不是谁有钱谁就能去的。"

没出两天，文化局张局长来电话告诉巧儿，乡镇企业办公室给联系了一位企业家，愿意出十万跟随豫剧团去台湾，这两天他会去与你们联系。这个消息令巧儿欢欣鼓舞，能来上两位企业家，啥问题不全解决了吗。

果然，在接到张局长电话的当天下午，那位乡镇

---

① 汴京方言。"朗利"，痛快的意思。

企业家就敲响了巧儿办公室的门。一进屋,巧儿觉着太面熟了,不等巧儿开口,对方久别重逢的热情说道:"大团长认不得俺了?"

"你是……"

"忘了? 一个月前,俺妈死,恁去俺家……"

巧儿懵顶,顿时说不出话来,她做梦也想不到这位"企业家",是那个愿出五万块让她跪下来唱丧那个杀猪的。

杀猪的似乎看出巧儿的心思,不计前嫌地说:"大团长,有啥可大惊小怪,眼望儿的社会不就这么回事儿,我有钱,他有权,你有名,咱们三个一结合,还不是一个铁三角啊,别管了,十万不够我再给添点,人家常说'羊毛出在羊身上',我这一样,'猪肉出在猪身上'。"

巧儿觉得胸口被一块巨大的磨盘压得透不出气儿,她再也不能多看一眼这位杀猪的"企业家",她喊来刘双与这位"企业家"谈具体事宜。

巧儿离开白楼,独自一人去到隔壁山陕甘会馆的院内,穿过照壁旁的右掖门,站在迎面的古戏楼前,久久未挪脚,她仿佛第一次见到这座戏楼,第一次在思考"出将"、"入相"是怎么个说法,第一次被关羽的"过五关斩六将"的艰险而感动。她慢步离开古戏楼,走近会馆的主体建筑,又停在拜殿正脊的雄狮宝瓶前,双眼紧盯上边书写的"城圣大帝"四个大字,突然想到那个学术界悬而未决的问题:豫剧到底是压哪儿来的? 秦腔? 弋阳腔? 蒲州梆子? 还是北曲弦索? 她又联想到小时候在后台,母亲一边用鬃带绷着头,一边给她破的那个谜语。此刻她觉得很可笑,又觉得很有意思,面对雄狮宝瓶,不由自主滑出了嘴:

> 行走千里不离乡,
> 两国交战不受伤,
> 同胞姊妹不一母,
> 夫妻恩爱不上床。

戏剧——这个谜底使她觉着可笑,明知戏不是真的,却又离不了。她又想到母亲为三株口服液做的那个广告,人老了真没劲,不愿意退出历史舞台,连广告也不放过,唱两口能有多过瘾?唉,大概还是为了混几个烟钱吧。

结　尾

刘双去豫北金矿真弄来了七千块钱的赞助,金矿老板只提出一个要求,去北京后得找个中央首长给金矿题词,刘双拍胸脯大包大揽张①的很大,先把钱弄来再说。开春,巧儿便进京争夺"梅花奖",参赛剧目《穆杨会》博得一致好评,尤其是一批身穿草绿军装、挂着锃亮拐棍、由儿孙们搀扶的老红军,看罢戏纷纷给巧儿题词。一些河南和山陕甘籍的老将军们,颤颤悠悠地上台,捞住巧儿的手,翘起大拇指说,这才是地地道道的祥符调,美,美得很。

巧儿获得"梅花奖"快一年了,去台湾的事儿还在云里飘着,主要原因是凑不够钱。有人出了一个点子,把那件"镇团之宝"卖给博物馆,巧儿和团里几位头头动了心,专门开会研究,最终下不了狠心,有人说,就是穷死,也不能连祖宗都不要。职称评定

---

① 汴京方言。"张",吹牛的意思。

闹得是天翻地覆,扎根没评上,他那头母狮子一般的老婆在白楼天井院里骂了三天娘,最终还是被扎根像抱面布袋一样抱回家了。原先巧儿担心扎根撂挑子不干,真在团门口摆摊敲锣卖梨膏糖。结果却不是这样,扎根依然来上班,依然下去演出,依然做着收购猪皮的勾当。

为了大伙能发下百分之七十的工资,在这一年里,巧儿他们又去了好几处当年日本人都没去到过的犄角旮旯里演出。在这一年里,石俊卿写出了一个名为《百年祥符》的现代戏,参加全省戏剧大赛获了一枚铜牌,据说本来应该获金牌的,因为评委当中有一些人不相信剧中情节的真实性,说是脱离生活。然而演员们却很喜欢这个戏,他们在台上演一场哭一场。但,石俊卿却受到某种启发,何必一棵树上吊死?于是,他改写电视剧本,很快就打开局面,上门约稿的络绎不绝。尽管如此,他依然叹气说:"唉,写啥也没写戏过瘾,观众和舞台都是立体的。"

在这一年里,豫剧团发生了许多不可思议的事儿。秀儿和老巴离婚之后,和汴生结婚了。秀儿搬出了徐府街,和汴生母子一起住在马道街的小院里。时不久,秀儿又怀孕了,汴生不让秀儿再上班,接过了石俊卿那个袜摊儿,让秀儿和母亲在家卖袜子。大凤因为坐台被防暴大队抓住,要罚她五千块钱,大凤咯咯笑着说:"要钱没有,要血一盆。"是宝财拿出省吃俭用积攒下的五千块钱,赎出了她。大凤释放出来没几天,莫名其妙的要和比她小十岁的宝财结婚了,团里在白楼上腾出一间房子给他们当新房。拍结婚照那天,大凤借来了团里演《花为媒》的戏装,照片冲洗放大后挂在新房里,前来祝贺的人发现,照片上的宝财笑得很开心,大凤却没有笑。打那

以后再也听不到大凤咯咯的笑声,和宝财相亲相爱,日子过得蛮舒畅。

在这一年里,布景倒卖"京巴"狗倒发了财,他逢人便说:"早,早,早该做生意了,我,我,我当演员是,是一个误会。"布景要求办了停薪留职。马福顺老头被陕西某个豫剧团高薪聘走,据说一月拿三千多块,老头恋恋不舍地对巧儿两口说:"不是顺叔不讲情义,我留在团里,还会走当年齐雅辉的老路,我走了也给恁两口减少些麻烦。"巧儿明白马福顺的心思,尽管历史不会再重演,但历史终究是一块刻在人们心中的墓志铭。马福顺走后不久,也有外地的团体来"策反"巧儿,丰厚的待遇也使巧儿动了心。她向文化局提出辞去团长职务,办提前退休,文化局态度强硬,坚决不同意,理由很简单,拿了"梅花奖",头牌的戏价就上去了,你一人不能丢下全团不管……

巧儿没有丢下全团不管,却忽视了没考上大学的小儿子,儿子在饭桌上闷闷不乐地对父母说:"从小恁就不管我,东奔西跑的,眼望儿我咋办?恁总得操心我的工作吧。"巧儿问儿子有啥想法?愿意干啥工作?儿子闷头往嘴里扒着饭,半晌压嘴里溜出一句:"我想进恁团。""啥?你说啥?"巧儿和刘双同时停住手中的筷子,四只眼睛紧紧地盯住儿子。儿子也停住手中的筷子,眼睛直勾勾地盯着自己的饭碗,用一种不容置疑的口吻重复着自己的选择:"我想进您团,让我管服装都中。"正想发作的刘双,一腔怒火窜到门牙又咽了回去,用委曲求全的口吻语重心长地对儿子说:"眼望儿和每章儿不同了,您赶上了好时候,干啥不中?干啥不比干剧团强?去深圳,去海南,俺都同意,世界精彩的很……"巧儿两口磨破了嘴皮子,儿子坚持要进豫剧团工作,理由是他喜欢天幕,喜欢灯光,喜欢舞台上的地毯,喜欢一群人聚在一起东奔西走……

在这一年的冬天,山西那个彬彬有礼的戏贩子又来了,他说山沟里的那个邢村,很怀念汴京市豫剧团,戏唱得好,演员扮相也好,邢村村委会按人头收钱,再请汴京市豫剧团去唱,点的戏中,头一出就是《梨花归唐》。这个消息传到正在山陕甘会馆照壁旁打麻将的团长妈耳朵眼里,老喷壶兰花指上高举着香烟,撇着嘴说:"好啥,眼望儿的戏能叫戏?比每章儿樊粹庭陈素真那会儿,差远了。"

就在豫剧团准备二赴山西的时候,他们隔壁的山陕甘会馆,被国家文物局批准为国家一级保护文物。在这座城市里,够着一级保护的玩艺儿太多,国家没钱,顾不过来。还是那座中外闻名的"州桥"省事儿,挖出来又被埋上,理由还是罗锅上树——钱缺。没法儿,只有埋在地下就不提钱的事儿了。遗憾的是,有的玩艺儿能埋,有的玩艺不能埋。

王少华汴味小说之

宣和画院

一

市消费者协会的刘胖子来到御街,在宣和画院门前停住脚,看了两旁那早已退色的对联,鼻子里重重地哼了一声,推开门,走进店内。

柜台里的老头儿在打瞌睡,全然不在意有人进来。那老头儿看上去足有七十岁,已是四月天还穿着棉坎肩,头上戴着黑毛线帽,干瘦的身子坐在一把老年红木椅子里,下巴栽进怀里,一上一下起伏,像个无力破旧的风箱在呼扇。

刘胖子在店中转了一圈,见老头儿仍无警觉,便咳嗽了两声。老头儿并不是惊醒,而是使劲撑起眼皮,缓慢地抬起头,问:"你要啥?"

"要您经理。"刘胖子说话底气很足,共鸣很好。

"啥?"

"要您经理!"

老头儿把刘胖子打量上下,似觉这客有来头,双臂撑着红木椅把站立起:"经理不在,有啥事吗?"

"啥事？你也不当家。"

老头儿伸了伸脖子，用手磨正头上的黑毛线帽，慢条斯理地说："大概能当家吧。"

刘胖子斜楞眼把老头儿上下一打量："你是啥人？"

"我是经理他爹，董事长。"

刘胖子眼里亮光一跳，正眼又把老头儿细打量，半信半疑地问："你就是李子信，李老先生？"

"不敢当，在下李子信。"老头儿问："请问……"

"我姓刘，市消费者协会的。"刘胖子从上衣口袋取出名片递过去。

老头儿从柜台内《兰亭序》的摹本旁找到花镜，架上鼻梁，捏着名片逐字看罢，又把名片递还给刘胖子："刘主任来此，有何贵干呀？"

刘胖子有所不快，把名片装回上衣口袋，说："事儿不大，麻烦不小。有消费者投诉，您宣和画院出售假字儿。"

"驴子跑到楼上——没的事。"老头儿双眉挤成一个蛋子："俺宣和画院可不是顾头不顾脚的主儿，刘主任明察秋毫，千万不可听信逸言呀。"

刘胖子笑笑，摇了摇硕大的头，说道："不做亏心事，不怕鬼敲门。别慌，真金不怕火炼嘛。给您儿子捎个话，让他抽空到市消协去一趟，这事儿处理不好，麻缠着呢。就这，我先走……"

"刘主任，刘主任，把您的名片给俺留个呗。"

"留不留都中，去消协一打听，都知。"

老头出柜台，撵到门口，拉住刘胖子的胳膊："刘主任留个片子，留个片子，往后有事，还是靠刘主任多关照。"

"那中吧，就留个。"刘胖子一边不情愿地掏着

名片,一边瞅着门脸两旁那退色的对联说:"这词儿,造的不赖:'书生开店仁义为本,老九经营薄利多销',只怕是眼望儿的老九,可不是每章儿的老九,眼望儿的老九,贼着哩。"

李子信站在店门口,一直瞅着刘胖子走出御街南口,叹一口气自语:"不叫胡整,非要胡整,咋样?这一回可是小鬼敲门——要命。"

李子信给儿子李鹏飞打了好些遍传呼,等了一天也不见回机,气得老头不住乱骂:三十多岁的人,醉生梦死,那张脸都快喝成个烂茄子,早晚有一天钻到汽车轱轳底下拉倒。李子信为这个画店成日发愁,借了人家王老三的六万块钱快一年了,那王老三可不是小品里的黄世仁,是电影里的黄世仁,上门逼债的模样也似虎狼。夜个儿王老三来要钱,原打算给他一幅何玉珠的条幅,把利息顶了,王老三不挺,拍着李子信的肩膀头说:"爷儿们,俺是个做扣碗的,不懂您这字画,他何宝珠也好,海宝珠也好,再值钱,在我这儿搭了。再说,这幅字儿挂在您这儿不少天了吧,一千都卖不出去,我拿走,打五折也没人要。俺还是等现钱吧,牢稳。"李子信也纳闷,宣和画院挂的字画,标价并不比京养斋的贵,甚至同类的一些还要比他们便宜,汪澄的一幅四扇屏,宣和画院标价两千八,京养斋标价三千,人家京养斋挂一幅卖一幅,宣和画院楞是没人管理,气蛋不气蛋!

这宣和画院,是李子信和二儿子李鹏飞鼓捣开的。李子信四个孩子,大儿子两口在无线电一厂工作,每章儿,那可是令人羡慕的工厂,车间像个医院,工人都穿白大褂,上下班有大轿车接送,月月发鸡蛋、香油,吃都吃不及。眼望儿,空荡荡的厂内,荒草比人高,工人长期放假,每月发六十块钱生活费,想弄啥去弄啥。大儿子两口,文化不高,找不着体面活儿,在二马道街摆了个鞋摊,置不几个钱,刚顾着口。二儿子李鹏飞在豫剧团唱过两年黑头,因为老唱不上主角儿,一恼,找医院的熟人,开了一张乙肝的诊断书,请长假好些年了,他和团里两不找,正好。李鹏飞大本事没有,小才气不少,许是耳濡目染,压小就能画两笔,写两笔,楷书、隶书、行书、草书、篆书,样样能晓;山水、花鸟、人物,样样能蒙。尤其是学他爹的字,把他爹都搞懵。李子信也睁只眼闭只眼,让他写几幅字落他爹的款去骗几个钱去,养家糊口嘛。两个女儿,工薪族,日子过得紧紧巴巴,时不时,率领全家来老头儿这里开饭,写字挣几个积蓄,全贴孩儿们身上了。李子信有苦难言,手心手背都是肉嘛。好在眼望儿有了生意,总比每章儿强。

为开这宣和画院,李子信专门去求教老哥们萧桂云。萧桂云操着已不太纯正的四川腔,喝着毛尖,慢条斯理地对他说:"开画店儿,御街那地段,危险,都说那地方不成生意,老伙计,咱可赚起赔不起啊,杜甫曰:'古来存老马,不必取长途'遭那罪做啥子嘛。御街那地方,邪气儿,说不准。"李子信细一琢磨,确是萧桂云所说,御街那地儿,邪气儿,五百来米长的地段,卖服装的,开饭店的,卖日杂百货的,开珠宝首饰行的,没一家生意中,都不死不活在苟延残喘。汴京人迷信,都说御街风水不好,李子信不服,咋不好?北头是龙亭,南头是午朝门,快行道,慢行道,人行道又宽又齐整,四处能停汽车,咋就风水不好呢?气蛋。萧桂云轻轻吹着瓷碗里的茶水,用碗盖赶着浮叶,依旧慢条斯理地说:"咋就风水不好,御街,那是个啥子地方么?皇上走的地方,你不信?嘿,我信。三十年前,我初来汴京城,头一件事儿,就是找九百年前的宋都御街。"

这事儿,李子信再清楚不过。三十年前,御街叫中山路北段,一条大道向南直通汴京火车站。当时,萧桂云经朋友介绍,来汴京师范历史系教书,扛着一卷铺盖,提着一把京胡,一出火车站,直奔中山路北段而来。虽头一次来汴京,但他早已像空降兵,临空降前,在地图上将地形背得滚瓜烂熟。他心里认为,历史就是历史,实打实,不管你城下埋着几座城,京城就是京城,经纬分明,只需辨清东南西北,走不丢人。皇帝嘛,总是坐北朝南,何况,那么大个龙亭,总不至于造个赝品搁在那儿吧。萧桂云手里翻着一本带毛主席语录的地图,怀里揣着一本破旧的《东京梦华录》,边走边默默对照,五里长街,在他眼中还原:朱雀门、州桥、都亭驿、东西景灵宫、宣德门……

萧桂云就是在来到汴京的第一天认识李子信的。当时,李子信正在中山北路一个不起眼的小门面房内扎花圈。萧桂云一门一槛,一砖一瓦看得仔细,一眼便看到花圈店门楣上那块"重于泰山花圈店"的招牌。萧桂云懵顶,脚下生根,一股凉爽之气注入眼中,周身的血却热起来,心里暗叹:这个城市了得不了得,一个破砖烂瓦花圈店的招牌,手笔就如此之大……萧桂云不敢往下想。他走进花圈店,问正坐在小马扎上扎花圈的李子信:"同志,门上那块招牌是出自哪位同志的手笔?"

李子信手里捏着纸花,问道:"四川来的吧?咋啦,门上那块招牌有啥毛病?"

"毛病?哪儿的话,写得好呦!"

"大惊小怪,说句不外气话,俺汴京去个农民到您四川,都当您老师。"

萧桂云听这人口气好大,打量几眼,倒真像个农民,手指在鼻孔里挖来挖去,挖出一坨子,搓成蛋儿扔到地上,然后继续捏着手中的纸花。

萧桂云问:"听口气,这招牌是您写的?"

李子信反问:"听口气,你也是写字的?"

萧桂云谦逊地说:"写的不好,还凑合几笔吧。"

李子信从马扎中站起,拍拍满身花花绿绿的碎纸屑,说:"来,写条挽联俺瞅瞅。"

萧桂云呵呵笑道:"那好,今天我就拜一个汴京师傅。"

放下铺盖卷,搁下京胡,铺一条白纸,捉起小木桌上的一支宣州兔毫,躬身写道:"为人民利益而死比泰山还重",李子信瞅着这条挽联,半晌无语,头一直在点,足有好几分钟,嘴里才冒出一句:"四川也有写家?毛主席上天安门——旁人靠边。"压那起,他俩一交三十多年的哥儿们。

李子信等不到儿子电话,呆不住了,把店托付给后院裱画的丫头之后,奔萧桂云家去了。

萧家离宣和画院不远,拐过东角楼就到,老房,是当年庞益然老先生留下的,三进院,砖漫地,屋瓦间隙长着枯草,院内有口井,苦水,不能食用,住户用来洗衣浇花之类,自打庞老先生跳井自溺之后,这井就再没人使用。住户们一商量,用一块青石板将井口盖住,闲来之时,做了打牌下棋的去处。人们都替庞老先生惋惜,为一件瓷器跳井,太不值。庞老先生秉性壮,市文物处得知,他家有一件宋耀州窑青釉刻花牡丹纹瓶,让他登记,反复解释,这瓶还是他的,由他替国家保管,只是以防文物流失罢了。庞老先生拒不登记,嗷嗷叫这瓶是祖上留的,跟国家没关系,半夜,老头从床上爬起来,抱瓶跳了井。老头死了,胳膊拧不过大腿,私家挺不住公家,瓶又从井里捞上来,还是登了记。庞老先生死后,女婿萧桂云就搬进了这院。

李子信进院门,绕过影背墙,停顿了脚,面前是大柜、小柜、桌椅板凳、沙发、冰箱、席梦思床垫、锅碗瓢勺、篮儿筐儿,哪哪都是,满院住户一个个忙碌得大头小汗,呼呼歇歇。

"这是弄啥?蛤蟆篓打翻———一团糟。"

"西门大街拆迁,挪窝呗。给李先生让道儿。"

住户们纷纷给李子信让道,李子信左拐右绕,进了后院,一瞅,萧桂云正坐在青石板旁,缠藕丝,身旁藕堆了一地。萧桂云并没理会李子信的到来,他把藕掰断开后,用一只筷子轻轻缠绕,抽尽丝之后,继续把大块掰成小块,使筷子继续缠绕。自制印泥这活儿,他已干了二三十年,是压老岳父庞益然那儿学来这门手艺。按理说,朱砂、艾绒制成的印色,已是上等,而庞益然家传制印色却自有一套理论。印泥与其不同之关键在于色,藕丝比艾绒色纯,细致入微,掺加成分,除辰州朱砂之外,还有珍珠粉、真腊红宝石、赤金粉、石钟乳、珊瑚屑、车渠粉、水晶粉等八样,合为"八宝印色"。其中有些物件现在根本找不来,比如说真腊红宝石,真腊即今日的柬埔寨,专去采购?划不来。这种制法乃是从前宫廷御制,成本昂贵,也并非科学,比如珊瑚粉易起霉,宝石坚硬度仅次金刚石,欲碾为粉,不知古人使的是啥物件。因而,流传到萧桂云这里,八宝已不是原先的八宝,另有替代,但依旧与众不同,钤盖之色,乍一瞅区别不大,细一瞅确是不同,红中泛紫,紫中泛白,白中透青,青中透黑,归至于红,却见得玲珑剔透,跳目透神。萧桂云的文,凡从他手中制出的印色,收贮不忌铜、锡、铝,无论十年二十年,色既鲜明又可耐久,不用勤翻调,细不沉,油性不浮。他制的印色,高价买不走,低价也不卖,更不送人,一盒盒攒着,他的文,一个人一生抵不过几盒印泥,卖它和卖血差不多。这话没错,从藕中抽丝,那得多少?李子信曾花搅①他说:"你这一盒印泥,得两架子车藕。"这话并不夸张,每到鲜藕上市,准有成架子车的藕停在他院门口,车一旁蹲着乡里人,抽着烟,不停往院里张望。自打这院有了抽藕丝的主儿开始,门口一连开了几家卖藕粉的,无论谁问到萧桂云住哪儿,认识不认识的都会说:藕粉店旁边那个青砖门楼。

李子信走到萧桂云身边,拉过一小马扎坐下。

"咋着,全院都挪窝,你坐着像个金刚,瞅你这劲头,是竹竿伸进鸡窝——捣蛋。"

"钉子户。"萧桂云不紧不慢,不高不低来了一句。

"咋着,条件不中?"

萧桂云鼻子哼了一声,把手里的藕和筷子往青石板上一搁,嘴一努石板上的茶碗:"喝吧,刚沏的。"

李子信坐下,端起茶碗:"老兄,事儿商量着来;别跟公家挺,咱是芦柴秆做门栓——挺不住。"

萧桂云拍了拍手上的土,说道:"挺不住也得挺。放心,我可不会像老爷子那样,跳这口井。"

"别生气啦,说说,咋回事。"

萧桂云翘起二郎腿,说:"生啥子气,你说说,哪有这个理儿,我三间上房是啥子价钱,怎么能和前院一个样儿呢?八千五百块?没门儿。"

---

① 汴京方言。"花搅",开玩笑、寻开心的意思。

"老房,能给你啥价,这就中啦,想开点,多写两幅字啥都齐啦。"

"人争一口气,佛争一炉香。齐啦?齐不了。"萧桂云用手一指,一向慢悠悠的四川话加快速度:"拆迁办的那个赵主任,龟儿子,他找我写字那会儿,低三下四的模样,现在我找他,一口一个按原则办事。按原则办事,我屋里墙上贴着价格表,一个条幅六百,一幅四扇屏两千五,他龟儿子咋就不按原则办事呢?"

李子信想了想,提示道:"不中去找找安市长?"

"我才不找市长,省长我都认识,找他们做啥子嘛,我萧某人六十岁了,就是跳井也够本了,我谁都不找,拆我的房,让他们来找我!"

李子信见萧桂云气越说越大,本想透一点消费者协会的事儿,话几次到嘴边又咽回肚里,喝了几口茶后,又劝说几句,然后起身告辞。出了院门时,还在想,这事咋对萧桂云讲,他那个性,拗起来,警察都没法。李子信在院外左边那家藕粉店停住脚,一下买了五袋藕粉。

二

李鹏飞回到画院,已是晚上十点,醉醺醺的又快找不着门了。老子气得乱骂,儿子从腰间摘下传呼机,摁了两下,递到老子眼前说:"你不信,瞅瞅,哪有咱的号。"儿子又摁了两下,才发现电池没电了。老子骂道:"啥鳖孙东西,十回八回不管使,乖乖,没钱就别装,正儿八经买个好的呗,便宜没好货!"

李鹏飞不耐烦,从兜里摸出烟,点着,问:"啥事?啥事热急?"

"啥事?叫你别卖您萧伯的假字儿,你就不听,这下好,消费者协会找上门啦,乖乖,赤肚推磨——丢一圈人!"

"消费者协会?他们管这事干啥?吃饱撑的!"

"他们管这事?乖乖,谁都能管这事,工商局、派出所、人民法院、街道办事处,管家多啦,乖乖,拾掇你个小画院,还不现成。咱在人家眼里,是坛子里摸乌龟——手到擒拿。"

李鹏飞翻着布满血丝的眼珠,抓起桌上的凉茶,咕噜咕噜喝干,吐掉嘴片上的茶叶,说道:"拾掇我?发迷,还不定谁拾掇谁呢。"

"乖乖,别张大的啦,眼望儿人家找上门来啦,张大的,短板搭桥——不顶事儿。"

"你别管,这事儿交给我啦。"李鹏飞拍着胸脯打保票:"这算个啥球事儿,天塌下来有地顶着,你老去睡觉吧,明个儿我就去拆洗这事儿,不就是个消费者协会吗,哼,小菜一碟。"

李子信一夜没睡好,第二天早起后,像往日一样,掂着鸟笼,去龙亭坑遛鸟。御街宁静,清洁工还没露面,宽敞的街面上,残留着昨晚夜市一片没有清扫净的垃圾。木质粪车满载稀里咣当的粪便,从樊楼西侧的北街拉出,拉车人使着牛一般的劲。

樊楼门前,石狮子脚跟儿蹲着的那个小丫头,看上去只是学龄前儿童,她手中攥着的那杆大笔,不由使人想起神笔马良的童话。她身边站着的父亲,认得李子信,每天清晨在此相遇,总要迎上前递上烟来,尽管李子信早已戒烟,那个父亲还是认真地完成这个礼节,然后诚恳而恭维地说道:"李伯,给您孙女点拨点拨。"李子信不好推辞,勾头瞅上两眼,轻描淡写地敷衍两句之后赶快离开。若哪天心情不错,还会从小丫头手中接过笔,蘸着小铁罐里的黄泥

浆，写上三两个字示范。那父亲不住声在一旁告诫女儿："瞅好，爷爷是咋写的，长大学爷爷，当大书法家。"

汴京城，每天清晨在地上写字的，不乏老少，李子信从不主张在地上练字，写一笔匠气，一上墙，露馅，毛病再改，难。汴京城凡是在地上练字的，并非图个省纸，似乎掺搅着某种心境，天地人之融洽的情趣，有老者终身将这种心境、情趣托付给大地，那么自信，那么自得，那么不受生活酸甜苦辣命运悲欢离合之扰。对此，李子信也并不藐视，写字嘛，哪儿舒服就在哪写，又不是天下所有爱写字的人，都非要加入中国书协，都要去竞争全国书展。写字嘛，就是写字，好孬都不碍着，有意无意之中，保不准就从哪个旮旮旯旯里冒出个书法家。何况这汴京城，从古到今，把城下城挖开，查吧，尽是书法家，王安石、宋徽宗、苏轼、黄庭坚、米芾，还有那遗臭万年的蔡京，哪个不是书法家，黄河水就是再淹几次，照样从黄泥巴里钻出书法家来。想着想着，李子信不由就会叹出气来："唉！或许是书法家太稠了？有钱人太少了？吊死鬼打飞脚——上不上，下不下的。"

"李伯，早啊。"

那父亲又递上烟来。李子信照旧一摆手。

"早。"

"瞅瞅您孙女的字儿，有长进没？"

"写吧，写吧，写总比不写有长进。"

李子信没有停脚，压石狮子跟走过。那父亲似乎看出李子信今天不提劲儿，没敢多说，便对身下的女儿命令道："爷爷发话啦，好好写，写比不写有长进。"

晨雾之中，大老远就听见萧桂云的胡琴穿云破雾。萧桂云的胡琴不胜以前拉得那么利索了,老了,毕竟老了,人不服老不中。李子信竖耳听着琴声,心中感叹,这一曲"定军山"虽已赶不上拍,摁不准弦,却像那不远处残缺的城墙,破也破个不屈不挠。

李子信沿着坑东岸,晃悠到萧桂云身边,把罩在鸟笼上的黑布罩拉开,鸟笼往岸边的柳树上一挂,问候萧桂云:"钉子户,怪早啊。"

"四点半就来了。"萧桂云停住手里的胡琴。

"来恁早弄啥,睡呗。"

"睡不着,理不顺。"

"有啥不顺,想开点,八千五就八千五吧,吃了砒霜药老鼠——划不着。"

"我说的不是房子。"

"不是房子是啥?"

"昨晚上,外事办张主任到家来,说有个日本人专程从日本来拜访我,让我去宾馆见面。"

"好事啊,去见呗。"

萧桂云白了李子信一眼:"凭啥让我去宾馆见他?是我拜访他,还是他拜访我?有没有搞错?本末倒置。"

"您那院像个货场,插不进脚,人家外宾咋进?"

"实事求是,求其实而不责其名,我不打肿脸充胖子。"

"你这个货,进火葬场,也得比别人多烧一会儿。"李子信冲着晨雾弥漫的湖面吼了两嗓子,转过脸问:"这一段咋不见那孩儿来了?"

"谁?"

"罗公公。"

萧桂云想笑,脸上干瘪的肌肉像被什么拌了一下,没笑出来,说道:"那个龟儿子可不是个凡人,别

看年纪轻,老道得很。"

"那孩儿,道士舞大钳——少见(剑)。谁的字儿他都能搞到,汪澄的腕不算小吧,何宝珠是出名的字儿比命都难要,这孩儿,杨树剥皮——光棍。照常白拿,付钱也是五折。"

萧桂云无奈地摇头,想笑又没笑出来,说道:"试不出深浅。这龟儿子每次要我的字儿,都付全价,从不打折,从不白要。"

"狗吃粽子——无法解啊。"

萧桂云的胡琴响了,李子信随着唱开"空城计",嗓子苍老,味道还行,摇头晃脑地边唱边想,咋把儿子卖假字的事告诉萧桂云呢?老萧干板直正一辈子,如何接受得了?市面上曾有他的假字卖过,他气出一场病,在报上还登了声明,若本人发现,必诉之法院。李子信不让儿子卖萧桂云的假字,那个孽种却说,不卖他的卖谁的,就他的字值钱。唉!为了还上王老三的六万块钱,为了这画院不关门,他背了良心,装了迷瞪。越想心里越不是滋味……

"哎哎,跟上板,跟上板。"

"不唱了。"李子信泄了气,"烦,烦!"

"又不拆你的房,烦啥!"

"比拆房还烦!"

萧桂云停住胡琴,问:"出啥事情啦?"

李子信话涌到门牙,正要说出,忽有人从身后问候道:"二老都怪早啊,晚辈这里请安了。"

李子信扭身一看,罗公公穿着晨练运动衣,提溜着鱼杆,笑容可掬来到跟前。

"汴京地面斜,刚才还说你,这一段见不到你的影儿,爷儿们,听说你手里有两幅于右任的真迹,挂到俺店里一幅咋样?"

"有啥不中，你爷儿们发话，比玉皇大帝还厉害。"

李子信乐了。罗公公嘴涮，但说出话总往人心窝里掏。再瞅萧桂云，没笑，只是冲罗公公点点头，然后操起胡琴，荡了两下空弦。

"老爷子，爷儿们跟着你老的琴遛一段，中不中？"

"遛啥吧？说。"

要萧桂云的弦儿，比要他的字儿好要，无论唱的好孬，有求必应。熟悉人都知，他写字不高兴时，唱戏高兴，唱戏不高兴时，就没啥高兴的了。

"来一段'中山狼'第二折滚绣球吧。"

琴声响亮，罗公公甩腔开唱："'开疏疏柳叶飘，听嘹嘹雁影排，最凄凉暮云残霭。只见他万马滚地飞来，闹喳喳乱打歪，忽刺刺齐喝彩……'老爷子，下面啥词儿？记不得了，下面啥词儿？……"

萧桂云弦子返回了一句，接下唱道："'这威风天来多大，早则有几分儿骨软魂痴。利索舒腰展脚迎头拜，乱掩胡遮步懒抬，怕的他快眼疑猜。'"

"好！好！"宽阔的湖边，罗公公放声喝彩，扔掉手中的鱼杆，鼓起掌来。

萧桂云还是那副表情，想笑，脸部的肌肉被什么拌了一下，说道："有啥好的，嗓子苍喽。"

"京剧要的是味儿，吴雁泽嗓子怪好，唱京剧，不是那回事儿。老爷子，汴京城里票友不少，羊肉庄的老六，京养斋的周秃子，老五福的别筋，都是些名票友，咋着？论味道，比起您老，十万八千里。"

"不敢这么说，传到人家耳朵里，我可担当不起。"萧桂云露出一丝慰意，整了整膝上的垫衬，又荡了两声空弦，对李子信说道："伙计，你来一段，有

啥事放不下的,唱一段解解愁。"

"不唱不唱,你的文,不想写时,没字儿,不想唱时,没嗓儿,烦。"

罗公公拾起地上的鱼杆,用手捋着光滑的杆身,问道:"爷儿们,有事儿?有事言一声,别外气。"

李子信瞅罗公公一眼,见他很随意,但表情认真,语气不重,却一切不在话下的样子。这是罗公公的风格,李子信听儿子喷过,罗公公无论在酒店或歌厅付账时,从不把一厚摞钞票当人面甩给收银的,给小费也是手放在桌面下,声音不高不低对小姐说一句:"下次来希望再见到你。"儿子李鹏飞提起罗公公,大拇指翘得收不回来,扬着眉,撇着嘴说:"这号混家,规矩,孙悟空都服气的妖怪。"李子信一个闪念,市消协的事儿,托一下罗公公,准中。

三

李鹏飞一觉睡到日上三竿,爬起床,胡乱洗一把脸,出门坐到汤锅前,一海碗肚肺汤喝罢,开着那与他身体比例不相称的破轻骑,去市消协。昨晚,他喝高了,在他爹面前像猪尿泡一样吹起的保票,一觉醒来泄得精光。他深知事沉,蹊跷的是,卖萧桂云假字儿,没别人知道,只有他们爷俩,咋会有消费者举报呢?他造的假字儿,他爹瞅了都心服口服,消费者能高过他爹?去球,啥消费者,圈里人才不消费同行的字画,汴京这地儿,拐不了几个弯儿,就能找到萧桂云家的七大姑八大姨,才不花那钱呢。他仔细想想,萧桂云的假字儿,他满共造了五幅,菊花会时,日本人一家伙买走三幅,剩下两幅,一幅邮卖给长沙一位大学教授,一幅经朋友介绍,卖给了郑州一位收藏家,到底是哪儿出叉劈了呢?他想不透,只有到消协

探个虚实。

李鹏飞小心翼翼推开市消协办公室的门,屋内并排摆着四张桌子,桌上落满尘土,几把折叠椅均不在桌前,而是散落在四面八方,屋角孤零零一张茶几,上面孤零零一部电话,那电话是黑色的,看上去比二战时期的电话晚不了几年,拨号盘铁锈斑驳,像一个破汽车轮子。电话旁坐有一位三十开外,又黑又瘦的娘们,像个灾荒中的非洲妇女。她神情专注在织毛衣,那细长的胳膊和那几根竹针合在一起,又像一株营养不良的柳树。恁大一间屋,只有一个女人,李鹏飞放松下来,因为他善于同女人打交道,尤其是三十多岁的娘们。

"姐姐,刘主任在吗?"

"没来。"

"从家没来?"

"不知。"

"上午还来不来了?"

"不知。"

"下午来不来?"

"不知。"

没趣,这非洲妇女像个机器人,语言像她手中的毛线针一样机械。李鹏飞犹豫,又不甘心走。

"姐姐,我在这儿等一会儿,中不?"

"等呗。"

李鹏飞选择一张离桌子近的椅子坐下,伸手抓过一张报纸,消磨时间,从第一版看到第四版,又从第四版看到第一版,看广告,看中缝,然后自言自语感叹:"唉,这大报就是没小报好看,翻来翻去,只有一篇文章管看,倒是头回听说,咱汴京差点成了中华人民共和国首都。"

非洲妇女停止了机械运动,抬起脸:"啥？你说啥？"

李鹏飞指着报纸:"这报上说,咱汴京差点成了咱中华人民共和国的首都。"

"是啊？"非洲妇女好奇地催促,"说说咋回事儿,报上咋说的？"

"这报上说,建国初期,毛主席选了四个地儿,压这四个中挑一个地儿,做咱中国的首都,其中就有咱汴京。"

"那仨地儿是哪儿？"

"北京、南京、西京。"

"西京是哪儿？"

"西安,每章儿叫西京。"

"对,咱汴京每章儿叫东京。"非洲妇女透彻地点点头,"为啥没挑着咱汴京呢？"

"毛主席考虑,南京太热,又曾是老蒋的首都,不合适;西安太背,交通不便,不合适;咱汴京地儿是中,可离黄河太近,说发水就发水,呼啦一下淹了咋办？"

非洲妇女不满地说:"这多年也没见淹,倒霉！"

"后来才气蛋呢,这报上说,选罢首都又选哪儿的话当普通话的时候,又挑到咱汴京啦。"

"咋又落选了呢？"

"说咱汴京话太硬,拐弯太长,不益普及,就又选了北京话。"

非洲妇女更加不满:"北京话哪儿好听？大舌头！"

李鹏飞叹息道:"唉,没这命,当年首都要搁在这儿,得劲啦,犬钱都花给咱,要啥有啥……唉,眼望儿好,修一条马路,市长作大难,到处去化缘。"

非洲妇女撇着嘴附和:"就是。"

"北宋就把首都搁在这儿,多威风,东方第一大都市,马可波罗来这儿,都吓一跳。"

"就是。"

"你说每章儿那时,咱这儿是水旱码头,光城墙就有三道。"

"就是。"

"眼望儿弄得是啥,不如人家南方一个县城。"

"就是。"

"除了龙亭、铁塔、相国寺这些死玩艺儿,咱汴京现在能跟人家喷的是啥?"

"是啥?"

"书法!全世界都知道咱汴京的书法。发展经济,文化搭桥,得好好利用咱的书法优势才对。"

"就是。"

"把字画店开到外国去,挣外汇,才能发财。"

非洲妇女没有再说"就是",而是把李鹏飞细打量一番,问道:"你是宣和画院的吧?"

"对啊。"

"我知了。"非洲妇女连连点头,狡猾地笑了笑。

"姐姐……"

"别说了,我知你来弄啥了。"

"姐姐,我不知咋回事儿,刘主任让来一趟。"

"装迷,你不知咋回事儿才怪。"非洲女人的笑容更加狡猾,毛线团从两只瘦腿缝间漏掉,也不在意,"说吧,卖假字儿坑了多少消费者?"

"姐姐,我冤枉……"

"杀十个八个不冤枉,你卖的是萧桂云的假字,对吧。"

李鹏飞浑身热气,从脚底板下抽去,汗却从脸上渗出,他抬手擦擦鼻凹里的汗,然后魂不守舍地说:"准,准是弄,弄错了……"

"大兄弟,别玩花屁股门儿,这年头,只有买错的,没有卖错的。"

李鹏飞走到非洲女人跟前,从她脚下捡起毛线团,轻轻拍拍上面的土,递给非洲女人,乖巧地问:"姐姐,怪麻缠啊?"

"你想呗,千把块钱,买幅假字,谁挺?"

"姐姐,投诉的消费者是哪儿的?知不知?"

非洲女人摇摇头,两只手继续机械地运动起来:"老刘知,我不知,俺这儿,上千块钱的投诉,都由老刘亲自调查。"

李鹏飞不好再问什么,一上午没等着刘胖子,倒帮着非洲女人缠了几团毛线。非洲女人觉得李鹏飞是个蛮不错的人,答应通融,并告诉了刘胖子家的电话和住址。李鹏飞一上午的殷勤,终于从非洲女人那儿获取了一个极重要的信息,刘胖子也喜欢写字,曾经在市直机关组织的书法比赛中,获得过二等奖。这条信息对李鹏飞来说,犹如久旱逢春雨。

临出门时,非洲妇女说道:"姐姐喊的怪亲,给姐姐弄一张萧桂云的字,咋样?"

"你也喜欢字?"

"啥喜欢不喜欢,不是听说主贵嘛。"

"没问题,交给我啦。"

"可得给我弄一幅真的!"

四

李子信决定去托罗公公。

罗公公大名叫罗杰,早先在牛羊肉加工厂当会计,后来辞职自己干,做皮革买卖,把新疆的牛皮倒到河南,再把河南的牛皮倒到海南,也不成立公司,也不与人合伙,单打一,游击队。再后来,只要有利可图,逮住啥弄啥,他的文,三样不搞,军火不搞,鸦片不搞,女人不搞,其余都搞。他还有三不沾,酒不沾,烟不沾,牌不沾。他还有三不怕,不怕没钱,不怕丢人,不怕玩命。一年冬天,去西安玩,花亏空,住了一个月唐乐宫酒店,一结账,欠人家八千多块。西安人奓,看着他从无名指上拽下来抵押的绿宝石戒指,不满足,说想走好办,只许穿裤头小坎走。罗公公笑笑,脱去皮衣、毛衣、太空棉衬衣、金利来西裤、毛裤、秋裤,对大堂经理说:"弟儿们,过几天我来赎。"说罢,带着微笑走出宾馆。一星期后,他穿着裤头小坎,手掂皮箱走进唐乐宫酒店,把皮箱往总服务台上一撂,说:"小姐,这里是五万块钱,住完拉倒。还我的行头。"压那以后,只要去西安,哪儿也不住,认准唐乐宫,只要他一去,店钱七折,不交钱也中,欠着。用罗公公的文:"西安人奓,是跟河南人学的。到西安和到河南没啥两样,每章儿发大水也好,跑老日也好,河南人都顺着铁路往西跑,到西安情听了,百分之六十的人都说河南话,奓?咱是他师傅。"

李子信一再想,这罗公公咋恁有钱?跑单帮也跑不出这多钱来呀?儿子李鹏飞说,这跟写字儿一个理儿,字儿好,不一定价好,酒香不怕巷子深,球!他罗公公一年四季在外头窜,弄啥?摸行情,中国字儿在赤道几内亚啥价钱他都知,咋能不发财?咱还等着别人找上门,等吧,再等大水淹一回汴京也等不着来钱!儿子很想跟罗公公学一学路术,曾和罗公公一块儿去了一趟北京,回来后摇着头说:"不中,这货,玩得太野,进中南海的门就像进相国寺的门似的。"李子信还和萧桂云一起探讨过罗公公,萧桂云

说:"事之难易,不在大小,务在知时,你我弟兄,已是'不知明镜里,何处得秋霜'了。"有一点,李子信清亮,人与人确实不能相比,能耐大小之界定,决非在于一技之长,或是社会对你的承认,或是在于你对社会各方面生活之了解并运用。天才,啥叫天才?拾圪囊①拾得与众不同,也叫天才。

李子信从柜台内,摘下一幅斗方,卷好,装进盒子,把店交给后院裱画的丫头,并嘱咐她,李鹏飞不管啥时回来,让他等着。李子信在柜台内电话机旁,查了一下号码,给罗公公打了一个传呼,罗公公一听是李子信,倍加热忱,反复重申,有啥事儿,不必劳爷儿们大驾,他随叫随到。李子信一再表示要登门拜访,罗公公便在电话里一丝不苟地告诉了他的住址。

李子信拿着这轴字儿,像迫不得已拿着一支沉甸甸的枪。这是他有生以来,第二次给别人送字。十七年前的一个冬天,天下大雪,正做饭的老伴猝发心脏病,突然栽倒在煤火旁,家中只有李子信一人,他慌忙窜到街上,只有一辆煤车在给隔壁院送煤,送煤的是个哑巴,比划了半天,才明白李子信的意思,二话没说,哗啦将未卸完的半车煤掀翻到雪地上,空车拉到李子信门前,把他老伴抬上车,一路小跑往职工医院。老伴的命没保住,哑巴却把李子信感动得没法儿,他掏出二十块钱塞给哑巴,哑巴撅了蹶子,面红耳赤地把钱扔在雪地上。事后,他写了一幅中堂,画了一幅山水,送到哑巴家,并亲手挂上泥灰脱落的墙壁,那哑巴不认字,更不懂"仁者不以盛衰改节,义者不以存亡易心"之内蕴,瞅着字和画,呵呵

---

① 汴京方言。"圪囊",垃圾的意思。

笑个不停，欢喜不够。在他这间陋屋之中，只有这幅字画可称其为财产。压那年起，逢节气，李子信常把哑巴拽到家来，或送油果点心过去，久而久之，就成了一门穷亲戚。哑巴知好，李家掏力活儿样样不卯，开这画店，买木料，拉玻璃，内装修，改门脸，跑前跑后，李子信常感叹："唉，这好个人，咋摊上个哑巴呢？"今天，是他第二次去给人家送字儿，心里却无一丝坦然。

没费多大力气，李子信便找到罗公公的家。

嗬，这大的房子，李子信听儿子说过，罗公公新买的一大套房子是如何了得，这一见，两眼发直，有点犯傻，好家伙，两百多平方，宽敞得能打马车轱轳，俩客厅，俩凉台，俩厕所，俩防盗门；红木仿古家具，国外进口家电，更让他眼使不过来，不由自主地说了一句："乖乖，啥级别。"

"爷儿们，在你跟儿，我能是啥级别，无名鼠辈。"

"你这无名鼠辈，粮囤顶上插旗杆——尖上拔尖。眼气，得花多少钱呀？"

"咱这地儿不比大城市，房不上价，连装修下来，满共十来万块钱。"

李子信咂咂嘴："拉车的就是拉车的，坐车的就是坐车的，气死也不中。大拇指比粗腿——差一大截。"

"让鹏飞好好经营画店，一年赚个十来万块钱，不在话下。"

"他？你可看中人了，他是死老鼠挂在腰上——冒充打猎人。"

罗公公从低组合柜内取出茶叶盒，说："尝尝这，虎丘茶。"又拿出一瓷盘，放到茶几上，又拿出一

鼎和一只小酒精炉,将酒精炉放置瓷盘中,鼎置于酒精炉上,拧开聚酯瓶,倒矿泉水于鼎中,用火机点燃酒精炉,边做边说:"这种喝法,是朱元璋首倡茗饮之法,即取初萌茶之精者加泉水,置于鼎中,一煮便啜。宋代咱汴京皇宫用茶,更讲究,均碾而揉之,为大小龙团,咱这简化了。就这,一般客人,也不就这弄。"

"别费那事儿,再好的茶,让我一喝,也是炒韭菜撮葱——白搭。"李子信几句歇后语说罢,自在了许多,递过盒子说道:"初次到你这儿来,没啥可捎,金银玉我没有,你又不稀罕,写字的,还是带幅字吧,见笑。"

罗公公慌忙说道:"爷儿们,不敢不敢,金银有价,您老的字儿无价,晚辈咋敢收此重礼,你老开个数目,我照价付钱……"

"薄气不是,去老萧那儿拿字儿付钱,到我那儿拿字儿回回也付钱,咋做?俺俩见钱眼开?"

"不不,汴京城里,谁的字儿我都能白拿,惟独您二老的字儿,我决不能白拿。"

"为啥?不当朋友?"

"刘禹锡有句话,'清越而瑕不自掩,洁白而物莫能污',韩愈则说,'士穷乃见节义',您二位在晚辈心目中正是如此。我这人,有个毛病,重利的,我不给钱,轻利的,我愿花钱。"

李子信颇受感动,越发不自在起来:"叫我咋说呢,你爷儿们是二小子穿大褂——规规矩矩;光屁股坐板凳——有板有眼。咳,我算服了。"

"爷儿们,咱爷俩君子之交,我知,你不愿求人,向我张嘴,是看得起我。"

李子信深深点头。

水沸。罗公公摆好青瓷茶碗,将茶冲沏。

"我知不得劲儿,不过这幅字儿,如果你要付钱,我起身立马就走,全当我没来。"

罗公公见李子信态度坚决,只好让步:"咱爷俩交往不稠,但你和萧先生的人品,有口皆碑。你老抬举我,这字儿我留下,不过声明在先,这字儿与你托我帮忙无关。"

两人一同笑了。

李子信端起茶,轻呷一口,放回茶几,坐端正身躯,开始把儿子卖萧桂云假字的来龙去脉,讲述给罗公公,并说出他的担心。罗公公听得很认真,神貌平静。他没去打断李子信的话,直至把想说的话全部倒完,眼巴巴地盯着等候他的反应时,他才将一直前倾着的背,靠在沙发背上,半晌无语,考虑后道:"得对症下药。找出那个点眼的人。"

"这画店开不开,倒是无所谓,一旦让老萧知此事,三十年的交情,脚跟牵绳——拉倒。"李子信再次重复他的忧虑。

"依我看,萧先生倒不是关键,不知就不存在伤害,关键在于,必须找着那个投诉的人,解铃尚需系铃人。"

"老萧那儿咋办? 消协肯定会去找他。"

罗公公续茶,神情依然平静地说道:"不会让他们不去找?"

"咋会不去找? 他成日窝在家,一找一个准。"

"中了,这事我来拆洗①,先欣赏你老送我的字儿。"罗公公边说边打开盒子,拿出字来,与李子信

---

① 汴京方言。"拆洗",从中说和的意思。

一同展开,搭目一看,眼里顿飞彩虹,赞叹道:"'汉书下酒',妙,妙,这幅字得挂进我的书房,来,你老来瞅瞅我的书房咋样。"

罗公公卷起字,领李子信进了他的书房。

李子信这一进已不是感叹,而是呆滞在书房中央。两面墙,一面是齐整的玻璃书柜,一面是顶天立地的字画,满当当的书柜里装着是些啥书,李子信顾不着瞅,而这面墙上的一溜字画,把他吓着了,加速跳动的心在说:"这孩儿,猫爬屋脊——到顶了。"他看到,最早一轴,乃是北宋号山谷道人黄庭坚的草书,由此排列是,明代祝允明的小楷,清代杨岘的隶书,现代大家的有沈尹默的行书,还有齐白石的虾,李苦蝉的鹰,徐悲鸿的马,黄胄的驴……

"你老眼神中,细瞅瞅,不是赝品吧?"

"爷儿们,别给我打麻缠,我这轴字儿,哪儿塞着得劲儿你塞哪儿吧,万不可挂在这儿,西湖边搭草棚——煞风景。"

罗公公笑道:"其实,我倒认为,现代人的字不比古人的差,行情也看好,于右任一幅字,少说三四万靠上,我用一幅于右任的字,换了一方林则徐用过的端砚,我拿给你瞅瞅。"

罗公公从博古架上,取下一方砚,递了过来。李子信接砚细瞅,此砚石质细腻、坚实、幼嫩、滋润,他使手一试,扪之腻如婴儿之肤,弹之则音似朽木,其色青黑,湿润如玉,上生石眼,有青绿层晕,中心微黄,黄中有黑点。

"好砚,绝世之砚,此砚曰'鸲鹆眼'。"

"内行,我早就说,汴京城行家里手中,堪称大家的,只有李子信和萧桂云二人。"

"老萧是三亩竹园出棵笋——独一无二,我是

马缰绳套在牛嘴上——胡勒,切勿把我与他相提并论。有一回,我挎一篮莲菜给老萧送,一个胖娘们拦住问我'哎,卖藕的,您卖不卖白薯?'。"

罗公公放声大笑。

临走时,罗公公硬别着送给李子信一方红色昌化石。李子信一眼就看出,这块"鸡血石"含大量红斑,如此纯净者极贵重。他手里攥着石头边走边想,那黄庭坚的字儿和林则徐的砚,算不算是文物?国家登记了没有?

五

当晚,李鹏飞掂着两条三五烟,卷着一幅自个儿画的山水,按照非洲女人提供的地址,找到刘胖子家。

刘胖子瞅瞅三五烟,严肃地警告道:"弄啥,弄啥,你知不知道国家公务员条例?"

李鹏飞满脸堆笑,心里骂:看你那猪脸。嘴却在说:"俺是个体户,不知啥条例,咱汴京有老理儿,不兴空手不是。"

"咱是法制国家,弄啥都得有条例,想咋糊弄咋糊弄,还中?我不吸帝国主义的烟,把它掂走!"说着胖手伸进兜里,掏出汴京烟,点着,吸一大口,很惬意。

李鹏飞心里骂:活孬种。嘴上说:"刘主任,不爱吸帝国主义的烟,搁着,你这客人多,谁爱吸谁吸。这画儿,可不是帝国主义的。"

刘胖子斜楞一眼,问:"啥画?"

李鹏飞慌忙将画打开,高高举起,勾着头说:"山水,我画的,有个美国人想拿走,我没给。"

刘胖子斜楞着眼,上下一瞅,嘴里喷着烟雾说:

"让美国人拿走吧。"

"刘主任……"李鹏飞没辙了,心里连骂词儿都没啦,高高举着画儿的手,缓缓落下。常言道:抬手不打送礼人。这刘胖子是要杀人。

"刘主任……"

"别说啦,宣和画院卖萧桂云的假字儿,这是事实,不承认,我们可以找萧桂云本人鉴定。你家老爷子德高望重,没想到也弄这事儿。"

"刘主任,画店里的事儿,与俺家老爷子无关,老头就是晚上在店里值个更,大小事都不管。"

"胡说!他亲口告诉我,他是董事长。"

李鹏飞正要继续分辩,电话铃骤响,刘胖子起身去接电话。

"喂,哪位?你好你好,老兄,有啥事儿?吩咐。嗯,嗯,嗯嗯……"刘胖子一边"嗯"着,一边不时瞅几眼李鹏飞:"中,中,中中,明个上午,九点,中,中中,明个儿见。"

"刘主任,俺家老头瞎喷,他哪是啥董事长……"

"中啦,你先回去吧,回吧,听我招呼,回吧。"

李鹏飞丧气地离开刘胖子家。他不知,那个电话是罗公公托市政府马科长打来的,马科长约刘胖子明个儿上午九点,在新华楼桑拿浴碰面,拆洗宣和画院的事儿。刘胖子原本还要对李鹏飞说的话,收了回去,他不知李鹏飞有多大章程,但他知马科长的章程。马科长啥人物?给市长起草工作报告的人物,汴京城里的局长、处长,见面都和他亲切握手,满脸久别重逢的表情。刘胖子硬是没收李鹏飞的东西,态度却温和了许多,李鹏飞临出门,他还说了一句:"文化大革命时,你家老爷子和萧桂云,在鼓楼上写大标语,行书掺用飞白,记忆犹新。"李鹏飞心

里骂:你个孬种,还知啥叫飞白?

第二天上午九点,刘胖子准点来到新华楼。马科长和罗公公晚到十来分钟,一见面,罗公公先说:"咱话先说头里,今天我买单。"

马科长边脱皮茄克边说:"你买单就你买单,呆会儿去'又一新',我买单。"

马科长向刘胖子介绍了罗公公,刘胖子伸展两只胖手,抓住罗公公的手,半天没撒:"兄弟大名,如雷贯耳,相见恨晚,有幸与兄弟一聚,别争,今个儿一切花消,归哥哥。"

罗公公说:"差矣,玩上花钱,二位老兄靠后。凑机会,我请二位老兄去湛江,坐潜水艇,海底观光。"

他仨人蒸足烔够,裹着浴巾爬上按摩床,由小姐搓揉起来。刘胖子那一身白肉格外耀眼,将这按摩室,一下子变得像屠宰场,到处是白花花的。

刘胖子趴在那里,不时催促让小姐使劲,马科长花搅,瞎子按摩劲大,桑拿浴得专门觅个瞎子来,才能按动这身肉。刘胖子说,来过这里好些回,享受不了,还是泡大池子得劲,解乏,下灰,舒坦。罗公公说,咱汴京人,穷命头,他有个朋友,是咱中国驻马尔代夫大使馆的参赞,啥都不爱吃,就爱吃捞面条。刘胖子说,外国可没荆芥,那捞面条肯定不正宗。一上午,宣和画院的事儿,说的很少,仨人云里雾里瞎喷。因为刘胖子在没脱衣服前,就已大包大揽,说小事一桩,只要那个投诉的消费者不和萧桂云见面,只要萧桂云不知或者默认,其余的活儿由他来做。

罗公公压刘胖子嘴里清楚了事情的原尾。宣和画院所卖出萧桂云五张假字中,日本人买去的三张自然没事,用李鹏飞的文,日本人懂啥?汉字是跟中

国人学的。长沙那个大学教授也没事儿,没啥深浅,只不过是个书法爱好者。又劈出在郑州那个收藏家身上。郑州那客,在收藏界里异军突起,罗公公隐隐约约听说过一个姓华的,外号叫大蛋,四十多岁,手里有几样稀世之宝,一件是北宋画家崔白的《寒雀图》,一件是战国时期的兽头形壶,一本东汉张芝的竹简《笔心论》。谁知真假,传得邪乎,刘胖子讲,这个姓华的在汴京有朋友,经常来,罗公公问他的朋友是谁?干啥的?刘胖子摇头不知,说这好办,他是听同办公室一个娘们讲的,姓华的找到消协投诉时,那娘们说,见过姓华的,常去她门口,每次去,开着一辆白色桑塔那,停在胡同口,好不扎眼。罗公公嘱咐刘胖子,打听一下姓华的朋友是谁?叫啥名儿?在哪儿上班?罗公公深信不疑,姓华的这位汴京朋友,是问题关键所在,既是系铃人,又是解铃人。

马科长闭着眼,在尽情享受按摩快感之余,说道:"好找,别说是找人,在汴京,找个兔子咱都找着喽,只要想找。"

刘胖子从按摩床上爬起,抓过床头上的三五烟,问马科长:"听说,安市长又要调走?真假?"

"不知儿,您从哪儿知的信儿?"

"汴京大街上卖烤白薯的老婆儿都知。"

罗公公说:"操那心,咱这儿人,压古时就这德性,不操心家里的面缸,操心宰相的饭碗。"

刘胖子说:"听说,拆迁西门大街,得罪不少人。"

罗公公也从床上爬起,抓过一听饮料,拉开盖,往嘴里倒了一口,说:"瞅瞅那西门大街,哪像个大街,像八国联军进北京时的巷子。前不久,有两个侵略中国时在汴京呆过的日本兵,回来旅游,一下火车,向导都不要,一路溜达到他们原先的宪兵司令部,你猜咋着?那道街卖猪下水的老头还认得他俩,三八年他就在那儿卖猪下水,你弄吧,再不扒西门大街,面子上多不好看。"

马科长跟着也从床上爬起来,接过刘胖子递上的三五烟:"你说也怪,那日本人,咋老好往咱这儿窜?结个友好城市吧,也是日本的。"

"没啥奇怪,写中国字儿咱是他师爷,全世界练书法的,都得拜咱这个门头。"罗公公又往嘴里倒了一口饮料,那表情,确像个师爷。

"咱汴京确实名声大,台湾的天气预报,每天报咱汴京,不报郑州。"刘胖子又抽了一口烟,那神态,确像个大户人家。

马科长从柜子里取过皮衣,伸手摸出口袋里的手表,瞅瞅,说道:"开路,今个不去'又一新'了,去'太平洋',吃粤菜。"

六

萧桂云溜达着去御街找李子信,后院裱画的丫头说他出去了,不知去哪儿了。萧桂云留下口信儿,让李子信回来找他一趟,或打个电话。萧桂云出宣和画院,拐过西角楼不远,李鹏飞开着他那辆破轻骑哗哗啦啦迎面过来,大远就打招呼:"萧伯,去哪儿啦?"

"董事长、总经理都不蹲在店里,没尾巴鹰。"

"今个阴历十月一儿,我去北郊坟地给俺妈烧纸了。"

李鹏飞的话提醒了萧桂云,从西角楼拐过来时,一百来米的街面上,画的一个个白圈,和那随风飘荡的纸灰,方使他意识到,今个是阴历十月初一,鬼节。

李鹏飞把车停在马路沿,下来。

萧桂云问道:"你爹,这几天有啥事儿吗?烦躁不安的?"

"没,没啥事吧?"李鹏飞装模作样地想了想:"大概是因为俺妹夫。"

"你妹夫咋啦?"

"下岗啦呗。"

"他不是坐机关吗?下啥子岗嘛?"

"机构改革,裁员。那货,面蛋,就捏住他啦,咋办?没法儿。"

萧桂云替李子信叹了一口气,然后,向李鹏飞扬扬手:"小子,好好开画店吧,好赖有个生意,就照顾全家。"

李鹏飞叫住正准备走的萧桂云:"萧伯,有个事,想跟你商量。"

"啥事,说吧。"

李鹏飞掏出烟,点着,说:"俺爹不好意思张口,我也为难……"

"只要不叫我去抢银行,说吧。"

李鹏飞凑近萧桂云,抬手轻轻拍去落在他肩头的纸灰:"萧伯,你知儿,俺爹脾气和你老一样,烦人家要字儿,他有个朋友,在市消费者协会工作,几次张口,想要你老一幅字儿,他就是不接腔,搞得可不得劲儿……"

"把名字写给我,明天来拿字儿吧。"萧桂云感叹地说,"小子,我和你爹三十多年的交情,他真是没张口问我要过一幅字儿。"

李鹏飞急忙掏出笔,把非洲妇女的名字写在一小块废纸上,交给萧桂云。

萧桂云在院门口买了烧纸,走进院内。前院三户人家,已搬走两户,剩下一户,因房契的归属问题没解决,仍在坚持。这家的房契,一九四八年被房主带去台湾,眼下的住户,是房主的堂弟,拆这房他不敢做主,他说香港都收回了,台湾还能剩几天?一旦他老兄带着房契回来,咋交代?他已到中央电视台"天涯共此时"节目中寻亲,尚无消息,拆迁办着急,他也着急。他劝萧桂云:搬吧,这老房哪儿好?返潮,老鼠多,院里没茅房,解手还得跑到街上的公共厕所。萧桂云却说:"你没看'焦点访谈'吗?新楼没住几天就裂口,这老房快一百年了,啥事也没有,老房好,离土近,人嘛,离土远了不好。"

萧桂云找了一根尺把长树枝,蹲在青石板旁,在地面上划了一个圆圈,把烧纸乏开,放到圈内,用火点燃,用那根树枝,在燃烧的纸中,不停转划,那层层乏起的烧纸,在火中轻腾而起,化为灰烬,随烟尘荡于空中。萧桂云眯缝双眼,瞅着飘荡的灰烬,思绪也随之飘荡起来,自语道:"人生一世,草生一秋,天下无有不散的筵席……"岳父生前,与他关系甚好,也许是情趣相投,自打他进入这个家,从未因家庭琐事有过不得劲儿。岳父祖上曾是前清举人,家有千顷良田,民国时期败落,岳父在寺后街开了一家药房。配妇科药方是岳父的绝活儿,任何妇科疑难病症,只需去岳父的药房抓上几包药,准好。岳父玩古董,做印泥,集火花,修外国手表,读四书五经、唐诗宋词,做五香兔肉,无所不精,无所不通。致命缺点就是气性大,认死理儿,说咋着,就咋着,与世俗挺了一辈子,最后还是死在他的个性上。他曾不止一次对别人讲,萧桂云不应该是他的女婿,而应该是他的儿子。虽说萧桂云不像他岳父那样与世俗较劲儿,但他面对世俗却也采取一种既较劲儿,又不较劲儿的

态度,他书房内挂了自己一幅字:"乐天知命,故不忧;安土敦乎仁,故能爱。"这一句,他是从《周易·系辞上》中摘选的,遇到和自己较劲儿的时候,就用眼睛描红,在心里把此句子描写一遍。

萧桂云正盯着墙发愣,只听屋外有人喊:"萧先生在屋吗?"

来的是外事办张主任,进屋后,张主任抱拳向萧桂云好道一番歉,并说日本朋友一定要登门拜访,如此之重要的外事活动,牵扯到对一项垃圾处理系统工程的投资问题,市委和市政府都极为重视,望萧桂云顾全大局。

萧桂云说:"我还是老话一句,既然他们来拜访我,就请他们到家来,宾馆我是不会去的。"

"当然,当然,客随主便,客随主便。"张主任眼睛望了一下窗外,面有难色地请求道:"萧先生,你看这院里的藕……能不能安置个地儿,些①不好看。"

"这可没处安置。"萧桂云微笑说道,"这藕不碍事的,又不是垃圾,无需处理。"

"萧先生,日本人……"

"日本人没事,当年他们打进咱的门里,也不嫌弃咱这儿脏乱不是?"萧桂云依旧微笑着说:"眼下我这还有个窝,一旦我这钉子户被拔掉,再来外宾,怕是连地方都没有喽。"

张主任尴尬一笑,眼光仍不住往窗外扫,他不知如何劝解萧桂云将那么一大堆藕处理掉,堆在那里的确不美观,但又不敢再说什么,这老头,上了脾气,

---

① 汴京方言。"些",很的意思。

他才不管什么外宾内宾,何况他正为拆迁之事闹情绪,笔一摔,说"没字",谁也没法他。日本人来拜访他,不就是想要两幅字嘛。想到这儿,张主任说:"萧先生,咱们还按老规矩,外宾求得字儿,过后由外事办跟您老结账。"

"钱不在乎,在乎理。"萧桂云又把劲拧到他的房子拆迁上,"你说说,我这上房的价,咋能和前院一样呢?拆迁办赵主任欺人太甚!……"

张主任一看情况不对,萧老头要上火,生怕他一恼说明天"没字",急忙起身告辞,反复嘱咐,明天上午不要外出,又给老爷子戴了一些为发展汴京经济做了贡献之类的高帽子。走出屋来,停住脚,咋瞅青石板旁那一大堆藕不顺眼,走过去,弯下腰,说:"我帮你老归置归置吧,略微好看点就中。"萧桂云劝阻,张主任坚持,萧桂云看他那副下身分的模样,不过意了,只好一起下手,将那一大堆藕,塞进屋右边那个冬天不用的煤火棚内。张主任用袖子擦着头上的汗,说:"老爷子,您的八宝印泥咋不卖咧?一盒卖他一千块,大发了。"

"吃喝不愁,齐啦。'富贵太盛,则必骄佚而生过',我这八宝印泥,两千块也卖得动,但不能卖。安徽胡开文的'徽墨',苏州姜思序堂的印泥,好归好,多则泛滥,'敷彩之要,光居其首',我萧桂云的印色,独此一家,正所谓,防伪标记,恐怕是假冒者冒不得哟。"

萧桂云送走张主任,回屋后接到李子信的电话,李子信问他知不知一个叫杜瑞宣的人?萧桂云想了半天,说不认识。

七

这个杜瑞宣,正是郑州那个华大蛋在汴京的朋友,此人是由刘胖子办公室那个和李鹏飞聊了一上午的非洲妇女提供的线索。

非洲妇女向刘胖子简介了一些杜瑞宣的情况:这个杜瑞宣七十岁上下,听说蹲过监狱,啥原因?不知儿。现在非洲妇女门口的一家区办厂看大门,吃住全在厂里那间传达室,据说有儿有女,却没人见过。此人性情极为温和,哪怕是遇见一个学龄前儿童,也会主动打招呼问候:"小同志,吃罢饭了没?"据非洲妇女形容,这人高度近视,走道慢吞吞,一年四季头上戴一顶赵本山式的帽子,一年四季身上油光光的,比拾圪囊的干净,比卖油馍的腌臜。但此人的人缘极好,街坊四邻无论谁家婚丧嫁娶,写门对,书挽联,打官司拟状纸,有求必应,细致入微,搭笔墨纸张不说,还真心实意留人家在传达室一起下面条吃。非洲妇女撇着嘴形容,他那钢精锅,锅巴多厚,两只瓷碗,豁豁牙牙,不小心都能犁着嘴。非洲妇女撇着嘴感叹:"好人,少找的好人。"

罗公公没出半天工夫,就又把杜瑞宣的底细彻底摸清。这杜瑞宣乃出自书香,清光绪三十年,他父亲跟随丁辅之、叶为铭等人,在杭州孤山办起了西泠印社。当时他父亲只不过是个跟班的,跟着忙活点杂事而已,后来混出点名声,虽不如西泠八家那般知名,但也得到过吴昌硕、赵之谦等大家赞许。杜瑞宣自幼受父亲熏染,"始知丹青笔,能夺造化功",谁知这笔墨造化却未给他带来人生的大造化。二十三岁那年,他因好书法篆刻,由父亲好友戴季陶介绍到南京总统府,做了一名制印官,大小关防均出自他手,

曾是何等了得人物。国民党往台湾跑，傻孙，他不跑，舍不下汴京城里的老娘，跟国军窜到厦门后，开小差跑回汴京。这好，跑回来没几天，就被共军抓起来，一查敌伪档案，还了得，在国民党总统府里混过事儿，给蒋介石刻过印，多大的罪？五花大绑押走，在贵州西峰一关就是二十多年，最后一批释放战犯才放回汴京。娘也死了，老婆也带着孩儿改嫁了。他卖过废纸，刮过碱，拉过煤土，砸过树根，在街道居委会当过文书，最后落在这家工厂里看大门。

这个杜瑞宣与郑州那个华大蛋又是啥关系呢？黄昏时，罗公公找到那家区办厂。

厂区不大，透过南面的铁门一览无余，东、西、北三面红砖平房罩着一个四方院子，在铁门外吼一声，全厂都能听到。院子收拾得倒挺干净，有两排冬青，一溜花池，平整的土地上，竖着一座陈年的篮球架，北头还立着一根旗杆，上面飘着一面久经日晒雨淋的五星红旗。"有人没？"罗公公隔着铁门连喊两声后，门房那油乎乎的棉帘撩开，一个身材微胖的老者慢吞吞地出来，头上戴的那顶帽子和鼻上架的那副酒瓶底一般厚的眼镜，一看便知，这就是非洲妇女形容的那个杜瑞宣。

"您找哪位呀，同志？"

"你是杜先生吧？"

"不敢当，杜瑞宣。"

"请你开开门，我就找你呀，杜先生。"

杜瑞宣走到铁门前，脸凑上铁栏杆，恨不得伸到铁栏杆外，方才瞅清来人。"同志您是……"

罗公公隔着铁门，递进名片。杜瑞宣接过名片，凑近酒瓶底眼镜，逐行逐字细看罢，乐呵呵地开门，钥匙在哆哆嗦嗦的手中，插几插才插进锁眼里。

"罗同志是文化传播公司的经理啊,快请进。"

罗公公被杜瑞宣让进传达室,迎面扑来一股老年用品长年存放的味道。传达室里外两间房,罗公公坐到外间的木椅子上,伸头往里间看了一眼,那股老年用品长年存放之味,来自里间那张堆着棉大衣和棉被的床铺。外间生有煤火,没有烟囱,罗公公看看四处漏气的玻璃窗,又看看煤火上滚沸的钢精锅,问:"你这是在下面条吧?"

"是的,罗同志,一块吃吧。"

"谢谢你,不客气,我吃罢饭了。"

"咋可能,天还没黑,咋会吃罢饭?别客气,一起吃吧。"

罗公公摆手,说道:"杜先生,我来找你,是有点小事,你先吃饭,吃罢再说。"

"啊,罗同志有啥事情?请讲。"杜瑞宣哆嗦着手,从煤火上端下钢精锅,搁在地面。

"杜先生,听说,郑州有位华先生常来你这儿?"

杜瑞宣一怔,说:"有,有啊。"

罗公公轻松地说:"没啥大不了的事情,华先生是做大买卖的,我们公司想通过杜先生引见一下,都说杜先生与华先生关系甚密,帮帮杜先生的光,开拓一下郑州市场。"

杜瑞宣乐呵呵说道:"啥关系甚密,还算行吧,华志人挺和道,常来看我,他喜爱字画,有点臭味相投吧。"

"杜先生,你是咋和华先生认识的呢?"

杜瑞宣又把钢精锅端到煤火上,说:"唉,说来话长,早些年,我因为历史问题,在贵州西峰蹲监狱,华同志的父亲老华同志,是看押犯人的狱长,都是河南老乡,对我很关照,我释放不久,老华同志也转业

回来,他儿子小华同志,收藏字画,老华同志把小华同志介绍过来,就也成了朋友。"

原来是这么回事儿,罗公公有了底。汴京这地儿吓不吓人,旮旮旯旯里,保不住藏个什么主儿,一知儿,就吓你一跳。杜瑞宣是个什么主儿?总统府的制印官!他就是蹲一辈子监狱,也是个东海老龙王。罗公公暗自欣慰、兴奋,犹如发觉一片宝藏,这宝藏在汴京,属于他,怎么能归郑州那姓华的使用?想到此,罗公公站起身来,上前从煤火上端下钢精锅。"走,杜先生,今晚不吃面条,咱爷俩找个地方打打牙祭。"

杜瑞宣一懵,之后马上说:"使不得,使不得呀,罗同志……"

"有啥使不得,忘年之交,吃一顿饭,又有啥关系?"

"谢啦,谢谢啦,"杜瑞宣连连作揖,"我这儿走不开,没人看门,真是走不开,谢啦,谢谢啦……"

"没人看门好办,我找俩人来替你看门。"

"那更使不得,更使不得……"

"你老放心,我找的人来,保管叫你放心。"说着掏出手机,就摁号。

杜瑞宣不知这位罗同志是叫什么人来替他看门,只听罗同志对着手机,不紧不慢地告诉了地址。大约过去七八分钟,可把杜瑞宣吓坏啦,一辆三轮摩托急刹车在厂门口,从车上跳下两名武警战士,挎着冲锋枪,向杜瑞宣立正,敬礼,一字一顿,铿锵有力:"请首长指示!"

杜瑞宣吓得急忙躲到罗公公身后,哆嗦地说不出话来:"这……这……"

罗公公笑着说:"爷儿们,别这呀、那呀的啦,钢

铁长城往这里一站,还有啥不放心?走吧。"

杜瑞宣胆战心惊地跟罗公公走了,他一路上在琢磨,这位找上门来结交他的罗同志,不是文化传播公司的经理吗?怎么还有兵?

八

李子信一直在分析,叉劈会不会出在印章上?一般来说,字的真伪,摹仿入一定境界,除了写字的本人识别,很难给别人留多少破绽,就像满市场的红塔山、万宝路,除了那些劣质造假者的无能,上档次的高级造假者,他们的无懈可击,已经达到你中有我,我中有你。魔高一尺,道高一丈,防伪商标已经不再成为造假者或消费者的热门话题。汴京书法圈内,曾经有过这么一个笑话:汴京市文联主席,中国当代著名书法家叶贵贤先生,在他的司机请求下,在一张废报纸上写了一个张迁碑中的"君"字。司机扭脸去财务室,请求会计王姐,挨着叶贵贤那个"君"字写了一个"君"字。司机扭脸又到资料室,请求李嫂也写了一个"君"字,司机本人也写了一个"君"字。司机拿着这张废报纸,得意洋洋走进协会的大办公室,请求各协会秘书长,评定出最佳"君"字,并申明这四个"君"字分别出自四人之手,其中包括叶贵贤。十大协会的秘书长,纷纷涌到桌前,好一番探讨研究,评头论足,排出了前三名:金牌——李嫂;银牌——王姐;铜牌——司机,叶贵贤无牌。当司机指出叶贵贤的"君"字之后,协会办公室笑开了锅。气蛋,真气蛋,叶贵贤听了也是哭笑不得地摇头。这个笑话说明了啥?内行看门道,外行看热闹,隔行如隔山;阳春白雪和者盖寡,知之为知之不知为不知。这个笑话传入李子信耳朵里,李子信说:艺术

这玩艺儿,绝不是附庸风雅,艺术就是属于少数人的,属于贵族的。萧桂云不赞成这个观点,操着他那四川汴京话说:"啥子贵族,汴京城有啥子贵族?写字的和卖羊肉汤的一般多,倒退一千年,赵匡胤算啥子贵族?土匪出身,照样会写字,会作诗。"

晚上快十点,罗公公敲开了宣和画院的门。李子信与罗公公约好,今晚等他的信儿。一瞅罗公公的脸儿,李子信便知,罗公公摸着了事情的脉搏。

的确如此,罗公公请杜瑞宣到"伊园"饭店吃了一顿饭,这"伊园"在汴京城内虽说数不上高档,在杜瑞宣眼中,已是进了天宫。在盛行请客吃饭的今天,杜瑞宣也很少被人请吃饭,说实话,他那身扮相,让人一瞅,就不上席面。郑州那个华大蛋每次来,给他提一兜水果点心,已让他受宠若惊,他便全心全意,全力以赴,尽心尽力,尽善尽美地去为其鉴别字画、古董的真伪。

吃饭间,罗公公貌似无意提到萧桂云的字儿。他告诉罗公公,萧桂云的字儿,是在他从西峰回来的头一年见到的。那年,首届国际临书大展在相国寺开幕,盛况空前,他买了一张门票进去,足足在里头呆了一天。他对萧桂云临的《朱熹文稿》印象并不太深,倒是那枚印章给他留下不可磨灭之印象,也非是那印章气韵生动,屈伸有神,也非是宛转有情趣,疏密无拘束,而是那印色打住他的眼。他摘去酒瓶底眼镜,凑近细看,半晌想不出这是何方印泥而钤。俗话称:秀才不出门,尽知天下事。他这个秀才,虽在监狱中呆了几十年,但非孤陋寡闻,坐了半辈子牢,读了一辈子书,光篆刻这一块儿,他就是大学教授水平,皖派、浙派、邓派、赵派、齐派、莆田派、黟山派、西冷八家、津津乐道;秦汉印统、鹤侪印汇、汉印分韵、印学古编、封泥考略,如数家珍;当今的杭州西泠也罢,上海西泠也罢,苏州姜思序堂的印泥也罢,福建漳州的印泥也罢,从形成到制造,从发展到兴衰,尽在他这位不出门的秀才心里。学问,何为学问?别人不知儿,你知儿,别人糊涂,你明白,就叫学问。旮旯边角,视而不见,见而不闻的叫学问。就像日本有人在研究咱新疆吐鲁番的坎儿井,那学问大啦,咱汴京又有多少人知道坎儿井是怎么回事儿?研究书画篆刻,不外气,吹句牛,汴京城冷不丁出个小孩儿,就让外地人吓一跳。

不用杜瑞宣多说,罗公公心里清亮了,叉劈出在印泥上,萧桂云的印泥就是他的防伪标志,造假字的怪能蛋,没这个戳子钤出的色儿,傻眼。

李子信听完罗公公讲述后,起身续茶,说道:"头顶上点灯——自以为高明。当时我就不让那个孽子制老萧的印章,他说没事儿,现在都是照相制板,老天爷都瞅不出。这妥,老天爷也没法儿,那印泥治住病了,造呗,造孽!"

"真高,真高啊。"罗公公为之赞叹不已,"山外有山,天外有天,人中有人,我算真服了。"

李子信问:"下一步该咋办呢?"

罗公公不以为然地说:"好办,让杜老头重新鉴定,让他告诉郑州的华大蛋,那幅字是真的。"

"啥?……"李子信用老花眼直勾勾地瞅着罗公公,"这咋可能?……"

罗公公面带微笑,说:"这年头哪有什么不可能的事儿,只要存在,就是可能。"

看着罗公公那副表情,就好像坐在饭馆里看菜单那样轻松自如,李子信真是把这后生给服了,不由想起汴京街头常说的一句话:不扶(服)不中?不扶尿一裤。

"我和杜瑞宣约了,明个儿下午三点,来宣和画院,那老头,稀有动物,国宝。郑州的华大蛋,是个晕蛋!把人家当廉价劳动力使……"罗公公把下面的话打住,没接着说,但他眼里的那种喜悦,压去"伊园"吃饭到现在,一直保持不散。宣和画院的事儿,此刻对他来说已经成小事儿,假字儿?假字儿哪有真人重要。

罗公公嘱咐了李子信一番后,告辞。

李子信把罗公公送走,刚把店门关闭,又有人敲门,边敲边喊:"李鹏飞,开门,我是王老三!"

李子信的心一下窜到嗓子眼,听儿子说,王老三已放出话来,如果再不还那六万块钱,就把宣和画院改成扣碗店,后院盘个大煤火,门脸这间屋搁四张大圆桌,做驴肉扣碗,保准吃家不少。

九

外事办领到萧桂云家来的日本人,是日本北海道一位农场主,手里攥着大钱,计划筹建一个泡桐木加工厂,大量从中国进口泡桐木,中国的泡桐木哪儿好?自然是汴京。日本人隐约知儿,中国有个已故的焦裕禄,他是中国已故领袖毛泽东的学生,专门种泡桐,离汴京几十里地儿,虽然已故去,种泡桐却成了那里人的传统。

萧桂云本不知这位一统凡雄先生的来意,原以为这位日本人来做生意,捎带涮两幅字画。外事办张主任每次引来外宾,都上升到振兴汴京经济的高度,张得些大,好像萧桂云一下变成市委常委那样对这个城市举足轻重。时候一长,萧桂云也就疲遢,随你张主任张得再大,萧桂云也不愿接腔,心烦:不就是要字儿吗？写不就中啦，说那么多不打粮食的话，也没见城里竖起一座摩天大楼。

这次倒把萧桂云吓了一跳，这位一统凡雄先生身后，跟着安市长，往常五把粗三把长的张主任，话不稠①了，模样腼腆得像一个在婆婆面前接不上腔的小媳妇。萧桂云和安市长颇熟，正式非正式场合见面，安市长一概称他"萧兄"。这位日理万机的一市之长，人称"书法市长"，此称呼有个家喻户晓的来历：他刚上任不久，率经济协作考察团去新加坡，一行十几位政府官员，下榻酒店后，颇受冷落，新加坡官方将协作矛头对准北京、上海、广州一类城市的考察团。这位安兄气得直想骂娘。在一次酒会之上，这位安兄在与某财团首脑碰杯时，让随同介绍他是来自古都汴京的书法家，顿时备受青睐，请求他当场表演。主人唤服务生去取文房四宝，安兄摆手道：何为表演？NBA扣篮叫表演，杂技团大变活人叫表演，酣畅、刺激、快感。这位安兄抓过服务生手中的抹布，用香槟酒浸透，俯身就地而书一句《尚书·蔡仲之命》："皇天无亲，惟德是辅；民心无常，惟惠之怀。"写罢，把抹布往西装兜里一塞，说道："您新加坡爱干净，乱扔东西要罚款，这抹布我拿走，留个纪念。"酒会大厅炸窝，签名者接应不暇，当天便有脱水蔬菜厂协议草签。故事传遍汴京城后，书法圈内咂着嘴说："老安那字儿都把他们震啦？叫咱去，挤着眼划拉两下，合同协议还不签他个十个八个？"是的，在书法圈内，安市长那字儿确不叫字儿，只能称不丑气，有功底，管唬。若全国举办个市长书法大

---

① 汴京方言。"话不稠了"，话不多的意思。

赛,不张,金牌得主绝是汴京市长。头头们提出个口号"文化搭桥",口号些大,指啥?细细一想,还是书法。市里头头往北京去,小轿车里装的啥?字画。财政局、人事局、各大小局委,去省里办事,带的啥?字画。文化搭桥,这桥墩是啥?字画。

在萧桂云眼里,那日本鬼子也是妖怪,交谈中,懂字画,懂瓷器,懂邓小平的一国两制,还懂黄世仁和白毛女、宋徽宗与李师师。萧桂云佩服得一个劲儿挑大拇指,一个日本地主这么有文化,难怪人家发达。一统凡雄看见墙上挂着的京胡,邀请萧桂云表演,萧桂云自拉自唱了一段李玉和的"临行喝妈一碗酒",并告诉一统凡雄,这是一折抗日段子,李玉和喝罢酒后被日本人杀了。一统凡雄站起身来,深深向萧桂云鞠躬,连声道对不起,还淌眼泪。一旁坐着的张主任有点紧张,一个劲儿地瞅安市长,萧桂云也瞄了一眼,只见安市长从容不迫地喝茶,不动神色地说道:"萧兄,'左传'之中有这么一句话,'亲仁善邻,国之宝也',我看,萧兄就以此句,写一横幅送给一统凡雄先生吧。"

整一上午,又拉又唱,谈笑风生,气氛融洽出乎意料。萧桂云高兴,一统凡雄随之高兴,一统凡雄高兴,安市长随之高兴,安市长高兴,张主任随之高兴。张主任乘机发牌,凑近安市长,告诉他萧桂云为何当钉子户的问题。安市长点着张主任的脑门说:"你呀,死脑筋,'龙江颂'里咋说的,'堤外损失堤内补',这点小事都不知咋办啦?"张主任蹙眉想了半天,也没领会。安市长不耐烦地说道:"多简单个事儿,一个横幅多少钱?你把萧桂云的字儿,当宋徽宗的字儿买,不就齐啦。"张主任恍然大悟。萧桂云不挺,硬着脖颈说:"那不行,是啥就是啥,'受屈不改心,然后知君子'。"安市长劝道:"萧兄,你的优点,也是你的缺点,你以为'伏清白以死直兮'就是准则? 现在都啥时候啦,只要不损失原则和利益,该妥协则妥协,我作难比你大得多,你不顺心,还可以骂娘,我是骂人没挨骂多,工人下岗骂我,龙亭被雨下塌,也骂我,你说气蛋不气蛋!"

萧桂云把安市长和一统凡雄送上院门口的小轿车时,李鹏飞的破轻骑哗哗啦啦地停到门前,他急忙下车,凑上前神秘地问萧桂云:"大远就瞅见这门口停着小轿车,就知儿有官来了。看着眼熟,是安市长吧? 电视里常露脸。那个矮胖子是谁?"

"农民。"

"农民?"

"日本农民。"

"啊……外事任务。"李鹏飞若有所悟,点头说道:"我说咧,一瞅那领带就比咱市长的高级。"

车启动,屁股后冒着青烟开走。

李鹏飞跟着萧桂云进院。他一再打听日本人买萧桂云一幅字儿啥价? 萧桂云半烦,说道:"啥价? 宋徽宗的字儿啥价,我的横幅啥价。"

"瘦金体? 日本人现在喜欢瘦金体? 气蛋……"

"没啥气蛋,日本的机器人都会上街买菜了,日本写字的还是规规矩矩保持研墨,咱呢? 不管脸盆还是尿盆里的水,抓着就往墨汁里兑。"

李鹏飞跟着萧桂云进到上房取了给非洲妇女写的软片,叠好,装进兜里,发着感慨说:"唉,要字儿的人有几个是正儿八经懂字儿的?"

"懂字儿的又有几个正儿八经是写字儿的?"

萧桂云的话李鹏飞一下子没琢磨出味道,不自主地重复着说了一遍:"懂字儿的又有几个是写字儿的?……哎,哎,爷儿们,啥意思,啥意思?"

"想知道啥意思?"

"想知。"

萧桂云一指窗外的煤火棚:"去,把煤火棚里的藕给我搬到青石板旁,我再与你批讲是啥意思。"

李鹏飞毫不怠慢,起身出上房,钻进煤火棚里,将日前外办张主任搬进去的藕,呼哧呼哧地搬了出来。掏罢力,流罢汗,洗罢手,擦罢脸后,萧桂云沏上一壶茶,搬出两个马扎,俩人往青石板旁一坐,开始喷空儿。或许是刚接待完市长和外宾,萧老爷子兴致高,李鹏飞递给他一支烟,他接了过去,往日他是不吸烟的,只是偶尔在高兴时跟着朋友点一支吐几口玩玩。有人说:闲茶,闷酒,无聊的烟。他说:闲时喝茶有道理,闷时喝酒伤身,高兴时抽上一支烟有利于身心健康。

李鹏飞伸过打火机,恭恭敬敬地为萧桂云把烟点上。

"爷儿们,你老的意思是不是说,懂字儿的人不一定非是写字的?"

萧桂云连续吸了两口烟,吐故纳新的节奏很快,烟量却很少,还不时熏着眼睛,手伸的老长一个劲地用食指弹着烟灰,一副业余烟民的模样。

"何为大家?何为名家?王羲之是不是大家?王献之算不算名家?一个官至右军将军,一个官至中书令;柳公权是太子少师,黄庭坚是诗人,蔡京是宰相,宋徽宗是皇帝,于右任是国民党的部长,毛泽东是共产党的领袖。谁敢说他们不是大家?不是名家?书法对他们算个啥?啥都不算!写字嘛,自古以来也就是咱中国人把字写好挂在墙上,挂字嘛,自然喜欢挂大家的、名家的。俗话说'一登龙门,则声

宣和画院

誉十倍',附庸风雅也好,急功近利也罢,冯玉祥一夜写了几十幅字就能去换军火,咱们汴京城里所谓的大家名家不少,足天①,也就是酒肉豆腐汤,混个小康水平。话又说回来,古人都是用毛笔写字,孔子书六经,书法水平自然不低;帮助秦始皇焚书坑儒的李斯,改大篆为小篆,理直气壮也是大家、名家。唉,书法家,古人识字的哪个不是书法家?再往远处说,衡山岣嵝峰有记录治水的碑,共计七十七个字,仅有六个字可辨,传说那是大禹写的,那六个字咋样?毫无疑问,大禹也是书法家。甲骨文、钟鼎文、石鼓文,何不为书法?文明史五千年,文字史都有六千年了,祖宗们要是活到现在,一看有那么多大家名家靠写字发了财,还不气死!"

对萧桂云的说法,李鹏飞点头赞同:"何宝珠、汪澄可是挣了大钱,别墅、小卧车都齐。"

"不假,他二位是汴京人,可他们去了郑州,他们若还呆在汴京,照样死透。汴京这地儿,鬼不拿,你缠着我,他抱着你,真想要你的字儿,拐不出仨弯,叫你自己不好意思接钱,你还得搭纸,一说,比亲弟兄还亲。何宝珠不是怪中嘛,他爹带着居委会几个老头老婆,跑到郑州让他给居委会写招牌,咋着?一分钱不给,还得管饭;汪澄不是怪牛嘛,汴京这块码头你看他敢丢不敢丢?一家族人都在这儿,不定连着哪根筋就扯住他的脉了。正所谓'人之寿夭在元气,城之长短在风俗'汴京城要没这个能耐,就不叫汴京城了。庄子曰:'长于水而安于水,性也。'除非你不想在汴京城里混,走远远的,管他是几朝古

---

① 汴京方言。"足天",充其量、到顶的意思。

都！"

李鹏飞深深点头了，似乎找到一点感觉："你老别说，仔细想想，咱这儿写字儿的就和别处的不一样，你看人家启功、沈鹏，一照头就知是怎么样的学者，咱这儿的写家，你品不出他是个弄啥的。你瞅他是书法家，他就像个写字的；你瞅他是教书先儿，他就像个教书匠；你瞅他是个开店的，他就像个小业主；你瞅他是个机关干部，他就像个小科长。拿不准。"

"这就对了。"萧桂云操着几十年也拿不准的汴京话说，"你能拿准？来去走了多少市长、市委书记，你问问他们有几个能拿准的？写字的，谁不想把字儿写好？当官的，谁不想把官当好？不当家，'一鞭一条痕，一捆一掌血'，你实实在在，人家心里还不知怎么想的呢。"

本来爷俩高高兴兴扯书法，扯跑了题，越扯越多，又扯到拆迁房子问题上。李鹏飞一看萧老爷子要上火，便急忙起身去给老爷子做饭，去街上买回烧鸡、羊蹄、花生仁、啤酒一大堆东西，陪着老爷子吃罢喝罢，收拾朗利，告辞出来。

李鹏飞开着破轻骑刚拐进御街，就被一个肚子很胖的警察挡下了车，警察告诉他御街戒严，一个钟头后再通行。他搭眼往樊楼方向一瞅，明晃晃的小卧车停了一溜儿，到处是戴大盖帽的。这种情形在御街时有发生，不知何方来的大官又登樊楼。李鹏飞心里说：有啥看头，李师师和宋徽宗睡觉的那张床是假的。樊楼，整个一大赝品。

李鹏飞不以为然地对警察说："老兄，让我过去呗，我就住那儿，看，就那儿，宣和画院，一百米都不到。"

警察把眼一瞪："你比人家尿得高？滚蛋！"

"哎，文明执勤，你咋骂人？"

"骂人？这叫骂人，给脸不要脸，走！跟我走！"

"去哪儿？"

"去不骂你的地儿！"

"我不去。"

"你当家？！"

"凭啥？我又没犯法。"

"妨碍公务是犯罪！走！跟我走！"

这位执勤的警察老兄，或许是天生气性大，或许是今天有啥不顺心，正没窟窿繁蛆，碰着李鹏飞这个没眼色的货，妥，一顶撞，一推搡，一撕拽，警察们动开大劲，呼啦围上一群，一呼群拿，将李鹏飞连人带车一起掐进了局子里。

李鹏飞这个倒霉蛋哪里晓得，今天汴京城里的警察，后脑勺上都长着眼睛，连公安局长都在御街上当巡警，今天登樊楼的可不是一般二般的大官。李鹏飞若是知今天来的是多大的官，吓死他也不敢胡耍八要，他今天的鬼使神差，或许是与听了萧桂云那番批讲有关，心里失去了平衡，才跟警察叔叔小挺了一下，可不挺不知道，一挺才知，他是鸡蛋，警察是石头。

十

下午三点，杜瑞宣准时来到宣和画院，在罗公公的引见下，捞住李子信的手不撒。

"久仰老李同志大名，早该来拜访，老李同志是咱汴京的名家，非常荣幸，非常，非常……"杜瑞宣满脸红似三月的桃花，激动和喜悦固定在桃花盛开的脸上已是无法退去。

"不敢当,不敢当,在下只不过是个开画店的,懂一点字画,不能与杜先生的造诣相比。"李子信仔细打量杜瑞宣,真不敢相信这个满身油抹肚①、走在街上都没人愿答理的家伙竟是如此一位高手。

"老李同志过谦了,一听这宣和画院的招牌,就非一般二般人起出来的名,气派大啊,大气派啊。"

"大啥气派,光掉排气了,毁就毁在这个名字上了。每章儿,宋徽宗要不把重和年改成宣和年,大概也不会亡国。"

"哪里,哪里,北宋亡国与年号关系不大,重和八年,宋朝江、淮、荆、湖发大水,闹饥荒,人吃人,改了年号后还是风调雨顺了两年的。靖康之耻倒是与写写画画有点关系,宋徽宗把精力都用在写字画画上了。哪能和咱现在比,咱的人民解放军多强,随便写随便画,没事,敌人不敢来侵犯。"

杜瑞宣两手还攥着李子信的手不撒,李子信有点不自在,又不好将手抽出,只好由他攥着,继续听他热诚地往下说:"大有作为啊,老李先生,公元一一二〇年,宋宣和二年,宋徽宗召集宣和殿宫廷画家,编纂宣和画谱,集中了宫廷内所藏魏晋以来的名画六千三百九十六轴,二百三十一位画家入选。这算不了啥,咱宣和画院可以编纂一套新宣和画谱,搜集当代名家……"

罗公公上前给李子信解围,拉开杜瑞宣的手说道:"新宣和画谱已经有了,你来瞅这儿,气死宋徽宗。"

杜瑞宣被罗公公拉到玻璃柜台旁,往里一指:

---

① 汴京方言。"油抹肚",肮脏、邋遢的意思。

"瞧,中国美术家大辞典,中国青年美术家大辞典,中国当代美术名家大辞典,中国当代国画家大辞典。这都是新编的宣和画谱,这里头的辞条还有李先生的公子哩。"

摘下眼镜的杜瑞宣,把眼睛凑到玻璃上一看,笑哈哈说道:"孤陋寡闻,孤陋寡闻,现在有了这多的辞典。"

"不是杜先生孤陋寡闻,而是杜先生想象的新编宣和画谱,跟这些辞典不一码事儿。"

李子信花搅着说:"宋徽宗编画谱其实跟现在编辞典是一回事,只不过人家皇上眼高,连张择端都不带来,犬子李鹏飞交上三十块钱,就成名家了。风箱板打棺材——气死人。"

"不会吧,"杜瑞宣认真地说:"公子一定是有知名度的,否则人家还不让你交这个钱呢。"

罗公公拍了拍杜瑞宣的肩膀笑着说:"你老,真像社会外头的人,李先生的知名度咋样?萧先生的分量够吧?入辞典倒是没问他们要钱,可一本不奉送,不打折,按原价购买,照样你得拔钱,眼望儿的人,贼着呢,眉毛都是空心的,用钱换名,用名换钱,宋徽宗那阵兴不兴?保证没人挺。"

"是这,是这。"

正像罗公公说的,杜瑞宣确是一个社会外头的人,从某种意义上讲,他呆在街办工厂传达室里和呆在西峰监狱里没多大区别,在他的世界里,没有广播,没有电视,没有报纸,没有约会,没有邀请,没有牢骚,更没有人间媚俗而引起的愤愤不平。他观望社会的最大窗口,大概就是他每天去一趟的菜市场,不问价,不还价,手绢里包着几块钱,花完拉倒。久而久之,菜市场卖菜的都认识他了,称呼他老面①,每天热情和他打招呼,秤给高高的,时不时顺手还饶一把荆芥蒜苗什么的。汴京人就这点好,认识了,知你是规矩人,实打实和你对着规矩,绝对要成为自己人。

对于李子信来说,不管对杜瑞宣了解多少,此时此刻,他打心眼里盼望把杜瑞宣成为自己人。而杜瑞宣却不知,这位行书大师平易近人、谈笑风生的后面隐藏着巨大的悲哀。

杜瑞宣看了一眼罗公公,笑哈哈问:"老李同志叫我来,不知有啥盼咐?"

"没啥,没啥,主要是交个朋友,顺便想让杜先生鉴定几件东西。"

李子信把杜瑞宣引进柜台内坐下,唤后院裱画的丫头帮着沏上茶来。李子信挪一把椅子,慢慢地站上,伸手从货架顶端摸出一件白釉小罐,慢慢下来,取鸡毛掸轻轻掸去浮灰,用袖口又擦了一擦,递给杜瑞宣:"这是明洪武朝的玩艺儿,上有号款,不知真假,有劳杜兄鉴别,一证真伪。"

杜瑞宣接过小罐,摘去酒瓶底眼镜,水泡眼木呆呆地凑了上去,一字一顿地念道:"洪武七年二月二十七日造此。"他把小罐颠倒来颠倒去看了好一会儿,不紧不慢地说道:"洪武朝的瓷器处于元明过渡期,官窑建立的晚,许多东西都是沿袭元代遗风,造型、纹饰、款式也如此。这物件是孤例,属于民窑所产,因为这个时期的瓷器至今没见过有正式年号款的。"

---

① 汴京方言。"老面",老实人的意思。

罗公公插嘴说道:"民窑所产,不是形成定制、定式的年号款,性质同三国、唐、宋的年号款一样。"

"是这,是这。罗同志出口就知是内行,老李同志舍近求远了。"

"哪里是,我只会看一点门道,略知皮毛,鉴别真伪就傻眼了。李先生让我看过,我哪有这个本事儿,所以只好劳杜先生大驾。"

李子信说道:"杜兄别客气,请接着讲。"

"恭敬不如从命。"杜瑞宣乐哈哈笑了几声,水泡眼又凑到小罐上,伸出舌头,在器面上舔了一下,用指头转圈抹了一抹,小声地说:"去弄点肥皂水来。"

李子信吩咐后院裱画的丫头端来一小盆肥皂水。杜瑞宣摸摸索索从自己兜里摸出他那块包钱用的手绢,蘸进肥皂水里一角,然后用它在器面上一边擦抹,一边说道:"有些新仿古瓷,为了卖个好价,仿造者先用氢氟酸轻擦器表,再用烤烟的烟灰涂擦,新瓷表面的光泽就会大大减弱,并现出久用瓷器特有的烟黄色痕迹来。鉴定时如对此有怀疑,可用少许肥皂水或汽油轻擦,即可识破伪装。"

说话间,罗公公已经在一旁连声说道:"赝品,赝品,狐狸尾巴露出来了。"李子信眉头跳动了两下,随即是满面愁苦,张了张嘴,半晌没吱声。

杜瑞宣把小罐轻轻搁到柜台上,戴上酒瓶底眼镜,不知所措,那副表情,就好像自己犯了什么错误似的。

"老李同志,这,这是花啥价钱……"

李子信不语,罗公公说道:"这事怨我,是我给李先生推荐的主儿,怨我,是我榷了李先生。"

李子信摆手说道:"咋能怨你,你也是好意,怨你那个朋友的朋友,那个姓华的郑州人。"

"姓啥?郑州?姓华的……"

杜瑞宣惊奇的看着罗公公,那原本就不太灵活的眸子,在酒瓶底的眼镜后面,变成了古庙里的佛顶珠——黯然无光地牢嵌在眼眶子当中,脸上的三月桃花色退去,松弛的肌肉在不住地颤动。他看着罗公公的嘴在对他发话。

"杜先生,我去找你老,是听说你老和郑州那个姓华的是朋友,李先生的这个青白釉小罐是我一个朋友介绍李先生从姓华的那里买的。姓华的是收藏界有头有脸的人物,想着他不会砸自己的牌子,这罐玩艺儿虽小,毕竟是万把块钱的东西,李先生开这么个小店不容易,现如今走上这条道儿,被人榷,或榷人,都很正常。前一段,姓华的在咱这儿买走一幅萧桂云的字儿,硬说是假的,告到消费者协会,李先生和萧桂云是啥关系?亲弟儿们都没法比。即便说那字儿真是假的,对姓华的来说,九牛一毛,他是大腕,崔白的《寒雀图》都攥在手里。李先生可是小本生意,赚起赔不起……"

对杜瑞宣来说,这个有着明显破绽的圈套他是识不破的,即便是被他识破,这个走着路都怕踩上蚂蚁的老实蛋,逆来顺受了一辈子,他身上已经没有一根神经是用来维护自己正当行为的。他并不知姓华的那幅字儿是在宣和画院买的,姓华的来找他鉴定时,也并没有说那幅字儿的来历。说实话,他对萧桂云的字儿并不像日本人那样钟爱,他承认萧桂云是大家,可他心里却把萧桂云的字儿比作宋瓷窑中的定窑,是继承唐代邢窑的白瓷发展而来的,其典雅之风格不是自己创造的。他感兴趣的不是萧桂云的字儿,而是萧桂云的印泥。啥叫大学问,别人研究不

到,或别人不屑研究的才是学问,若不是这样,他根本不知那幅字儿是假的。

有一点杜瑞宣从罗公公的话音里可以肯定,宣和画院卖给姓华的是一幅假字儿,作难的是这幅假字儿是他鉴定出来的,这一下,引火烧身,后悔也没法儿,更后悔的是,今天不该来宣和画院,又鉴定出一个假的青白釉小罐,根又追到了小华同志那里,真是祸不单行,小华同志告了李子信,李子信再去告小华同志,我杜瑞宣成了什么人了? 想到这儿,胆子小血压高的杜瑞宣,牙床碰撞起来,酒瓶底眼镜滑到了鼻尖,也无力抬手去扶,冷汗顺着脸颊淌了下来,微胖的身体前后开始摇晃。

"咋啦,杜先生,不舒服?"罗公公伸手去扶。

"没事儿,兜里有降压灵。"

杜瑞宣这一式吓坏了李子信,急忙把他搀到后院,在裱画丫头睡的床铺上躺下,唤丫头快去对门那家朝鲜人开的医院去请大夫。丫头刚出门,就听见有人大声在柜台外喊:"李鹏飞家在这儿住吗?!"

李子信急忙回到柜台前,只见一位横眉怒目的警察站在那里。

"在,在,李鹏飞家在这儿住,啥事儿?"

"你是李鹏飞啥人?"

"我是他爹。"

"啊,你是他爹?"警察上下蔑视了一眼,"光知养儿,不知教儿。给,拘留证,家属签字!"

"拘留证? 咋啦? 出啥事儿啦?"

"自己看,上面不是写着嘛——妨碍公务!"

"棺材铺打牙祭——要人死。"李子信接过拘留证,脑子里一片骚乱,抖擞着拘留证说道:"天爷,咋着啦,这是咋着啦,天爷,咋不地震啊,发水啊,天爷……"

十一

听说李鹏飞人被抓到天汉桥派出所,罗公公当即给天汉桥派出所打了电话,派出所所长说,李鹏飞妨碍公务,不听执勤民警劝阻,还殴打民警,人现已被移交四科。李子信问罗公公四科是啥地方?罗公公告诉他四科就是看守所。李子信问多大的罪才进四科?罗公公说这回麻缠,派出所所长电话里告诉他,今天满街的警察在为谁执勤知不知?国家主席!是国家主席来了,竟然有人往枪口上撞,还敢打警察,这还了得,公安局局长立马发话,从快从重处理。罗公公分析,正在热头上,马上把李鹏飞从四科里扒出来怕是不可能,缓几天,没事儿,花点钱就是了。听罗公公轻松的口气,李子信松弛了许多,大口叹气地:"唉!二百五孙,打谁不中,他打警察,打您爹也不能打警察呀!"

杜瑞宣被送进朝鲜医院。这家朝鲜人开的医院,在汴京已有几十年历史,原先是专治皮肤的,现如今正儿八经的朝鲜大夫已没几个,大多是中国医生,啥病都治,因为医院几十年来在汴京人中的口碑甚好,生意也旺。罗公公认得那里的主治医生,杜瑞宣被安排进单人病房,他执意不住,要走,罗公公有点翻脸,冲他吼了一句:"走,去哪儿?低压都快撑上高压了!"

杜瑞宣不敢吭声了,等罗公公离开时,小声地问给他换吊瓶的护士:"小同志,住这医院得花多少钱啊?"

小护士说:"别瞎操心了,您儿交罢三千块钱压金了。"

"俺儿?"

"咋? 您儿怪多啊? 不知是哪个? 怪多,也是您刚才那个儿孝顺。眼望儿,老人住院,俺见多了,儿女们为钱缠不完的秧儿,像您儿这样不缠秧的,真不多。"

"哎哟,哟,哟,哟哟……"杜瑞宣哭出声了。

"哭啥,哭啥,不要命啦,高血压搁不住激动,憋住!"

在小护士的命令下,杜瑞宣一下憋住了嘴,可他的嘴唇却止不住地在颤抖,内心涌起一阵阵无法控制的委屈,化作大股大股的泪水落在枕头上。

不大一会儿,罗公公从外边回来,提了一大兜水果和营养品,往床头柜上一搁,说道:"该吃吃,该喝喝,啥事别往心里搁。"

杜瑞宣说不出话,嘴唇还在不停地蠕动。

罗公公抓起一盒三株口服液,检察了一番:"谁知是真迹还是赝品,这玩艺儿,你老不会鉴定了吧?"

"罗同志,喝,喝,喝喝喝……"杜瑞宣挂着泪水的脸笑了起来。

罗公公把水果和营养品塞进抽屉里,看了看点滴瓶后,坐在病床旁,挑了一个大苹果,开始削。

"爷儿们,你是咋瞅出萧桂云那幅字儿是假的呢?"

"印泥上的巧儿。"

"印泥上啥巧?"

"巧多了。"杜瑞宣用没打点滴的手,擦擦脸上的泪花,"一般市面上卖的印泥,魁红,镜面,其实全是西洋红,薄而无骨,有的根本不是艾做的,是用皮纸捣成绒来代艾,毛病是太黄,不得朱砂正色。艾也有区别,咱汤阴产的艾,和湖北荆州产的艾又不一样,不管哪儿的艾,都有一个通病,保存时候长了,其色发黑发黄,琐细松轻,失去韧性。萧桂云的印泥巧太大了,戳一钤上,一瞅就知,使的不是一般二般的砂,不是一般二般的油。"

"他使啥油?"罗公公把削好的苹果搁在床头柜上。

"巧就在这儿,弄不清。"杜瑞宣摸着头。思索着,"一般的是使菜油,蓖麻油,茶子油和芝麻油,他是咋弄的……不知……一般的印泥,看不出可以鉴定出,萧桂云的印泥,不用鉴定,一看就是绝佳上品,啥都跟人家不一样。说不清,真说不清。"

"一般的印泥咋鉴定呢?"

"钤印纸上,燃火柴就纸背面熏,熏时印泥由红变赫,火熄后,黑赫渐退,返回红色,印文四圈泛出粉红色油迹,纯朱砂印泥好一点,但也有这毛病。"

在罗公公眼里,杜瑞宣所有的大脑神经中,惟一健全的只有一根艺术神经,不光健全,而且超乎所有人之强。罗公公从床头柜上提起那个削好的苹果,递给杜瑞宣:"吃吧,不吃就锈了。"

"劳累你,真不好意思。"

"外气话。像您这样大学问的人,窝在汴京一辈子,可惜了。"

"可惜啥,人嘛,啥是福?平平安安就是福。"

从杜瑞宣的脸上,罗公公看不到一丝为自己怀才不遇而怜悯自己的神情,相反,却从他吃苹果的样子中感觉他对生活的满足,这也许就是他大脑中那一根超强神经之外所剩下的一大堆神经充分作用的结果吧。

"杜先生,您祖上不是一般门楼头吧?"

"也没啥不一般。"杜瑞宣把吃罢的苹果核搁回床头柜上,用手抹了抹嘴,眼睛盯着点滴管子,那一点一滴的过程,如生活漫长的付出和积压,从这根细长透明的管子里一点一滴地看到。杜瑞宣脸上又堆起原有那固定的笑容,若仔细去观察这笑容,不难发现,这笑容充满了自然却没有一丝自然的活力。

杜瑞宣说起他的家史:他爹和刘茂恩一个村,又一同在洛阳上学,后来刘茂恩当了国民党的省政府主席,他爹在省政府里给刘茂恩当听差,抄抄写写。他爹字好,刘茂恩每次给蒋介石写信,都让他爹执笔。后来听说,蒋介石多次夸河南人字写得好,并在公开场合对别人说,你们知道为啥刘茂恩字写得好?因为他和杜甫是老乡,巩县人。刘茂恩很得意,给了他爹不少字画、古董什么的。杜瑞宣说,其实杜家远祖不是巩县人,是从长安原籍迁到襄阳,后来又迁到巩县的。

"我的天爷,您老是杜甫的后人?"

"谁知是多少代,弄不清。"

"有家谱没?"

"印象中,小时候我爹让我看过,那时候又不知事儿,谁知弄哪儿去了。俺爹败家得很,娶了五房太太,古董字画都让他给换米换面了。"

缄默。罗公公很长时间没吭声,杜瑞宣似乎看出他在想啥,笑呵呵地说:"人家陆游说得好,'人生穷达谁能料'。天下没有不散的筵席,祖上好咋着?祖上不好又咋着?一回事儿,咋着都是一辈子。"

"话是这么说,可人活着区别大了,人家包公的后代咋着?人家是香港巨富;人家林则徐的后代咋着?人家是驻联合国的代表。咱汴京也有不少名门之后,杨家将的后代、岳飞的后代都有,咋着?该卖烧鸡卖烧鸡,该炒凉粉炒凉粉,活得还滋腻①。"

"那要看弄啥,写字画画,香港、联合国可都不胜咱这儿。"说罢,杜瑞宣呵呵地笑出了声。

罗公公也笑了,但没出声。

十 二

第二天上午,宣和画院里像走马灯,这个来那个去,热闹非凡,刘胖子、马科长、萧桂云、罗公公,还有市文联的叶主席都来了。刘胖子第一个来,罗公公夜个儿晚上打电话给他,让他下一聘书,聘请杜瑞宣为市消协的顾问,专门鉴定古玩字画,这桩假字的投诉案,自然还是让杜瑞宣来鉴定。罗公公第二个来,他说今天一早儿他又去了医院,杜老头血压降下去了,早起吃了闷罐羊肉,满面红光,人可清亮,愿意当市消协顾问,并愿意以市消协顾问的身分重新鉴定那幅字儿。罗公公说市政府马科长有急事儿找他,先走一步。临走前罗公公把李子信拉到一旁轻声交代了几句。罗公公走后,李子信扬起眉毛,轻松地出了一口气。其实,不用罗公公对他交代,他知道罗公公为啥把刘胖子约到这里来,于是,用挑杆从柜台内墙壁上摘下一幅牡丹,一对中堂,取下博古架上一对景泰蓝花瓶,让刘胖子捎走。刘胖子礼让一番,高高兴兴夹着牡丹中堂,抱着景泰蓝花瓶走了。第三个来的是文联主席叶贵贤,一进门就向李子信抱拳,请求支持,共同搞一次新人新作书法作品大展,宣和画院出钱,市文联出力,若拉来赞助,二一添作五,附加一优惠条件是让李子信担任评委会副主任。李子信

---

① 汴京方言。"滋腻",有滋有味的意思。

苦笑着问得要多少钱？叶贵贤说了了的钱，五千块就够了。看李子信痛苦难当的样子，叶贵贤降价，说三千块也中。见李子信还是不吐口，于是叶贵贤诉起苦来，一本米面账算得能让人掉泪，偌大一文联，竟快到了电话费交不起的田地，委实让人同情。李子信好面子，心肠软，不管咋样自己也算个董事长，有这么一点生意，再紧，也得出点血，谁叫咱是写字的呢，穷朋友帮穷朋友，打肿脸充胖子吧，一咬牙答应了一千块钱。第四个来的是萧桂云，他一早去龙亭坑遛胡琴，没见李子信去遛鸟，去喝豆沫时听说，夜个儿宣和画院的少掌柜和警察打架，被抓进局子，他过来问问是咋回事儿？听李子信说罢原尾，他一个劲儿地摇头，用和李子信同样的口气埋怨李鹏飞糊涂，打自己爹也不能打警察呀。正说着，罗公公二返头回来，他身后跟着市政府的马科长。

罗公公走后不久曾来过一个电话，让李子信上午哪儿也别去，在店里等着，有要紧事情。罗公公领着马科长先去了萧桂云家，扑了个空，萧桂云来了宣和画院。罗公公一见萧桂云在这里，舒坦地对马科长说了一句："齐，啥都齐了。"

马科长和两个老头儿握罢手后，罗公公说："爷儿们，铺毡子，写字吧，俺那个兄弟该从局子里放出来了。"

"啥，啥意思？"李子信不解地看着罗公公。

"科长大人，指示吧。"罗公公笑着对马科长说。

马科长从夹着皮包进店门，脸上就没多笑一下，一副公事公办的模样。他拉开皮包拉链，拿出一个笔记本，翻开，先递给萧桂云，问道："这是你写的吧？"

萧桂云接过笔记本，索来李子信的老花镜，架上鼻梁一看，笔记本上写道：

梁园歌舞足风流，
美酒如刀解断愁。
忆得少年多乐事，
夜深灯火上樊楼。

萧桂云严肃地把笔记本还给马科长，说："这不是我写的，是南宋诗人刘子翚写的。"

马科长眉头蹙了一蹙："我知这是宋朝人写的，樊楼里柱子上的那幅字是你写的吧？"

"没错。"

马科长又翻开笔记本，递给李子信，问道："这是你写的吧？"

李子信先从萧桂云鼻梁上摘下老花镜，然后接过笔记本，一看，上面写着金代元好问的《梁园春》：

暖入金沟细浪添，
津桥杨柳绿纤纤。
卖花声动天街远，
几处春风扬绣帘。

李子信把笔记本还给马科长："这也是指樊楼里柱子上的字儿吧，是我写的。"

马科长把笔记本放回皮包，拉上拉链，夹回腋下，他用一种不高不低，类似传达文件的口气说道："昨天，国家主席视察中原，途经我市，参观樊楼，为匠心独运，胜迹再现而感叹不已，尤其为樊楼内所置书法艺术挑指连声称赞，并询问是何地书法家所书？当主席得知樊楼内所有书法均出自我市书法家之笔

时,主席当即向安市长等作陪领导求我市书法家墨宝。主席是书法内行,所指两幅恰是二位先生的。市委市政府指示,我市书法家萧桂云、李子信二位先生,一定要用饱满的政治热情,精湛的艺术技巧,完成这项光荣的任务……"

"中了,中了,不就是写字嘛,搞得像抢险抗洪。"罗公公摆手说道,"啥都是假的,这一回是大水冲倒龙王庙,一家人不认一家人,公安局该放人了吧,多大的面子,给国家主席写字儿,是家不是家,够着喽?"

萧桂云平静地看了一眼李子信,说:"铺毡子,写吧,没啥说,字儿一写,少爷就出来了。"

李子信两眼直勾勾地瞅着马科长,半天没说话,他所有的思想仿佛在这一时刻从脚底板漏了个净光。当萧桂云用手推了他一把时,他才迷瞪过来:"铺,铺毡子……"

铺毡子写字对李子信来说,就像每天吃饭睡觉那样,随便得不能再随便。在他的一生中,他已记不清楚给多少大小首长写过多少字,每一次铺开毡子时,他并不去在意一幅字对他人或自己的生活会有什么影响和改变,他理解他人,也理解自己。他认为,这世上的一切皆是过眼烟云,长久的是字儿而不是人。人会死,字儿不会死,但千古不变的却是人支配字儿而不是字儿支配人。人活着一天就离不开字儿,字儿存在一天同样离不开人。辩证法的基本原理就是:存在就是合理。关键在于如何合理存在。可今天他突然觉得自己的存在不那么合理了,自己主宰不了自己和手中的笔。如果写字的人把行笔比作人走路,他觉得今天他的"腿"起落交换出了毛病,运腕僵硬,找不着中心。

李子信写罢一张,不满意,要撕,被马科长阻止:"别撕,这张给市政府赵秘书长吧。"

李子信又写罢一张,瞅着还是别扭,又要撕,又被马科长拦阻:"别别,这张给孙秘书长得了。"

李子信一连写了四五张,依旧找不着感觉,扔到一旁,皆被马科长拿去打发周秘书长、黄秘书长、熊秘书长去了。

罗公公一旁花搅:"写吧,爷儿们,你老的字眼望儿是紧俏商品,闭着眼写都有人要。"

马科长无奈地说:"没法,一听最高领导人要,都跟着要,也好,宣和画院以后办事情方便。"

萧桂云面无表情地说了一句:"那也未必。"

萧桂云告辞,说没带图章,让马科长明天去他家里取字儿,并申明只写一幅,决不多写,而且不再写南宋刘子翚的那首诗。

萧桂云刚走,杜瑞宣慢吞吞地推开店门进来,罗公公埋怨他不该从医院里跑出来,应该注意休息。杜瑞宣说感觉好多了,他说他不习惯住医院,到处是白颜色,晃眼。罗公公一再坚持不让他出院,他才苦笑着说:"罗同志,花你的钱,我心里不好受,再说,厂里还要扣我的工资,两不得劲。"

十 三

杜瑞宣答应反戈一击了,李鹏飞也放出来了,李子信心里好受多了,他想着咋样感谢一下罗公公,请人家吃一顿吧?吃吃喝喝,俗气;送人家几幅字画吧? 人家家里随便挂一幅比你宣和画院里的强。李子信想了一宿,也没想出个合适的法儿来。一早起,提着鸟笼去龙亭坑遛鸟,压樊楼门前石狮子旁过时,那个练字小女孩的父亲上前与他打招呼:

"李伯,早啊。"

"早。"

"遛鸟?"

"遛鸟。"

"给您孙女点拨点拨?"

"点拨点拨呗。"

李子信把鸟笼搁在石狮子脚下,瞅了瞅地上的字儿,要过小女孩手里的大笔,蘸了蘸小铁桶里的黄泥汤,在地面写了"趣长笔短"四个字。一边写一边说:"古人曰,能将笔正用、侧用、顺用、逆用、重用、轻用、虚用、实用,擒得定,纵得出,道得紧,拓得开,浑身都是解数,全仗笔尖毫末锋芒指使,乃为合拍。难哟,没有人能得心应手一辈子,字这玩艺儿……"

李子信把笔交给小女孩,用掌心轻轻拍了拍她的头顶。

"听爷爷说没,得写一辈子才中。"

李子信掂起鸟笼要走,那父亲凑到跟前:"李伯,汴京日报的消息说,市文联和宣和画院要一起举办新人新作展,真不真?"

"真,咋?"李子信瞅瞅蹲在地上的小女孩,摇摇头说:"急啥,再等个三五年不迟,又不是过了这村没那个店,多在纸上写写。"

"李伯,你不知,这孩子练两三年了,全家都盼着她早一点出人头地,你老德高望重,发句话啥都齐了。"

李子信把手里的鸟笼重新放下,看了看小女孩,把那父亲拉到石狮子后面,语重心长地说:"可不是我打你的兴头,练字从娃娃抓起,踢球从娃娃抓起,都没错。说句大实话,弄啥都得有天赋,光靠死练不中。'山东出相,山西出将',那是有家的,凤毛麟

角。孩子太小,成器不成器很难说,再练上几年,别急,一早早在名利圈里混,不是啥好事。我说这话可能不中听,但这是大实话,别因为写字,把一个好孩子毁了。"

那父亲脸色不好看,点着烟,喷出一口,不以为然地说道:"毁啥,又不是吸毒贩毒。"

"我不是这个意思……"

"我知你是啥意思,俺孩儿没天赋,我就不信这个邪。"那父亲说罢,扭脸从石狮子后走到石狮子前,气哼哼地对蹲在地上的女孩儿说:"乖,好好写,写罢爸爸领你去喝汤!"

李子信无奈地笑笑,自语一句:"黄浆做年糕——掏力不落好。"说罢,掂着鸟笼去坑边了。

李子信围着龙亭坑转了一大圈,也没见到萧桂云,心里纳闷,平时比上班还准点来坑边的萧桂云,今天咋不见影了?李子信进到龙亭公园内,慢慢走在将东西两湖隔离开的路上,登至御带桥,停在桥身上,他突然发现,东湖的水和西湖的水现如今没啥区别了。"潘家湖,杨家坑,一个浑来一个清"的传说,在爱憎分明的汴京人嘴里祖辈流传,说来也怪,这两个对峙了不知有多少年代的大湖,一直应证着老百姓所赋予的民间传说,忠臣与奸臣的势不两立。而如今东边的潘家湖已不像以往那么昏浊,西边的杨家坑也不像从前那么清澈。据说,当年杨业被害,潘美的女儿派人在两湖之间偷偷挖了一条甬道,可两湖的水色依然各不相混……李子信揉了揉老眼,仔细辨认了一会儿,仍旧辨别不出两湖的水色有啥区别,心中不由滋出一阵淡淡的愁绪,闷闷地嘘了一口气,睁大老眼,悯然瞅着那一轮刚刚露出脸来的太阳,他突然觉得自己像小孩子,站在一个陌生的地方

凄凄凉凉地面对着周围的景致,似有什么东西在咬着他的心,不是哀愁,不是憧憬,也不是被人遗弃的感觉。他长久地凝视着湖水,浑浊浊的,可是在晨风吹动中依然隐约可见微微摇曳的树影。他抬起老眼,向龙亭望了一眼,那重新又翻修过的龙亭依然屹立在两湖之间,依旧肃穆巍峨。李子信自己跟自己说了一句:"回吧……"

走到午朝门,李子信听见背后有人叫他,扭脸一瞅,晨练罢的罗公公,迈着轻快的步子向他走来。

"爷儿们,我正有事儿要找你商量。"

"中,中,中中中中。"李子信一连说了六个中字。

"我想在西郊买几亩地,办一所书法学校,不知中不中?"

"书法学校?"李子信怔了一下,蹙着眉想了想,"中是中,但在咱这儿不中,咱这儿水浅王八多,山深妖怪多,再好的事儿,都给你弄个有头没尾。要办,去别处。"

罗公公笑笑:"此言差矣啊,爷儿们。咱这地儿,别看楼没别处高,钱没别处壮,咱这儿的优势,别处可比不上。"

"优势,啥优势,比别处多几个写字的?"

罗公公笑着摇头:"爷儿们,咱这儿的优势你应该有体会。依我看,妖怪和神仙没多大区别,神仙可以变妖怪,妖怪也可以变神仙,这就是咱这儿的优势。"

李子信明白这种优势指的是啥,不住地点着头说:"明白,明白,我心里明白。"

罗公公接着问了李子信一句:"爷儿们,你老说说,为啥咱这地儿出写字的?"

"为啥？"李子信反问。

"写字对古人来说，原本和射箭、驾车一样，是一种技能，后来天子、大臣以能书为名，将法度森严的中国字变态百出，才成了一门学问。咱这地儿，自古当大官的就多，书法家自然也多，虽然败落了，书法兴而不衰，不管八百年还是一万年，瞅瞅咱的字儿，就知咱这地儿不同一般，破归破，穷归穷，祖上的辉煌全在咱的字儿里，认字的看字儿，不认字的摸摸招牌！"

"又能咋着？"

"咋着？美国人都跑到陈家沟去练太极拳了，就不能跑到咱这儿练书法？"

"爷儿们，你的意思是要教外国人写字？"

"中国人、外国人咱都教，办一所国际书法学校，面向全世界招生，我就不信咱汴京书法不能走向世界！"

李子信被罗公公慷慨激昂的一番话搞懵了，眨动着老眼，张了张嘴却没说出话来。这个年至古稀的老头儿，早已过了眉飞色舞的时期，在这块土地上，他曾有过许多梦想，曾有过许多希冀，他的肚子里装着许多发生在这块土地上的故事，帝王将相，布衣百姓，到头来谁也逃脱不了实实在在的生活，梦想和希冀最终消失在他的满头白发之中。今天，他虽没感到一种热切，但他却隐约感到，这个年轻人能帮助他把财富和名誉从生活的怀抱里夺过来。

"爷儿们，我老了，没几年活头，只要你觉得我有用，言一声。"

"啥老了都不值钱，就写字儿的越老越值钱。"罗公公拍拍李子信的肩膀，"眼望儿时兴包装，我把您几个老头儿一包装，教授？教授算啥，您是教授他

爹!"

"不搞花的,实事求是,力所能及。说吧,要我干啥?"

罗公公看着李子信那听从召唤的神情,笑着说:"爷儿们,我知你的心思,好吧,你还我一人情,去做萧桂云的工作,让他来当我国际书法学校的校长。"

李子信笑了起来,用他儿子才会有的那种口气,拍着干瘪的胸膛说:"包在我身上!三个指头捏螺丝——稳拿。"

"走吧,爷儿们,喝汤,我请你。"

"爷儿们,今天说啥得我请你,要不就不喝。"

"中中中,你请我,我知,你不请我你不好受。"

两人在午朝门附近随便找了一家汤铺坐下,痛痛快快喝罢汤后,李子信没回宣和画院,直接奔萧桂云家去了。

十 四

李子信绕过影背墙,院里空荡荡的,很安静,前院那家房契在台湾的住户也搬迁了,那房主一直没有消息,估计是死了。这院里的人没搬走之前,哪儿都显得那么挤,有一种让人不透气的感觉,现在空了,却又显得苍凉,让人感到一下子失去好多好多东西似的。

进到后院,李子信看见萧桂云雕塑一般坐在青石板旁,对李子信的到来无任何反应。

"咋啦?一副塑料脸。"

萧桂云没有理睬。当李子信问第二句时,他从小马扎上站起,双手一背,回上房去了,随手把门关严。

"咋着,咋着,这是咋着啦?"

李子信跟至上房门口，推门，里头被插上。咋敲，咋问，萧桂云就是不开。片刻，只听见屋里京胡声骤响，拉的是乱七八糟，但还是能听出拉的是"打虎上山"。乱七八糟的前奏过罢，萧桂云声嘶力竭的老嗓子唱道："穿林海，跨雪原，气冲霄汉呐啊……啊啊，啊，啊，啊，啊啊，啊……"

头三句喊完后，琴声和唱腔戛然而止，屋里一片肃静。片刻，隐约听到悉悉嗦嗦的响声。

"老伙计，开开门，我有事要对你说，开开门，啥事不能商量着来？开开门……"

仍不理睬。

李子信知事沉了，又不敢离开，在上房门前团团转。大约一支烟的工夫，窗户开了，压里头扔出一团宣纸，李子信急忙捡起，展开一瞅，上面写着："妄誉，仁之贼也；妄毁，义之贼也。"钤着萧桂云玲珑剔透的印章。

李子信慢慢坐在上房门前的台阶上，似乎已明白发生了什么。他垂着头，眼瞳凝止在地面，一动不动坐在那里。

前院传来急促的脚步声，来的是李鹏飞。

李鹏飞慌张地看了看上房紧关的房门，小声地说："爸，到处找你，出事啦，刘胖子一早来店里报信，郑州的华大蛋来了，说消协袒护咱，可能来找萧伯。"

"来找罢了。"李子信把手里的宣纸塞到儿子手中，"看吧，这是您萧伯的宣言。唉，今天早起右眼就跳，我就觉着不对头，我这一辈子，唉，就没那顺当命，干一点坏事，都会出叉劈。唉，这回儿彻底王八翻跟头——四脚朝天。"

"爸，咋办？"儿子把宣纸还给老子。

"问我?"李子信沮丧到极点,抬起头瞅着儿子说,"乖乖儿,你不说这年头只要肯花钱,啥都好办吗?眼望儿您爹肯花钱,把宣和画院卖了都中,只要您萧伯气顺……"

一层稀薄透明的水遮住了李子信的老眼。

"爸,事情是我干的,我给萧伯赔罪。"李鹏飞走到上房门口,冲着门缝向里说道,"萧伯,您侄儿不是人,要杀要砍,要打要骂,随您老处置,您侄儿在门口给您老跪下了!"

说罢,"扑咚"一声跪在地上。

屋里没动静。忽然,京胡再次骤起,又唱起样板戏:"我们是工农子弟兵,来到深山,要消灭反动派……"

"爸,你先走吧。"

李子信又长叹一口气:"乖乖儿,跪着吧,您萧伯啥时候开门,你啥时候起来吧。"

走出萧桂云家的院子,街面上从东往西在过盘鼓队,眼望儿城里不让放鞭炮,红事白事,开业庆典,表彰劳模,一律是军号盘鼓。尤其是盘鼓队,一个个打扮得像"小刀会",要说威风,的确不在话下,男人冬天光膀子,夏天却穿着不透气的绸子上衣,冷热对他们来说都不是重要的,重要的是不管冬天还是夏天,汴京城里的人们只要听见这滚动着尘土的声音,便会在瞬间撇开所有的不幸,投入隆隆的鼓声之中模糊一下自己的灵魂。

眼望儿是女人打盘鼓,更加招引路人。李子信停住脚,瞅着那一盘盘大鼓,觉着鼓队里的女人怪让人心疼,恁大一个鼓在腰间缀着,不光要敲,还要蹦,皮肤晒得像东南亚人,头发湿湿地贴在脸颊上,汗水如同小溪从额头往下流,那张画了彩妆的脸花成一片,尤其是那两把大刀眉,早已流成两洼黑色的国泽。李子信压小就看打盘鼓。抗日战争胜利打;国民党进城打;解放军进城也打;抗美援朝打;大炼钢铁打;文化大革命打;粉碎四人帮也打。眼望儿就更不用说了,卖洗发水也要打上老半天盘鼓。李子信瞅着盘鼓队滚滚而过,暗自说道:"打盘鼓,好生意啊,不犯罪,不犯法,连交通规则都不违反,汽车也得闪到一边,唉,当初真不该开画店,老鼠舔猫鼻子——找死!"

李子信走回自己画店门口,用目光重读门两侧的对联:"书生开店仁义为本,老九经营薄利多销。"此刻,他觉得这幅对联惨不忍睹,伸手就去撕。正撕着,听见背后有人小声在喊:"老李同志。"

"啊,杜先生,里头坐吧。"

"不了,不了。"

"杜先生有啥事吗?"

"没,没啥事儿……"

看着杜瑞宣窘迫的表情,李子信说:"杜先生,有啥事情你就说,没关系的。"

杜瑞宣尴尬地笑了两声,用手慢慢把已滑下鼻梁的酒瓶底眼镜推上原位,看着地面,像做错了什么事儿。

"老李同志,我想对你说,如果有人问起那个青白釉小罐,别,别说是我鉴定的。拜托了,老李同志。你忙,你忙吧……"杜瑞宣手作着揖,躬身退去。

李子信好一会儿才愣过神来,又重重感叹一声:"唉!老母猪尿窝——自作自受……"

这一天,李子信不知感叹了多少声,说了多少歇后语。中午,他没有吃饭,儿子也没有回来,他心里一直惦记着萧桂云,想再去瞅瞅,又觉着没脸。他把

萧桂云写在宣纸上的那句话反反复复地看,反反复复地读。终于,他憋不住,大声唤来后院裱画的丫头,把宣纸给她:"去,把它裱喽,用最好的绫!"

十 五

李鹏飞一直在萧桂云上房门口跪到晌午头,最后还是萧桂云把门打开,冲他说一句:"起来,别把你爹的脸丢尽!"晌午头,李鹏飞不走,死活要留下给萧桂云做饭。萧桂云没答理他,始终一言不发,直到李鹏飞做好捞面条吃罢,把碗刷洗干净,萧桂云才说:"去,街上找俩小工来。"

李鹏飞不敢多问,不敢怠慢,起身正要走,被萧桂云叫住:"给,拿着这伍拾块钱,捎两袋水泥回来。"

"我这儿有钱。"

"拿着!"

瞅着萧桂云铁青的脸,李鹏飞不敢不接,他猜不透萧老爷子买水泥弄啥?只得按老爷子指示的去做,接住伍拾块钱,开着破轻骑,去到外环路,从一大堆等活干的农民中叫上两个,买了两袋水泥搁在轻骑后面,没出一个钟头就回来了。

萧桂云搬个小马扎往上房门前一坐,严肃地开始指挥。他让两个小工把青石板扒开,命令李鹏飞去里间屋把立柜顶上一只半大的樟木箱子搬来,他颤抖着手从兜里摸出钥匙,打开箱盖。李鹏飞用眼往里一扫,好家伙,箱子里放满旧瓷印池,足有四五百盒。

"小子,我告诉你,我这一辈子,用汴京人的话讲,不外气,'拳头上能站人,胳膊上能跑马',我和你爹的情分,就像杜甫的一句诗,'行色秋将晚,交

情老更亲'。到汴京这么几十年,就交你爹这么一个过心的朋友……我还是老话一句:作人在前,作字在后;骨气居上,功用居下。"萧桂云一指箱子,命令道:"小子,把这里头的东西统统给我倒进井里去!"

"老爷子,别……"

"少罗嗦,倒!"

"老爷子,我求你啦,求……"

"你倒不倒?你要是不倒,我就往井里跳,说到做到!"

李鹏飞是拗不过这个血性到底的老头儿的,只得哭丧着脸,弯腰把箱子搬到井口,没敢说话,用哀求的目光再一次瞅着萧桂云。

"倒!倒下去!!"

李鹏飞双手一颤,两眼一闭,"哗啦——轰",箱子空了,李鹏飞把空箱子往旁边一撂,抱头蹲在井口跟儿,嗷嗷大哭:"你这是弄啥!弄啥!……"

看着李鹏飞泪水滂沱,萧桂云平静得好像啥事儿没有,如同是往垃圾桶里到了一箱垃圾。他命令两个小工把水泥倒进井里,又填进许多沙土、碎砖烂瓦,把青石板盖上后,他两眼一动不动地盯着井口,喃喃自嘲了一句:"这井深,拆迁时难挖到,若是几千年后出土,谁也说不清是哪个朝代的……"

萧桂云给两个小工付了工钱,打发走了。他对还蹲在那里哭的李鹏飞说:"哭啥,没出息样,回去告诉你爹,没事儿了!"

李鹏飞伤心地抬头瞅了一眼萧桂云,他不相信这老头说的话,蹲在那里没动。

"咋,你不走?不走就在这儿蹲着吧,我可要回屋睡一会儿。"

萧桂云回屋去了。少顷,李鹏飞听见屋里传出

叮叮当当的声音,好像是在钉什么东西,他走到窗前,勾头往里一瞅,见萧桂云正用锤子往墙壁上砸钉,钉砸完后,把一支支毛笔整齐地挂在了墙壁上。李鹏飞想:这老头是不是脑子出啥毛病喽?

直到萧老爷子把他所有的笔都挂到墙上后,少顷,门外的李鹏飞才听见屋里传来阵阵呼噜声,老爷子真睡着了。

李鹏飞没有回宣和画院,他把破轻骑开到王老三家。近半年来,他一直躲着王老三,倒不是凑不上王老三那六万块钱,而是想等生意再好一点再还。六万块钱对那些开汤馆、卖扣碗的不算啥大钱,对宣和画院来说,可不算个小数目。李鹏飞觉得这画店开得太艰难,不如把那门面房盘给王老三,改成扣碗店得了。

黄昏,高大的樊楼遮掩去阳光对御街的夕照,背光的琉璃瓦上镶着金边,西方的天空渲染了一片红霞,在云的空隙处,露有蓝色的线条,它的艳丽能使古城中忙碌的人们忘记一天的劳累和烦心。

李子信不见儿子回来,正准备提前装门板打烊,罗公公、刘胖子、马科长接二连三地来了。罗公公一进店门就说:"郑州姓华的来汴京搅和了一圈,萧先生、杜先生那儿全去了。杜先生没事儿,按我交代的去做了,我刚从萧先生那儿来,老爷子'挂笔'了。"

"挂笔?……"李子信像被人一下拖进水里,闷住了。

罗公公抬手看看手表,哼笑了一下说:"二十分钟前,华大蛋回郑州,车被咱的岗楼扣了。"

"为啥?"

"闯红灯。他不是想打官司吗?咱汴京就官司多,慢慢打吧。"

第二个来的是刘胖子,他进店门就说:"萧桂云够人物,没给姓华的出证明,姓华的去了消协,好跟我闹哩,说汴京坏人多是因为包公死得早。气蛋,不就一幅字儿吗,扯那么远弄啥。"

刘胖子说罢从兜里掏出一张软片,交给李子信,让给裱裱,说这是他从一晚上写的几十张中挑出最满意的一张,要参加新人新作展,评选的时候让李子信招呼一下。

马科长夹着公文包第三个来,进店门后,像上次来时一样严肃,打开公文包,压里面取出一个鼓鼓囊囊的信封,双手递给李子信,说:"这六千块钱,是国家主席特意派人送来的,你和萧桂云先生的稿费,各自三千。请打收条。"

"咋,咋能要他的钱?……"不知所措的李子信没敢伸手去接。

罗公公伸手抓过信封,往李子信怀里一塞:"咋不敢要他的钱,这叫相互尊重,人物对人物,英雄惜英雄。"

十 六

一个星期后,《汴京日报》登出举办新人新作展的消息,李子信一看报纸,心里不大舒服,联办单位有七八家,羊双肠汤馆、沙家牛肉店、崔家抖鸡店、三圣公烧鸡店、马豫兴桶子鸡店都是联办单位,宣和画院排在末尾。评委足有二三十人,除了叶贵贤、萧桂云、汪澄、何宝珠和他自己之外,其余的统统不认识,要说不认识吧,也熟悉,电视和报纸上常有他们的名字。

"奇怪,咋没有安市长?这类活动一般都不少他。"李子信捧着报纸疑问。

李鹏飞一边清点货架一边说:"你还不知?安市长调走罢了。"

"调哪儿了?"

"不知。"

"谁来当市长?"

"不知。"

"您萧伯知不知安市长调走?"

"不知。"

爷俩正说着话,店门被推开,萧桂云怒气冲冲走了进来,手里甩动着一张报纸:"谁答应当你们的评委了?!你们懂不懂啥叫侵犯人权?!惹不起,还躲不起,没理讲了是吧!"

"老伙计,别急,别急,这事儿我也不知是谁把你的名字登上的……"

"要说三十年前你在这条街上开花圈店时,你啥都不知,我信。现在我不信,鬼信!"

萧桂云把报纸往柜台上一扔,扭头离去。

李子信的老眼一直望着店门,许久,他的眼睑无力地垂下来,他觉着四肢无力,生命显然在衰退。他在柜台内坐下,闭上眼睛,那表情似乎不愿意看到周围所有的一切。老半晌突然从嘴里冒出一句:"气蛋。"

清点货架的儿子,瞥了一眼老子:"弄啥气蛋,我就不信他萧桂云真的挂笔,毛泽东说过:没有得到过的,就不存在失去,得到过的再失去,日子不好过着呢,不信走着瞧!"

王老三来了,把宣和画院前前后后,里里外外仔细看了好几遍,信心十足地规划灶间搁在哪儿,煤火盘在哪儿,桌椅板凳咋搁,还要求李子信给写个"王老三扣碗店"的招牌。王老三花搅着说:"一瞅这招牌上的字儿,不吃扣碗也来坐坐,啥劲头? 御街不成生意? 我就不信我的驴肉扣碗吃不翻人!"

当天下午,李鹏飞就和王老三签好了协议。

一个星期后,王老三的扣碗店开张那天,正巧新人新作展在博物馆开幕,仪式同样隆重,有军号,有盘鼓,还有许多花篮。市电视台在博物馆转播开幕式的时候,王老三和来吃驴肉扣碗的嘉宾正看店里的二十八寸彩电。王老三五把粗三把长地对众人喷开:"快瞅,宣传部长后头那个瘦老头,那就是给咱写招牌的,全国有名,一个字儿一千块钱,给咱写,一分不要,铁朋友,铁到底的朋友……"

在王老三大喷的时候,博物馆门外发生了惊人的一幕。

这博物馆邻着包府坑边,和龙亭坑相似,一条南北大道将坑东西分开,博物馆在邻大道的西坑旁,距包公祠不远。今日,大道上来来往往的行人车辆并没有被挂横幅、奏军乐、打盘鼓的开幕式所吸引,而是停住脚步,围在博物馆对面的东坑旁。汴京人爱看热闹,但热闹和热闹碰在一起,自然也分个"仁者智者"。东坑大道旁里三层外三层的人圈里,有一位男子在大声吆喝,乍听,以为是卖药的,凑上跟前,才听明白他在批讲书法,在他的脚下,蹲着一个小女孩,手持一支硕大的青羊毫笔,蘸着黄泥汤在地上写字儿。

"诸位,啥叫书法? 书,就是写,法,就是规矩,往地上情瞅了,这字,规矩不规矩?"

"规矩——"众人异口同声。

"有人说,在地上写字练不出书法,唐朝有一个和尚,叫怀素,墙上地下遇哪儿写哪儿,咋着,人家是大书法家,听说过没?"

"听说过——"众人异口同声。

"小女练的这叫魏碑。啥叫魏碑,隶楷错变,无体不备就叫魏碑,其特点有十美:一曰魄力雄强;二曰气象浑穆;三曰笔法跳越;四曰点画峻厚;五曰意态奇逸;六曰精神飞动;七曰兴趣酣足;八曰骨法洞达;九曰结构天成;十曰血肉丰美。情往地上瞅了,小女写的这字儿,十美中缺了一美,别管啦,吃啥买啥!"

众人争先恐后往地上瞅,报以热烈掌声。

"诸位,先别鼓掌咧,您往那儿看。"那父亲一指对面博物馆,"今儿个咱汴京的大书法家都聚在那儿,俗话说,不比不知道,一比吓一跳,俺进不了那里面,是俺不办事儿,不中,不行,不上档,不入流。诸位,别在这儿围了,去瞅大家名家去吧!"

人堆里有人笑着说:"啥呀,俺刚压那里来,那里挂的字儿还没小丫头写得好看呢!"

"这位哥,可不敢胡说,内行看门道,外行看热闹,您是不懂谱。"

"懂不懂谱咋着,杀猪用刀,写字用笔,顺不顺还看不出来?又不是外国字儿,瞅不懂。"

众人异口同声笑了。

你别说,还真有不少人跑进对面的博物馆里,不多会儿又跑了回来,说里头没外头热闹。人是越围越稠,顷刻之间,招来了正在博物馆里拍摄录像的电视台的记者,镜头对向了小女孩。只听那记者用热情洋溢的口吻在人堆里说道:"文字的产生,是人类社会的需要而创造的,而书法艺术只是文字的一门独立的艺术。书法艺术在我市有着广泛深厚的群众基础,上至白发老人,下至学龄前儿童,热爱书法艺术者随处可见。如果,人们把盛产椰子的海南比喻成'椰岛',把盛产石油的大庆比喻成'油城',把酷爱足球的大连比喻成'足球城',那么,我们汴京人可以无愧地说,汴京是一座名符其实的'书法城'……"

十七

罗公公花了三十万元在西区买了五亩地,然后去了省里,一星期就跑下了办书法学校的批文,又过了一星期,五亩地开始破土动工。开工典礼那一天,天气不太好,下着小雨,但方方面面的领导都到了。令人欣喜的是马科长请来了刚到任的新市长,并为开工典礼题了词:"投以木瓜,报以琼琚。"在场的十几位书法家面面相觑,不知是那个楞头青轻声说了一句:"我操,这字儿有讲究……"这位新市长笑着说:"我操,来汴京当市长,不会写字儿还中。"

所有来参加开工典礼的书法家,在典礼结束的宴会上都接受了罗公公的邀请,来校任客座教授,也都为缺了萧桂云而惋惜。不知是谁在酒桌上传播了一条消息,萧桂云把他岳父庞益然留下的青釉刻花牡丹纹瓶给卖了,买了一套二百平米的新房。这条消息顿时引起反响。

李子信摇头,坚决地说:"鸭子踢死驴——不可能。他萧桂云把自己卖了,也不会卖瓶。"

李鹏飞不以为然地说:"印泥都不做了,卖瓶有啥稀罕。"

刘胖子说:"按萧先生的秉性,不太可能,不过眼望儿也难说,不可能的事儿,眼望儿都可能。"

文联主席叶贵贤说:"这不是可能不可能的事儿,他卖了,国家还不依呢,谁想卖啥就卖啥?您回家把老婆卖了试试。"

罗公公微笑着问杜瑞宣:"杜先生,你说说。"

杜瑞宣缓缓推了一下酒瓶底眼镜,望了一圈满桌的人物,乐呵呵地说:"咋着都中,咋着都中。来,我敬各位同志一杯。"

汴京镖局

王少华滑味小说之二

一

　　北道门双井胡同柯家院挂招牌那天，派头大、面子牛，市长大人都参加剪彩了。送镜子的，放炮的，瞅的、看的、望的、瞧的，把个半拃宽的胡同塞得结结实实，满满当当。据混家们说：市长算球，少林，武当、峨嵋都派人来了。道贺的人挤在一块匾下，看个没够。这块匾太光彩了，早年间慈禧太后亲笔题的。几经风雨，几经风霜，今个重新描字、刷漆、镶边，展现在众人面前。懂点书法的混家，评头论足，说老佛爷的字还中，缺憾的是为啥没落款？内行喷家开始唬外行，说慈禧不像乾隆，到哪都写字，慈禧就是给人题字，也不轻易落款。原因很简单，一旦出啥事，她不负责，也不让人家受牵连，这叫政治头脑。混家们说：柯家的面子中，祖上老佛爷题匾，祖下市长来剪彩。柯家——汴京镖局——啥人物？进了汴京城，随便捞个走路的打听一下，要说不知柯家？才怪！

混家们提起柯家,故事能喷几筐。叫得最响的,是过世的爷,就是眼下汴京镖局的镖主柯京生的爷——柯小辫。此人年轻那阵儿,在清宫善扑营当过跤师。善扑营是啥地方?如今的话就是国家队,全国的高手全在那儿养着,专门为老佛爷做表演,谁赢了老佛爷赏银子。柯小辫在那儿的职称就是教头。据说天津的霍元甲撂翻过洋人,汴京的柯小辫撂翻过霍元甲。真的假的,谁知?都这么传。惟一能寻点根的,就是这块匾,和柯家墙上镜框里一张老年照片:一堆人光着膀子,脖上缠着辫子,里头有霍元甲和柯小辫。混家们说:人物和人物在一起照相,起码一个档次。英雄惜英雄,惺惺惜惺惺,令今日的混家们敬慕之忱。

柯家第二代英雄,混家们就喷到柯京生他爹——柯中原,外号柯大膀。老爷子还活着,大高个,怒眉横眼,一瞅就知是个咋么样的人物。流传甚广有一件事:汴京有条著名的街,叫马道街,新旧社会都是热闹地儿,因为繁华,新旧社会都不准有轱辘的车通行。老日来的那年,端着三八大盖的日本兵,往街口一站,谁瞅谁怯气,谁家有轱辘的车敢过?有。柯家。那时汴京没有自来水,柯大膀靠卖井水为生,每天推着水车给人去送水。他家就在马道街南口,日本兵端着刺刀不让过,他少说多绕三里路。柯大膀不愿走冤枉路,他要逗日本兵的猴。一天,他推着满当当一车水到街口。

"你的,轱辘的不行!"日本兵的刺刀对准他前心。

"轱辘不行,不叫轱辘走,我抬过去的行不行?"他同日本兵商量。

日本兵瞅瞅水车,又瞅瞅柯大膀,纳闷又觉可笑,这么一车水,四个棒劳力抬都难受,他一个人能抬过?日本兵小眼睛一转,决定逗他的猴:"你的,抬过去的可以,放下来的不行,放下来死啦死啦的!"

柯大膀答应。他向日本兵提出个要求,如果他抬过去了,以后让他从马道街过。日本兵同意。当时围观的人很多,只见柯大膀把身上的布衫一脱,往水车上一撂,他两手搦住把,一攒劲,水车轱辘离地一尺多高,不是抬,而是被他用两手端起来走。日本兵刺刀对着他后心,跟着走到街北口。日本兵傻眼。他用汴京话笑着对日本兵说:"你个鳖孙,孬不孬?孬种。"日本兵听不懂,信誉第一地对他说:"你的,每天的,通行!"压那以后,柯大膀的外号也就落下了,响亮了。

端水车的故事,混家们津津乐道。但,一辈人捧一辈人,柯小辫死了,柯大膀老得像个标本,混家们崇拜的,还是柯京生。

柯京生模样像他爹,遇事却比他爹知道。他有一副刀枪不入的体格,却没有不动心劲的头脑;相貌似温顺的豹子,猜不准啥时候发作。上山下乡时,他自个去了红花吉尔草原,拜了一个老蒙子学跤。他是门里出身,自幼习武,悟性高,按他爹的话:"这个货,生就是弄这的种。"蒙古师傅给他立了规矩,撂不翻师傅别离开草原。他在红花吉尔呆了不到两年,把师傅撂翻了不算,还领窜了师傅的女儿。

混家们都知道,柯京生练的年数多,练的玩艺也多:中国式跤、蒙古式跤、南拳北脚、各路密宗、硬气功、点穴术、儒道、禅道、金刚如意,他是无所不通。满身是功夫,敷而不紊,路分缕析,深入浅出,是"拳打三分,脚踢七分,见空就打,打不容情",绝是汴京

城头一把交椅。他的汴京镖局开张,咋能不热闹。

在汴京开镖局?那可不是拍电影,没有打实的本领,别玩掉里喽。汴京是啥地方?查查古代的户口,多少皇上、元帅、大将、名医、能工巧匠、大盗侠客在这儿落过户。正所谓"好汉林立,牛二成群"。有点路术的人,谁瞅谁都不顺眼。压北宋跑毛驴车,到现在跑汽车,用混家们的言:"爷还是爷,孙还是孙。"到底谁是爷呢?达官显贵?局长科长?不全是。爷——混家。

啥是混家?汴京桥上骚扰杨志的牛二算不算混家?当然不算,为啥不算?因为末了他让杨志给宰了。现如今,啥样的算混家?比如:大街上两个人撞车,张牙舞爪,翘急①卷②人家祖宗八辈的,不算混家。不动神色,压地上拾块砖,递给骂人的:"车?不赔,架?不打。给砖,你先拍我。咋?不敢拍?那让我拍你。"这算混家。这样的人,不管车撞成啥成色,不紧不慢,拐弯抹角说到认识的人,一摆手,走人,各回各家,各见各妈。

汴京人,不尿官,不惧匪的大有人在。但对混家,要么对你敬而远之,要么跟他套近乎拉关系。三六九等的混家最服谁?柯京生——汴京镖局的镖主——大混家。

说到底一句话,混家一年四季替别人忙活,别人一年四季替他忙活。替别人忙活多的叫小混家,别人替他忙活多的叫大混家。像柯京生这样的人物,在汴京城用不着主动去交混家朋友,能和他坐一桌上喝一回酒,大概也算列入混家的部队了。

---

① 汴京方言。"**翘急**",着急的意思。
② 汴京方言。"**卷**",骂的意思。

日子过到世纪末了,汴京城里用国粹来挣钱的五花八门。官办、私办的武馆有好几个,正像现在流行比喻泛滥的说法:公共厕所十个坑,九个坑上蹲着练武术的。其实没啥可笑,埃塞俄比亚人都在站桩。国家现在不是正琢磨,咋进到奥运会的屋里去?让混家们一说,就是挺气人,东洋人的柔道,高丽人的台拳道,都进门里了,咱武术又不是后娘养的,不中,摆擂呗。国家头头急,混家们急,前来为镖局剪彩的市长也急。典礼时,市长慷慨陈词讲了一大番,什么继承啊,弘扬啊,争光啊,激动得坐在红木太师椅上的老爷子柯大膀不住地咳嗽,憋足劲对为正给来宾表演的儿子说:"弄,往死里弄,咳咳咳……"

那天,柯京生给来宾表演的是,少林绝技十八罗汉功。他光着膀子,一条长六尺,宽三寸的黑丝带缠腰,站立场中,直身挺胸,两脚分开,面向东方,胸膛扩张,凝结神力,气沉丹田,气血下行,用念行之,意守丹田。这一大套准备工作完毕后,就像电视里武警表演那样,先是力顶千斤,然后开砖断石。来宾们喝彩之后,他一招手,一高足掂上一根大食堂扎煤火的海实①大通条。只见柯京生头朝左右摇摇,缓缓吸气,均匀入内,腹肌挺起,挺直胸腰,意守半身。又是一大套准备工作完毕,他朝高足点点头。那高足便抡起大铁通条,猛劲往他胸上砸。众人又一番喝彩后,他大声吆喝"接着来!"于是,又一高足上来,掂着一把大平头铁锨,扑喳扑喳地往他后背上拍。前一个,后一个,真格地在他身上抡,喝彩声一浪跃一浪。红木太师椅上的柯大膀,一边咳嗽,一边咬着

---

① 汴京方言。"海实",粗大、结实的意思。

牙不停地说:"中! 就这弄就中,往死里弄,咳咳咳……"

表演结束后,市长上前,用手捏着柯京生膀子上的疙瘩肉说:"柯师傅,咱们汴京镖局,要好好为咱们汴京的经济发展服务啊!"

柯京生严肃地冲市长一抱拳:"市长大人放心,汴京的事,就是我的事!"

市长笑起来:"啥大人不大人的,民族文化里也有不可取的东西,武术里也有一些多余的讲究和迷信色彩。那些花招绣套,并不可取呀。"

柯大膀从红木太师椅中站起,双拳一抱:"大人就是大人,历来如此,柯家祖辈跟国家一心,有啥事情只管言一声。"

二

过去的镖局,主要业务是押镖、保镖、捎带也干点贩运小生意。现在不同了,银行押款子是武警的冲锋枪,政治局领导来了,也没你啥事。押镖、保镖在现在是扯蛋的事。

柯家的汴京镖局,门庭火红,训有四十来号徒弟,兼卖跌打损伤丸和武术器械,还批发零售各种运动服,以及运动饮料健力宝。柯家父子从早到晚不得闲。除了这些业务之外,大多时间是打发各路混家。人家掂着烧鸡、下水、五香花生仁上门,总不能不喝两杯。小方桌一摆,混家们和柯京生拆洗各种事,大都是请柯京生出面说情的事:谁的执照被工商局扣了,谁的老弟被派出所拘留了,谁欠谁的钱不给了,总之尽是些腌臜事。人家冲着你柯京生的威望而来,不关照又不中。的确,像柯京生这样的大混家,在汴京城真是没他办不到的事。说一个神话一样的例子:西安一位来汴京倒生意的,钱包在马道街被掏了。混家托混家,托到他这儿来了。小酒一喝,他说:"三天后你来拿钱包。"听起来邪乎,几十万人口的汴京,在谱不在谱的贼,公安局都没数。三天后,西安那客似信非信地来到镖局。当他从柯京生手里接过钱包时,傻了半晌,讲了一句刚学的汴京话:"中,真中,大混家……"

这天,柯京生正在镖局院里,训练弟子们如何运用顶气之法。东寺门的混家,柯京生的把兄弟耳呆,风风火火跨进镖局门。

耳呆甩着头,痛心疾首地说:"栽,栽了,彻底栽了!"

"啥事?栽了栽了的?"柯京生不满地瞅一眼耳呆,又扫了一眼正将气念运于头顶百会穴位的弟子们,他对耳呆说:"当着孩儿们的面,栽啥,啥叫栽,汴京城没咱栽的事!"

他喝弟子们继续用气念运百会穴,领着耳呆进了上房。

耳呆进屋,先拱手给正在做药丸的柯大膀请安。然后,甩着头一屁股坐在椅子上,冲着柯京生说:"寺门的曹家,来了个外地混家,踢了东塔寺的场子。"

柯大膀把手里的药丸一摔:"啥?踢了东塔寺的场?尿壶、太君、大头、米哈衣他们是弄啥的?"

"老爷子,全栽了!"耳呆痛苦地甩头。

柯京生猛一锁眉:"你呢?咋?也栽了?"

耳呆丧气地说:"咋不栽,那客像机器人,你根本不递招,臂力过人,下盘结实,捞住你就别想脱身。

太君多好的力量,一下一被摆了布袋。我算支憋①会儿大的,几把揣过,被他捞住腰……"耳呆窥视一眼柯京生,不往下说,又开始甩头。

柯京生一言不发。

柯大膀坐不住了,呼一下站起来,指着耳呆鼻子就骂:"瞎鳖孙,东塔寺就你中,你还让人家捞住你的腰。瞎鳖孙,咋不榷②他的后膝呢?"

耳呆急着眼说:"榷了,榷不动,那客的下盘太硬。"

柯京生想,耳呆也算个舞马长枪的人物,汴京城里能和他交手递招的查不出几个,对付下三路,耳呆算是行家里手;太君的臂力有目共睹,专业队的都不愿与他过招;米哈衣人称变形金刚;这帮货咋会把人丢到这个份上?他不敢往下想。

耳呆说:"曹家那个老鳖孙,在一边阴阳怪气,说的好听,以武会友,啥以武会友?明摆着要腌臜我们。"

柯京生问:"曹家老头?杂技团的那个?"

"是,踢场子那客是他的亲戚。"

亲戚?柯京生心里咯噔一下,下意识地说:"真是亲戚,就有来头了……"

正咳嗽的柯大膀,呼啦着支气管,瞪着老眼说:"管他啥来头,京生,去,摆翻,给他摆翻,咳咳咳……"

柯京生瞅了他爹一眼,不满地说:"别一有事,就要秉性血上头,又不是要打群架,曹家的根底又不是不知。"

---

① 汴京方言。"支憋",不服气的意思。
② 汴京方言。"榷",打或踢的意思。

柯大膀大声说："啥根底！那年要不是，咳咳咳……早弄翻车他了，咳咳咳……"

曹家的根底，柯大膀比儿子更清楚。曹家是外来户。曹家的老头叫曹文，祖籍北京，到北京天桥一带，向老人们打听玩杠子的曹家，印象深的人不会少。太远的不说，曹文的父亲曹保义，人称"杠上飞"，身怀祖传绝技。体操中单杠的钦格尔空翻才有几年历史？北京话"姥姥"，天桥曹家的单杠，一百多年了，爷爷的爷爷就在杠上做空翻。曹家玩的杠子，可不比体操馆里的单杠。曹家的单杠，檀木做的，杯口一般粗，一把搦不住，一点弹性没有，奥运会的全能冠军见了也傻脸。同样叫单杠，隔行如隔山。

曹家是大族，从祖上往下查，啥都玩过，啥都干过，卖义、卖瓜、卖皮货、卖春联，有参加太平军的，有加入青红帮的，有蹲过国民党大狱的，有共产党镇压的，天下没有不瓦解的家族。现如今的曹家，全国各地哪儿都有。汴京的这个曹文，解放初期来的，当时很落破，在相国寺藏经楼后根儿摆场子。他玩的不是单杠，练的是龙形柔身术。拿手的活是防身推手，就是以武术中踢、打、摔、拿诸法在推手中实践，推手周身处处为用，身随手走，手随身活，上下左右互应，虚实变化莫测。说到底是一种气功防身的功用。曹文摆场子推散手，挂了一块招牌，上面写着"提高技艺为主，点到为止不分高低"。

曹文的这个场子，一直摆到无产阶级文化大革命前夕，那时，柯京生还小，每天下学，来看曹文摆场子。那时的相国寺后根儿，也称得上是文化交流中心：河南沿唱曲子的，河北沿唱坠子的，豫东说书的，豫西说大鼓的，变戏法的，卖大力丸和老鼠药的，还有各种风味小吃。比北京天桥有过之而无不及。

柯京生印象最深的是,有一回,山东曲阜孔老二的故乡来了一条汉子,要与曹文推手,那汉子的长相很打眼,脸有点像美国打拳击的泰森,但体形不像泰森,像小人书里长坂坡的赵子龙。见上一面令人终身难忘的一副长相。

曹文拱手问道:"是推单手?还是推双手?"

汉子反问:"你是单手好?还是双手好?"

曹文笑着说:"推手者无狂言,无花架,公平合理,双手单手不在于力量,有意无意发于一旦。"

"那好,接手吧。"汉子伸出一只单手。

两人面对而立,单手接腕,绕臂缠腕推接,粘连粘随,静如湖水,动如蛟龙,但走的还算平和。十来种变化之后,双方额头均淌下汗来,势均力敌,双方都不断变幻力点。左来右缠,右来左绕,推去还原,如游龙趣珠翻转自如。七八分钟过罢,不分高低。所谓点到为止,是指不一个级别。真是对手,分不分高低恐怕由不得你。

那汉子有点气短,不得不搭上另一只手。曹文一看,也将单手变为双手。双手的几个回合走过,人们见真功了。不动不知道,一动吓一跳。曹文在不顶不抗,柔化斜闪之中,随机而变,来了个招中带招,在圆和蠕动中找出了发力的顶点,就听曹文轻喊一句"走!"曲阜大汉像被弹弓射出,再一看,他已经在观看的人堆里。

汉子重新走入场子,一拱手:"老哥,你手上的功夫天下第一。"

曹文笑道:"你说错了,我用的可不是手上的功夫。"他往地面一指,"你看。"

汉子和众人往地面一瞅,面面相觑,只见地面的土像是被犁犁过,翻起一道深沟。

曹文解释:"功夫在腿而不在手。手臂上力再大,只是虚实变化,印证功夫还要靠腿和脚。"

下晚,柯京生回家,向他爹喷了这一板。柯大膀听罢,眼瞪得如气吹:"放他妈的出溜屁,腿上的功和臂上的功都是功,手上的功是虚的?老子端水车过马道街是啥功?我倒要去瞅瞅他有多中!"

第二天吃罢晌午饭,柯大膀晃着膀子去到相国寺后根儿,进了曹文的场子,一拱手:"这位兄弟,听说,你说手上的功不顶腿上的功?我不信这个邪,想跟你兄弟比试一下。"

相国寺后根儿,也是混家们出没的地儿,哪个不认识柯大膀?看热闹的人们叽喳着。有关柯大膀的传说,曹文早有耳闻。当他知道眼前这个就是遐迩闻名的柯大膀时,紧忙拱手:"柯师傅,外乡人借汴京这块宝地混口饭吃,口语不慎,还请您见谅。柯师傅大名如雷贯耳,我哪敢与您切磋。"

柯大膀不依:"兄弟,我可不是欺行霸市的主儿,打听一下,我欺负过谁?但有个脾气,谁喷功夫中,我就会谁。你兄弟真是弄这的主儿,别怯气。"

"不不,我不是这个意思……"

"别,别解释。"柯大膀不听曹文再往下说,"兄弟,别说了,说了也没用,我负责带跌打丸,下月初十,咱们北门外的黄河沿见,我不想踢你的场子,不管咱们谁打胜,你照常摆你的场子。要是你不去,趁早卷铺盖离开汴京城。"

柯大膀搁下这番话,晃着膀子听杨家将去了。他心里清亮,艺高之人不怯应战。有关曹文,他也听混家们说起过,北京天桥的杠子曹家,不会是穰茬①。曹家的后人,也不会是"底包"②。他曹文不会丢这个份儿,悄悄溜走的。

不出柯大膀所料,曹文接了这张战表。

汴京城,混家们开了锅,对这即将展开的龙虎斗说法纷纭。评价是四六开,柯大膀撂翻曹文占六,曹文扳倒柯大膀占四。那些占四的人说,柯大膀名气大,老日那会端过水车,老蒋那会摆过擂台,但不能一张皇历翻到底。再说,曹文比柯大膀年少六岁,况且一直练着摊,且不说练摊是不是擂台,但确实没人踢掉过。占六的人说法就大了,他们对柯大膀的信任达到迷信的程度,就像球迷崇拜球星,达到忘我和颠狂,他们神情动人地说:"这一下,曹文非被拆坏③到底不中。"

北门外的黄河沿,离汴京城不到二十里,一片河滩空旷无比,沙土平整,绝是比武的理想地儿。那时,柯京生才读小学,无任何忧虑,比任何人都相信他爹是战无不胜的。但是,战无不胜的不是他爹,也不是曹文,而是一群瘦弱的、像一群没有发育好的小公鸡一般,身穿绿军装,臂戴红袖章,手提武装带的初中生。

就在柯大膀潜心研究曹文的龙形柔身术之时,无产阶级文化大革命铺天盖地而来,红卫兵挥舞着武装带,驱走完相国寺后根儿的"四旧"。

柯京生记得,在红卫兵要抄柯家的前一个晚上,一个混家连夜给柯大膀通了气,说红卫兵是冲着慈

---

① 汴京方言。"穰茬",不顶用的意思。
② 汴京方言。"底包",跟班、陪衬的意思。
③ 汴京方言。"拆坏",毁的意思。

禧送的那块匾来的。柯大膀没敢发作,他知道红卫兵是官家办的。他连夜从墙上摘下那块匾,包了几层塑料纸,掂铁锨在厕所旁的桐树下挖了个四米见方的坑,埋藏起来。

在柯京生看来,他爹从没怯气过谁,也从没窝憋过啥不得劲儿,活得豪迈,宁霸不俗。那天,一帮比柯京生大不了几岁的红卫兵,闯进柯家,逼他爹交出那块匾,柯大膀笑着说:"乖乖,恁缺啥拿啥,那匾京生他爷死的时候做老木用了。"武装带呼啸地落在柯大膀身上,柯大膀仍然微笑,索性把布衫脱个精光,往院中一立,撂了一句话给红卫兵:"恁是官差,我柯家从不反官,认!"一顿子武装带后,红卫兵抄走一些阴阳八卦、武林杀手秘技、跌打损伤丸之类的物件,完事。

那场黄河沿之战,不了了之。

一晃几十年过罢,没人再提这码事。但,混家们却没忘,在酒桌上,时尔还有混家提起,都为此遗憾。混家们说:没用了,柯大膀已过古稀,又是冠心病又是哮喘,比武?他和曹文比谁活得天多吧。世道还是世道,混家还是混家。汴京城的世道,仍旧由混家左右。社会上的事,黑的、白的、红的、黄的,谁敢保没个差错?老街老巷,老门老户,转不了两圈,又转到一堆来了。

老归老,不中归不中,柯大膀依旧耿耿于怀,手脚不中心劲大。今个耳呆这帮后生又同曹家撞上了,柯大膀心里那本老皇历一下又翻开。他不管儿子是啥想法,用他那苍老的声音甩着高腔:"去,你要是我儿,就去曹家下战表。鳖孙,现在开放搞活了,去官家公证一下,找个地儿,重新比试。他榷死我,他挖坑埋我;我榷死他,我挖坑埋他。去,咳咳咳……"

柯京生耐着性说:"爸,没你啥事,你老歇着中不中?"

"不中!"柯大膀憋住咳嗽,指着耳呆对柯京生吼:"他们寺门的混家,哪个不是从咱这院出去的,在汴京城被人撂翻,栽的是我这张老脸!"

柯京生把老爷子扶回太师椅,说:"爸,利害我知,总得摸摸人家的底吧?咱练,人家也练,不摸路术,还会栽,砸牌子的事,可不能干啊。"

柯大膀喘着风箱般的支气管,不语言,脸上一副刀枪不入的样子。

耳呆站起身:"京生哥,我去摸底,有啥事,摸罢底再说。不管咋着,咱镖局的面子不能丢。"

柯京生默默地点点头。

三

自打那年,曹文被红卫兵的武装带撵出相国寺后根儿,老行当不能干了,便在破烂不堪的东塔寺院里,训几个经常逃学的孩儿练基本功:压腿、下腰、劈叉、拿顶、翻跟斗。街道上组织毛泽东思想宣传队,这帮孩子派上用场,敲锣打鼓上街到处演出。一次,在钟古楼前,恰巧碰上市杂技团也上街演出,业余的和专业的打开擂台。小孩儿们嘛,招惹喜欢,围挤的人自然多。杂技团的一位领导,新奇地也凑过来。一瞅,这帮孩儿的基本功,比现有团里的学员都中。当时就打听是谁训的这帮孩儿。杂技团麻利①招生,连窝端了这帮孩儿不说,连曹文也端进杂技团。

---

① 汴京方言。"麻利",立即的意思。

太阳从城墙东升起,从城墙西落下。日复一日,年复一年,老混家落了,新混家起了。曹文随着杂技团也不中了。不光是杂技不中,豫剧、曲剧、二夹弦,这些在汴京城经久不衰的玩艺儿,也不中了,都在生花样翻新的点儿,还是不叫座。曹文退休,给杂技团当顾问,面对一张张愁眉苦脸的面孔,曹文发了个慈悲。他对团长说,他只要弄来一个人,保准让杂技团起死回生。他说他有个侄儿在合肥大蜀山,自幼练举刀拉弓,高中毕业后,在大蜀山下习武读书,此人崇尚老子关于"道"的学说,认为真正的武功是超越时间、空间,一直追溯到宇宙的终始。他不愿上大学,不愿找工作,靠表演举刀拉弓养活自己。此人虽然年轻,在港澳地区名气却很大。不久前,香港丽的电视台,专门拍了他的专题片,香港影商还请他拍了几部武功片。曹文建议,把此人弄来,添上个举刀拉弓的节目,准耳目一新。他举的那把刀,一百多公斤,拉的九张弓,一张就有四十多公斤。曹文建议,做好宣传,广告一吹,刺激人的消费心理不成问题。杂技团头头急忙请示文化局头头,文化局头头急忙恳求曹文,速将他侄儿请来。曹文笑笑说:"我写封信,试试,那是个怪物,很难说来不来。"

曹文这侄儿,叫曹正芳,个头均匀,体格强壮,身体的各个部位,像美国的电影巨星史泰龙,面相却一副东方小生。此人别看年纪轻,城府却不算浅。他不抽烟,不喝酒,习武读书之外的嗜好,就是听巴赫时代的古典音乐,研究以太上老君名义流传的道教著名经典《常清静经》,其研究程度可称走火入魔。当他收到叔父来自汴京的信札之后,不同寻常地激动了一番。他想:汴梁是啥地方?自古出英雄好汉的地方!杨家将、岳飞枪挑小梁王、鲁智深倒拔垂杨柳,还有从前的汴京市长——包公。他去汴京,落不落脚另当别论,先去体验一下那里的文化,玩上一遭也无妨。他搁下叔父的信,开口道:"老君曰:大道无形,生育天地;大道无情,运行日月;大道无名,长养万物……"当下,他打点行装,带上他那本形影不离的《常清静经》,离开了大蜀山。

叔侄相见,不言而喻。晚饭吃罢,曹正芳让叔父陪他出来走一走。叔侄俩溜达到东塔寺门口,曹正芳瞅见围了一圈人,透过人缝,他瞅见有穿褡裢的在摆跤。曹文拉劝他离开,他说瞅上两眼,并高兴地夸汴京确实不同凡响,出门几步就遇上练家。曹文没来及告诉他汴京的世态民情,曹正芳就已挤进人圈。对他来说,根本就不存在踢什么场子。可是,喜好武功的人,就像看下棋的人,看家比下家更着急,他无意指点了一句:"腰部力量不够,力点找慢了。"如果,他是本地人也就罢了,穿褡裢的练家一听口音是外乡人,麻烦来了。寺门一片的混家,个个都有"鸭子踢死驴"的个性,汴京人的话——缠破头。他们硬把曹正芳拽进场子,不比试一下,就是看不起人,不比试一下,你就别想走,麻缠的很。他们把褡裢扔给曹正芳。曹正芳见推辞不了,只得穿褡裢。曹文见此情景,有点慌张,但已到此地步,他只得拱手赔笑,一再解释:"以武会友,以武会友……"真是不会不知道,一会吓一跳,叽哩咣当,噼呖咔喳,寺门的练家们,袖筒里伸出个羊蹄——不是手,全让曹正芳撂翻。所以才引出耳呆去镖局搬柯京生这一板来。

按理说,输就是输,人家中就是中,练玩艺的人,应该明白山外有山,天外有天的理。有啥呢?功夫不中加紧练嘛,练中了再找人家比试不就得了,又不是有杀父之仇,夺妻之恨,又不是谁抢了谁的金子,谁把谁的孩儿扔进井里了。在寺门的混家眼里，不中！不中的原因，正因为自己是混家。面子丢了，咋混？

初来乍到的曹正芳，不懂得混家的重要性。回到家后，叔父曹文开始与他批讲："斗鸡你见到吧，汴京人斗鸡不是在斗鸡。斗人，斗血性。汴京人训练的鸡要是斗败了，一刀砍下鸡头。"

曹正芳问："砍下鸡头干嘛？"

"干嘛？鸡丢了他的人！"

"莫名其妙，气性也太大了。"曹正芳摇头。

曹文叹气说："别莫名其妙，准备准备，应战吧。"

"应战，应谁家的战？"

"汴京镖局。"

"镖局？汴京还有镖局？"曹正芳两眼一亮，兴奋起来。他似乎并没有受什么影响，而是使他进一步感到这个城池的古色风雅，和地域赋予的传奇色彩。他对叔父说："我真没白来，汴京就是不一般。"

"不一般个屁！"曹文骂道，"你小子刚来就给我惹事，你以为凭你的功夫，就能让人刮目相看？知道汴京镖局的柯京生，是何许人物？"

曹正芳安静地说："何许人物又有啥关系，是好汉结识一下，切磋武艺不是坏事。老君曰：'虽名得道，实无所行；能悟之道，可传圣道。'我不怕丢面子。"

曹文转着手里的汉白玉健身球："得了，得了，汴京镖局找上门来，老君也帮不上你什么忙，准备一下，对付柯京生吧。"

曹文对曹正芳仔细讲了汴京镖局。

过去的事，曹文不会忘掉，他只是想，过去的事

情就已经过去了,咋就这么巧,他与柯大膀那场未完成的对阵,让下一辈人又摊上了。实话说,当年应柯大膀的挑战,他心里也没数,有关人们对柯家人的传说,他信。当时有人问过他,与柯大膀交手,胜的把握有几成,他毫不犹豫说,四成。他给自己下定义,原因简单,别的不说,单凭柯大膀端水车过马道街这一条,这要具备多大的力量?鲁智深倒拔垂杨柳难说是真是假,柯大膀端水车,见着的人可是有。杂技团看门的李银庭就亲眼所见。李银庭不论啥时提到这一板,大拇指一挑,不住声夸柯大膀有胆有力,日本人的刺刀在胸前晃,眼都不带眨。老子英雄儿好汉的说法,信不信?柯京生得了中原散手大赛的冠军,也不假,报纸上登的。曹文想,侄儿曹正芳身手不凡,力量超群,又比柯京生年轻,但,从技艺和经验上,能否与柯京生匹敌?难说。不管咋着,曹家祖上风流过,后辈也不逊色。加强战备,赢下汴京镖局,有可能。

兵来将挡,水来土屯。曹家只等汴京镖局的来下战表。

四

"曹伯在家吗?"

耳呆手掂从老字号"老宝泰"秤的油果,拍响了曹家的院门。

曹文将门打开,见是耳呆,热情地将他让进。

曹文学着汴京话问:"爷儿们,咋得空上我这儿来了?"

耳呆说:"没事,没事,街坊多年,恁爷儿们不爱串个门。都知恁的百灵喂得好,院里奇花异草的,没事,来瞅瞅恁的花,听听恁的百灵叫。"

曹文瞅瞅耳呆掂的油果:"爷儿们,来就来呗,掂啥东西,外气,外气了。"

"外气啥,不外气,马豫兴的烧鸡,老宝泰的果,走亲戚串朋友,也掂不了啥好的,爷儿们恁在汴京时候长,无所谓,让俺那位外地来的兄弟尝个鲜。"耳呆把油果搁到桌上,往东西厢房瞅了两眼,问:"爷儿们,俺那位兄弟不在?"

曹文手里滚着汉白玉健身球,说:"不在,去杂技团了。"

耳呆问:"去那儿弄啥?"

曹文心里有谱,耳呆无事不登三宝殿。自己在东寺门住了这么多年,一直与寺门的混家们井水不犯河水。从他门外经过的人,只听得见他院里的百灵叫。他清亮,耳呆是来摸前沿阵地的。他决定给耳呆一点辐射:"你那兄弟,是我亲侄儿,刚压香港拍完功夫片《龙少爷》回国,咱们杂技团高薪聘请来的。"

"玩杂技?玩啥?不是变魔术的吧?"

曹文笑笑,转着手里的健身球,从茶盘旁拿起两张戏票,说:"这两张戏票送你,去园子里瞅瞅,就知道他是玩啥的了。"

离开曹家,耳呆直奔镖局。他把去曹家的经过对柯京生讲了,把戏票交给柯京生。

"拍武打片?玩杂技的?戏子?"柯京生琢磨着,有一句老话:避开武生,躲着戏子。盖叫天、李小龙都是戏子,功夫绝伦。他们的功夫往往不走程式,不按门派,变化实惠,过程巧妙。柯京生想,这个玩杂技的,又会有多大的章程?

晚饭吃罢,柯京生和耳呆一同来到园子。他们见广告栏前拥着许多人在看剧照,他俩走上前。大彩照上,给人以力量的曹正芳,身穿紧身黑色小褂,腰扣宽板带,单手举一把巨型月牙大刀。耳呆凑在柯京生耳旁说:"就是这客。"柯京生仔细把几张剧照和文字介绍看了一遍,对耳呆说:"走,进园子,瞅瞅天桥的把式,说的啥,练的啥!"

园子里,看家可真不少,听议论,他们都是冲着举刀拉弓的新节目来的。杂技团的广告词写得真不赖,号称曹正芳是东方第一力士,一个人可以扳倒一头象,威震香港等等。柯京生和耳呆坐的位子不错,第六排。曹正芳的每一个部位,每一个动作,瞅得清亮。

曹正芳举刀之前,从台下请上四位年轻力壮的小伙子,请他们试抬一下那把大刀,证实不是故弄玄虚。四位小伙勉强将刀抬起,而那把重一百多公斤的大刀,在曹正芳手里,玩了足有七八分钟:双举、单举、左抡、右劈之后,还来了个鹞子翻身。园子里沸腾。然而,最叫好的,还是曹正芳拉弓的力量。一连跳上台几条壮汉,轮番试拉,都摇着头蹦下台来。只见曹正芳从一张弓拉起,一直到双手、双脚、脖、肩、肘、腰同时拉开九张弓时,园子里的喝彩声比音乐伴奏还响。节目一结束,有人就窜上台,请曹正芳签字。

柯京生不以为然地对耳呆说:"举刀拉弓用的是巧劲,有窍门,说明不了啥。"

耳呆点头,同意柯京生的说法,但仍是不解地提出异议和建议:"巧劲和窍门对,没力也不中吧?刚才上台的那几个货,不是练家,没有力量,他们去试当然不中。明个,我去把大纸坊街的闷孙叫来,他要是不中,那就真不中。"

柯京生想了想,点头:"中,你明个把闷孙叫来,也只有他能试试。"

　　大纸坊街的闷孙,是哪一路混家呢?他那路混家,混的也算与众不同,别开生面。闷孙不同人打交道,不在混家圈子里交际,很少能说几句囫囵的话,闷头闷脑,心里却有数,他处世的原则是:挣够吃饭钱,睡足大头觉;凭力气吃饭,不给钱不干。大凡认得他的人,都知道他的绰号——大肚懒汉。要说他吃,能把人吓死,下挂面一次下四筒,上街吃饺子一次要四百个。他娘就是让他给"吃"死的。自然灾害那年,闷孙八岁,他娘领着他压黄河北进汴京寻他爹,听人说他爹在汴京拉架子车,可到汴京又没找着。听人说他爹跟着一帮打雁的游民,顺黄河往甘肃去了。为了闷孙能吃饱,他娘没日没夜地糊火柴盒、拾圪囊、拉骨头,末了累吐血死了。为了填饱肚皮,闷孙每天到大南门桥帮人推车。大南门桥坡陡,架子车和人力车到跟前都上不去,闷孙帮着推过桥,人家给他一毛两毛的。他生就是懒汉,所以他也不多挣,挣够饭钱就去吃饭,吃罢饭就回去睡觉,一年四季就这么过,倒也舒心自在。

　　柯京生经常派人把闷孙叫去,给个十块八块,让闷孙陪他练力量。单论力量,恐怕汴京城里闷孙是首席。行家话,力量分活力和死力。练功人用的是活力,闷孙用的是死力。但活力有时在死力面前也傻脸。闷孙身高二米,横竖瞅都像堵墙。太君是以用活力著称,可太君就吃过闷孙的亏。一次,闷孙来镖局陪练,太君想使个大背撂闷孙的"布袋",一转身没背起,只得挺背接压"过桥"。谁知桥没过去,反被闷孙压在身下,断了两根肋条。

　　耳呆去大纸坊街,找着闷孙。闷孙很高兴,拿了十块钱,还能看戏。第二天的晚上,闷孙来到园子。

尿壶、太君、大头、米哈衣统统也来了。待到曹正芳请观众上台试刀时，闷孙喑着嗓门喊道："起开，让我来！"全场报以热烈掌声。闷孙是马路名人，家喻户晓的人物。

闷孙晃着城墙一般的身子，登上台，同曹正芳一比，闷孙比曹高出一头。曹正芳礼貌地伸出手与闷孙握手，他瞅都不瞅，弄得曹正芳挺尴尬。闷孙不说话，弯腰就提那把刀。第一下提到膝，放下了，他嘴里奇怪地"哎？"了一声，似乎觉得不该提不动呀，台下一片笑声。闷孙上了脾气，重新站站脚，双手抓住大刀，鼓足一口气，咬牙瞪眼，之后大叫一声"鳖——孙——"，大刀被他提过膝盖，提到裤裆跟儿，"轰隆"一声把刀摔到舞台上，一拧脖，牛皮哄哄地下台。台下又扬起一片笑声。闷孙下台后，耳呆问："咋样？"闷孙喘着粗气说："不中，只能把腰直起来，赖孙刀太沉。"尿壶、太君、大头、米哈衣不服，曹正芳又请观众上台拉弓时，四条汉子一起窜上去。一张弓，尿壶、大头没拉动。米哈衣拉开一小半，太君拚老命算拉开一大半，博得热烈的掌声。坐在台下的耳呆心有点发毛。他不相信举刀拉弓完全是技巧，老天爷没力气也不中。

出了剧场，尿壶问耳呆："你觉着，咱京生哥咋样？"耳呆不吭气。大头摇着大头说："难心，力量肯定不中了，就看京生哥用啥招。"太君说："撂跤不中，用散打，咱京生哥散打没问题。"米哈衣补充："绕圈打，这客不一定灵活，招术不见得有京生哥齐。"尿壶、太君、大头、米哈衣说了一路，只有耳呆不说话。他似乎已经感到，挑战的不应该是汴京镖局，而是曹正芳。可是，咋着才能挽回这个面子呢？耳呆就像喉咙里卡了一根鱼刺，下不去也上不来。

此时,柯京生心里在埋怨东寺门这帮混家,老实呗,缠住了人家不放,又没本事撂翻人家。一说是柯家的门里出去的,不管吧?又不中,比试吧?又没底,别让人家再来个枪挑小梁王。

混家必定是混家,在自家地盘上混,招术不一定在武功上。为啥柯大膀一九四八年摆擂没人敢上?为啥一九六六年红卫兵抄家又把物件送回来?为啥小偷把掏走的钱包又送到失主手里?为啥汴京镖局开张市长到场?塔是人造的,碑是人立的。比试也好,不比试也罢,柯京生想:只要曹正芳在汴京混,就得让他俯首称臣。

五

曹正芳的举刀拉弓,给杂技团撑了面子,挣了钱,票房不断叫好。曹文也挺高兴。十来天过来了,汴京镖局没有动静。曹文想:这和杂技团对曹正芳的宣传有关?杂技团有了增长效益,请电视台为曹正芳拍了十来分钟的专题片,还有曹正芳在香港与成龙、梁小龙的合影照片。曹文想,这大概是一种威慑吧。曹文心里盼望形成这样一种局面:狗咬狼——两怕。

在曹文估计,曹正芳不会在这儿久呆,个把月新鲜够了,自然就走。曹文心说:快走吧,一走百了,啥事就没了。眼下来看,曹正芳还没新鲜够,他晚上演出,早上练功、读书,下午去寻古代梦:龙亭、铁塔、相国寺、包公祠等名胜古迹一样不放过。他还向曹文打听,杨七郎打擂在啥地方?岳飞枪挑小梁王的校场又在哪儿?他还跑到金兵大摆天门阵的朱仙镇转了一趟。

曹正芳对曹文说:"汴京的确货真价实,没有仿制的感觉,就是街巷太破了,带着北宋那副破落户的面孔。"

曹文说:"行了,行了,又不让你在这儿做窝,客串完,走人。"

曹正芳说:"走人?我才不走人,没准我在这儿也开个镖局。"

曹正芳笑话叔父,草木皆兵,咋不见汴京镖局来下战表?他说他觉得汴京人挺和道的,也许是文化根基厚。他夸汴京的女人漂亮,比上海、北京的女人俊,大概也有传统的缘故,比如,曾经出产过李师师。

起先,曹文觉着侄儿在胡说、扯淡。一天下午,他拎着鸟笼上城墙溜鸟,我的天,差点把他吓翻,城墙根儿的柳棵里,曹正芳正和一个年轻女人并肩坐着。曹文仔细一看,又差点把鸟笼扔下城去。那年轻女人不是别人,是杂技团传达李银庭的女儿——小俊。这丫头高中毕业后,在杂技团管服装。人倒朴实,也不风流,但是……他俩咋弄到一堆了?曹文哭笑不得。

回到家,曹文正堂上一坐,一副开庭架式:"你不是说太上老君认为:识神总执著事物的表象,就生出种种的贪爱、强求;总陷入种种的贪爱、强求,这正是人生烦恼的祸根。说清楚,是你贪爱李银庭的丫头,还是她强求你!"

曹正芳不解地:"老君说:人们之所以不能如此,只因意识中的杂质未澄清。汴京女子古风犹存,说起话韵味十足,那女孩子不但朴实,还会唱'木兰从军',我又没娶,她又没嫁,咋就不能做个朋友?"

曹文:"你尚年轻,又是习武之人,为一女人荒废前途,划不来。"

曹正芳:"老君曰:观空亦空,空无所空;所空既无,无无亦无。"

曹文摆摆手:"听不懂,别来这一套。"

曹正芳说:"不碍事,一解释就懂。"

他说练功人出现仿佛"一无所有"的"空境",这种现象并不好,如果修练以此为止境,那就容易落入执守"顽空",这并非"真清静"更不是"常清静",功效也是很有限的。

曹文仍旧摆手:"我是卖艺出身,江湖上的事经得多,社会是咋回事也比你清楚。汴京城里的弯弯道道,不是太上老君说的!"

曹正芳强调:"我习武、恋爱,碍不得汴京城啥事,汴京的女人咋就不能娶?"

曹文调门提高:"娶谁都行,娶她不中!"

曹正芳蹙起眉头:"为啥?"

曹文喊道:"她姐夫舅舅的姐夫是柯大膀,汴京镖头柯京生的爹!"

曹正芳一听,哈哈大笑,琢磨了半晌也没琢磨出是啥血缘,啥辈分,有啥可以敬而远之的?于是又哈哈大笑。

"你要吃亏的!"曹文气得直拍桌子。

曹正芳心平气和地说:"您放心,吃不了亏,也没啥亏可吃。他们下战表,我应战;不下战表,我就娶他姐夫舅舅姐夫的女儿。"他又笑起来,没有大笑,是平静地笑:"汴京城真有风景,我不走了。"

曹文气得像吹猪,他一边骂着侄儿,一边手中滚着健身球,批讲李银庭此人:

李银庭又算哪路混家呢?满族八旗的后裔。成日端着紫砂壶,捧着明光锃亮的水烟袋。六十多岁的人了,头发乌黑,头油抹得落不住苍蝇。夏天再热,也套两件布衫,浅色在里,深色在外,工工正正卷

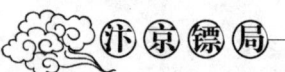

着白袖口。嘴里爱哼几口京剧。李银庭祖上是做瓷器生意的,还开过药铺。日本人打进汴京,他往家里藏过八路的交通员;解放军打进汴京,他往家又藏过国军的伤号。人物①事、腌臜事,啥都干。点过烟泡,卖过春药。是朋友吃喝不论,随他下馆子,从不让别人付账。而且,遇事有橡②。

一九六八年夏的一天,吃罢晚上饭,李银庭溜达到龙亭坑,听票友们唱样板戏。走到龙亭根儿见乡里一个卖榆钱的年轻妞,被俩货调戏不放。管闲事,看热闹是他的毛病。

他上前指着那俩货问:"是混家不是?有恁这号混家?专捡人少的地儿打邪?真是混家,马道街中间一站,骂:我日汴京所有人的奶奶。敢吗?"

那俩货一瞅是个老头,骂道:"老鳖孙,你是混家?扔坑里,你就混家了。"

李银庭说:"中啊,全当泡个澡。"他一下脱去两件布衫,一光膀子,那俩货不敢动了,只见他干瘪的胸上刺着一条青龙,瘦骨肩头一边一个狰狞的骷髅。他这副扮相,把那俩货就吓窜了。他领着乡里妞吃了一碗拉面,塞给几块钱,让那妞回乡了。乡里妞感激得没法儿,一个劲猛掉泪。从那以后,每逢进城,不是给他扛一袋杂面,就是提一篮红薯。没多久,李银庭与老婆离了婚,娶了这比他小三十的乡里妞,这是他第四个老婆。就是这四老婆,给他生下个小女儿——小俊。

曹文看不中李银庭,说他是老二流子,成天嘴里胡喷乱啐,三把粗五把长,三皇五帝,从古到今没他

---

① 汴京方言。"人物",讲义气的意思。
② 汴京方言。"橡",胆量的意思。

不知，没他不晓的。要算个混家，也是三等混家。作一个揖放三个屁——行善没有作恶多。

曹正芳听够叔父的唠叨，学着汴京话说："中了中了，我又不是要娶李银庭。"

曹文则操着一口浓浓的北京话提醒曹正芳："你知道会不会有猫腻？"

曹正芳笑着安慰曹文："啥猫腻？香港都要归还了，谈情说爱没啥大不了的。"

唉——曹文心里叹息，现在的年轻人，给他灌输混世哲学，怕是没人愿意听了。道理从来就是老人们传下的。曹文体会颇深：在汴京这地方，道理仿佛特别多，道理无处不在，无处不有，简单的事经道理一讲，得，拉倒，你就不知所措，有理也没道了。曹文在汴京居住了几十年，虽然乡音未改，但已深知各种道理利害。他是为躲避各种道理才深居简出，养花喂鸟的。侄儿曹正芳和李银庭的女儿小俊相好，他反对，但又讲不过道理。他心里但愿曹正芳只是玩玩，审美疲劳后，也就罢了。

而曹正芳想的和叔父不一样。汴京的女孩子委实不同于其他地方，热情、朴实、泼辣、体贴、顺从，给人一种感情上的吃苦耐劳。他认为，汴京城的每寸土地，都把一种文化的纯朴养分输入进小俊的血液里。那残缺不全的城墙里，也有闪着霓虹的舞厅、酒吧、自选商场和新潮发屋。但怎么就是觉得，汴京女人的音容笑貌，就像这里著名的"新生"泡馍馆里的大瓷碗，一瞅就让人心里得劲、扎实。曹正芳和小俊相好，是他请她当名胜导游开始的。一连几天，她陪着曹正芳转遍汴京城。在北京上海试试，请女孩子看场电影，不宰你四五十块才怪。小俊这妞，连瓶汽水都不提，一副任劳任怨为人民服务的面孔。曹正芳观察,小俊不光对他,谁求她办事,她都是那么尽心尽力。杂技团上下都说,李银庭浪荡一辈子,到老得了小女儿的济。

小俊把和曹正芳相好的事,告诉了她爸。

李银庭听罢大喜。曹正芳客串汴京,成了团里的举足轻重的人物,文化局的头头,团里的头头,惟恐他走,正挖空心思想留住他。李银庭在社会上混得转,在团里却是个"眼斗"①人物,他那副残余着半封建半殖民地的做派,行政领导们不入眼,均对他无好感。别看李银庭在社会上喷得云天雾地,在行政领导跟前,不是搭不上话,就是语无伦次。他自个也清亮,不是一个坏模里做出的坯子,咋烧也烧不成一个德性。巴结不上的人,送老婆也巴结不上。当他知道自己闺女与曹正芳好上了,得意得就像足球上场控制了中场,进攻防守都有主动。自己在杂技团里的形象,也会由此而得到改变。他要好好打一下曹正芳这张牌。

六

一连几天,柯京生一个人呆在镖局后院,谁也不见。一些来请他拆洗事的混家们,都由柯大膀陪着在上房说话。

后院不大,影壁墙后面有一块空地,是柯京生独自习武的场所。他重新把桩子扎牢,缠上布条,吊着的四个沙袋变成了六个。他一是加紧练功,二是在悟:易经中的太极、阴阳、八卦说为中国古老的哲学,流传千古不灭因为它有道理。道理就在于阴阳辩

---

① 汴京方言。"眼斗",被人瞧不起的意思。

证，客观自然的一分为二。他想，如果他向曹正芳挑战，交手中什么为我？什么为他？魂魄在技艺和力量之间，应该说是智慧起决定作用。据耳呆他们交过手的讲，如要同曹正芳比试跤术，恐怕不妥，他的力量会使你无的放矢，揣把都难心揣得过他。比试散打，以巧制胜，四两拨千斤，随机而变，身随技走，技随身行，自由发放，这可以有的放矢，乃之上策。但，柯京生深感苦恼的是，他那套目前走红的少林十八罗汉功，虽说是少林绝技，但硬气功基本上不在实战之列，只用于表演。力顶千斤、开砖断石、顶气法、喷气法、吞气法，都需要站立不动。排除杂念，思想集中，意守丹田，双眼微闭，这些东西再过一百年大概也用于不了实践。谁能等你把准备工作完成后，然后只向你规定的某个地方发起进攻呢？硬气功如果像步枪里的子弹，一扣扳机就有，那才可放心大胆地向任何人挑战。但是他明白，这个问题不可能解决。

有句话倒是真理——艺高人胆大。柯京生不怀疑自己艺高，琢磨来琢磨去，他决定用另一种方法去向曹正芳下战表。

他唤来耳呆，嘱咐有关比武的事不要再声张了。最要紧的不能让汴京城里的混家们知道，也不能让老爷子知道，免得成事不足，败事有余。他让耳呆去曹家挑战的同时，订一张警告性的契约——比出高低就罢，悄悄进行，不得走漏风声。其道理是：汴京武林中，大多出自柯家门下，三教九流，不乏有部分品格低劣之人，会利用这场比试兴风作浪，挑起事端。尤其是一些惟恐天下不乱的末等混家们，一旦让他们知道，很可能会节外生枝出现意想不到的后果。

柯京生说:"咱们镖局倒没啥,你告诉他们,是为他们着想,免得有人砸他们黑砖,扔他们酒瓶,汴京这地儿,孬种多。"

耳呆一听就明白柯京生的意图,拍着胸脯说:"放心,啥事咱没拆洗过,法院判了死刑的,咱还能拆洗成无期。哥,你的想法我清亮,打胜的他不敢吭气,打败的咱沾了便宜。对不?"

柯京生鼻子里哼了一声,说:"这要看胜家是谁,败家是谁……"

柯京生认为,这是最好的办法,悄悄比试,不像他爹当年那样公开叫阵,分出高低之后就公开改变对方的命运。老辈人的混法,风险大,不时髦。现在的混法,就像现在的商品,并不一个价:出厂价,批发价,零售价,这都是正常的价。还有一种价,是一般人不知的,那就是没价。柯京生为他的设计得意,打赢了,张灯结彩,摆酒放炮。打输了,话已递透了,你曹家胆敢声张出去,未等混家砸你的黑砖,扔你的酒瓶,与镖局无关。办法中,功夫也得中,柯京生加紧练,要拿出真玩艺来。

还有一件难为事,是比试的地方,搁在哪合适?约去黄河沿?不中,黄河汛期就到,人不会少,况且,去那儿好像在翻父辈的陈年老账?在城里?不中,人更稠。随便在郊区找个地儿?也不中,不管是明争暗斗,还是明斗暗争,以镖局名义比武,是件严肃事,得挑个有意义和代表性的地儿。柯京生煞费苦心,终于想起一个地儿——延庆观——元代道长邱楚几习武之地。那地儿,文革后一直封门,近来听说要重新修复。延庆观把门人是个哑巴,让他看见也传不出来。确是个好地儿,院庭悠悠,古香古色,千年老松蔽日挺拔……

柯京生翻了日历,选中一个黄道吉日——重阳节。

一切安排妥当。耳呆去老宝泰秤上两斤油果,便去曹家。

耳呆敲开曹家大门,没等张口,曹文先开腔,操着这么多年也没学毕业的汴京话:"咋着?爷儿们,心里揣着刀来的吧?"

"爷儿们,你老说对了一半。"耳呆把油果搁到桌上说,"不是心里揣着刀,是腰里别着刀。"

耳呆撩开衣襟,从腰里抽出一把贼亮的刀,往油果旁一搁。

曹文平静地瞅刀一眼,又瞅耳呆一眼,均匀地转着手掌里的健身球,问:"咋着?爷儿们,刀磨中了,要试试?"

这时,曹正芳手里捧着《常清静经》,从东厢房里出来,一瞅这架式,就明白该发生啥事了,他拿起油果旁的刀子,瞅瞅刀锋,掂了两下,放回油果旁。顺手掂起油果,瞅瞅商标,闻闻香味,放回桌上,说:"果子,刀子,我想都派不上用场,你说呢?"

耳呆不语,点上一根烟,神情自若得就像是曹家请他来吃饭。

坐在椅子上的曹文,微笑着说:"爷儿们,话,和道着说;事,拆洗着办,汴京人论人物,外乡人论公道。刀,最好是收起来。"

耳呆喷着烟云,仍不搭腔。

曹正芳瞅一眼耳呆,同样不以为然地在屋里踱了两步,他翻开《常清静经》,念道:"老君曰:虽名得道,实无所得;为化众生,名为得道。意思是:虽然名义上叫做'得道',实际上在身外一无所得;为了度化众生的普遍觉悟,才把这称作'得道'之人。"

耳呆眨巴眨巴眼，煞有介事地点头。然后继续抽烟。

曹文说："爷儿们，有啥话，就直说，咋说都中。"

"说？那好吧。"耳呆把烟头摁进烟灰缸，挠挠头，说："汴京这地儿，从历史上看，底就杂，三教九流，回汉两教，弄啥的都有。杂鱼比混家多，孬种比人物多。国民党的枪，共产党的炮，都拾掇不干净。再往远里说，金朝毁了宋朝，但女真人并没敢小瞧这地儿，表示愿意同汴京合作。但，汴京人孬气大，不尿女真人，一把火烧了宋朝故宫。你说气蛋不气蛋？后来，蒙古军队包围了汴京，蒙古人的惯例，攻陷顽强抵抗的城市，就要杀光全城的人，蒙古大臣耶律楚材却说：'汴京这地儿的人头，杀不得。为啥杀不得？孬种呗！'"

"噢，有道理，有道理。"曹文洗耳恭听。

耳呆继续侃侃而谈："这地儿人，恨人富笑人穷，原本不牵扯他啥事，他也给你弄个狼烟动地，一事八节，好事生叫弄成糟事……"

曹文转着健身球，他似乎明白了一些耳呆在作铺垫，他说："爷儿们，爽快点，啥都好说好商量。"

耳呆顿了一下，眉毛一扬："你爷儿们是清亮人，那我就往亮堂里说。"

当曹文与侄儿听完耳呆所讲：汴京镖局以武会友，暗磋技艺的愿望，并听明白其所摆的利害。曹文严肃起来，锁住眉头，那两只健身球在手掌里加快转动。他既不表态，也不作声。

一旁的曹正芳，合上手里的书，说："比武，本是件好事，碍不着旁人啥事，输赢天经地义。明比暗试，不重要，重要的是武德为本，结友为道。如汴京人把输赢看得重。入乡随俗，恭敬不如从命，就按镖局的意思办吧。不用火药味实足,还放一把刀在面前。"

"中!是条汉子!"耳呆站起,抓起刀,瞅瞅贼亮的刀锋,说:"刀不是宰人的,是带来画押的。"

"画押?"

"对。"耳呆说:"这次比试,不张扬,不立生死文书。但是,汴京镖局吐口吐沫砸个坑。这刀,用来在咱们不成文的契约上签字画押!"

说罢,耳呆捋起袖子,用锐利的刀锋在自己小臂上,画了一个"×"。殷红的血,顺着刀尖溢出,流到手,落在地。他无动于衷,用满是血的手,向曹文和曹正芳一抱拳:"爷儿们,弟儿们,以武会友,宗旨不变,不得张扬,重阳节延庆观碰面。不守诺言,我这血可比水浓!"

耳呆离开曹家。

曹正芳喃喃自语:"天不塌,地不陷,啥大不了的事,真是。"

曹文却不紧不慢,悠哉悠哉地问:"你是打呢?还是走呢?"

曹正芳反问:"打怎样?走怎样?"

曹文:"不久留此地,就打,打赢你就走;想长留此地,就不打,或是打输。"

曹正芳:"不想打输,也不想走呢?"

曹文:"恐怕由不得你。"

叹息后,曹文语重心长地告诉曹正芳,当年,柯大膀向他挑战,他就明白,不论打赢打输,都要离开汴京。他说:凭本事吃饭的时代还没到来。天时、地利、人和不是关键,关键是对社会和自个的认识……

曹正芳不爱听叔父的处世哲学、经验之谈。他认为,自己应立足于一种新的生态、世态、心态之中。

他赞成"老吾老以及人之老,幼吾幼以及人之幼"这类古训。但,如今的武功都和飞碟扯到一块了,国营企业可以私营了,比试一场拳脚算个啥?开一家镖局更不值一提。

曹正芳调侃地说:"打赢了,我在汴京开第二家镖局;打输了,我给李银庭作倒扎门女婿。"

七

为这场比试,曹文同侄儿别扭几天。图个清静,曹正芳来到杂技团的练功厅,走了几趟拳脚后,躺在地毯上,看那本《常清静经》。他相信,老子的东西,比叔父的东西层次高,再过一千年也管用,而他叔父那些"名言",道理多在于现实社会的谨小慎微。想想,也能理解,曹家祖辈大多在街上卖艺,一个朝代一个样,碰得多了,见得多了,苦也吃得多了⋯⋯

不知啥时,小俊蹑手蹑脚走到他身边,用小拳头在他宽厚的肩上砸了一下:"喂,我爸叫你去吃饭,你咋了?几天来一副塑料脸。"

"没咋。"

"诓我,肯定有啥事?"

"没事,真没事。"曹正芳从地毯上跃起,"老去你家吃饭,挺不好意思的。"

"今儿是端午节,各家都油炸吃的东西,俺们这地,规矩多,重节气,过年才热闹呢,花灯、社火满街都是,不像恁老家北京,过年放鞭炮还要指定地点。"

李银庭的家,在离杂技团不远的一条小街市里。这是一条古老的街道,两边尽是被烟熏黑的房屋,在房屋的墙壁上,窗格留下一条条的黑印子。虽然古老,却是一个永远活泼的风景:男女老少、贩子、屠夫、鲜菜鲜果小商贩和其他的市民撞来撞去的,懒散着步子,选购他们的货色。猪肉、羊肉、牛肉挂在勾子上。这贪吃的汴梁城需要多少片肉?多少鸡鸭和吹大的肝?多少下水和胸膛美丽的烧鸡?每次走在这儿,曹正芳兴致都很浓。鱼市上放着黄河鲤鱼,柔软可爱,那气味真冲。女鱼贩子的手指又红又粗,尽是鱼鳞,水泥的台子上流下散发着腥味的血水来,凉粉摊上响着《百鸟朝凤》,理发店里响着《只要你过的比我好》……

李银庭摆了酒菜,曹正芳强调不喝酒,李银庭说:练功人有不喝酒的?男人不喝酒,枉来世上走。他在床下摸出一瓶"二锅头",说是放了十二年了。这种二锅头,现在已经不出了,喝上算口福,算缘分。几杯二锅头落肚,曹正芳觉着打了头,他压根不会喝酒,平常对酒有着警惕。今天来这儿,一来心情不咋好,二来晚上没演出,三来李银庭让小俊一杯一杯给他端。拉倒,喝吧。李银庭高兴,又开始三把粗五把长地喷开:从冯玉祥咋卖铁塔,喷到刘茂恩咋化妆逃出汴京,又从犹太人咋在汴京做生意,喷到宋徽宗挖地道上樊楼与李师师偷情。他用火柴棍剔着没有几颗的牙,说:"走过全国恁多地儿,说实话,汴京人最人物,爱打抱不平……"

"人物个屁!"曹正芳喝高了,脸涨着,眼直着说,"人物?啥叫人物?欺负外来户,开个镖局就天下第一?狗屁!"

曹正芳已经把与耳呆不成文的契约忘到九霄云外。

别看李银庭一把岁数,一瓶撂不倒,半瓶不晃荡。他听出曹正芳的话有点不对把,就问:"爷儿们,咋着?受人欺负了?谁?汴京镖局?柯家?"他

耳闻一点踢场子的事。

李银庭一问，曹正芳上了杆子："啥了不起，比试就比试，北京天桥打听打听，曹家没欺负过谁，也没怕过谁。柯京生？不认识，我只晓得中原有个陈小旺，陈家沟的……"

李银庭精神来了："柯京生约你比试了？"

"我，我要，要打败柯京生，开一个镖局，唱唱对台戏……"

曹正芳彻底失控，把耳呆如何下的战表，以及秘密约定比武的时间、地点，竹筒倒豆倒给了李银庭。

李银庭用火柴棍剔着牙，脸上放着光，他让小俊把曹正芳扶上床睡一会儿。他端着水烟袋"呼啦呼啦"地抽起来。心想，该打打这张牌了，说不准还是张王牌。曹正芳是高薪聘的，这么一比试，打出个三长两短，咋整？官方肯定不依。曹正芳喜欢上了小俊，必定会让他出面劝曹，放弃比试。如果曹固执要打，更是好事。打赢了，混家们挑大拇指，说是他李银庭的女婿，认这一壶。如果打输了，不丢人，不丢财，外来户嘛。汴京镖局的柯家，也会客气，摆出风度。最可拿一把的是，柯京生为啥不敲明亮响地比这场武？这里头名堂大。李银庭混了一辈子，脑筋管用，没思索两圈，就猜到柯京生的用意。咋的？怕输？你汴京镖局是啥混家？你柯家又是啥人物头？李银庭想：你们怕人知，我就非得给你捅出去。真要是砸了镖局的牌子，戳哄①着曹正芳再立个镖局。曹家的？球，李家的！火候一到，汴京城里的各路混家，都得听吆喝……想到这儿，李银庭得意的唱了两

---

① 汴京方言。"戳哄"，诱导的意思。

句:"包龙图坐大堂,我心中欢喜……"

李银庭抽足了水烟,他让小俊照看喝醉的曹正芳。自己洗了把脸,擦了雪花膏,重新往头上抹了点油,端着水烟袋,出门了。

小俊问:"爸,去哪儿?"

李银庭说:"文化局,找头头聊聊。"

小俊:"够得上吗?人家局长理你?"

李银庭:"够不上?差他的气!局长那号混家,不算个混家!"

曹正芳一觉醒来,天已擦黑,他觉着脑袋依旧昏沉沉的。问小俊,李银庭到哪去了?小俊说去文化局找局长,不知干啥。曹正芳又问小俊,自己喝醉胡说了些啥?小俊说没啥,就说了点和汴京镖局比武的事儿。曹正芳一听,暗自埋怨自己失嘴,不该将那不成文的契约泄漏,这是不守信誉。他嘱咐小俊,千万不要对别人乱讲。小俊点头。

曹正芳出了李银庭家,很不安,因为他知道李银庭的喷壶嘴,何况这又是一桩令人感兴趣的事儿。他心想:但愿李银庭也喝高了,没在意这事。

八

真奇怪?李银庭把曹正芳要与柯京生比武的事儿,捅到文化局的头儿们那去了。可是,一连几天,没引起反响。没反响?再捅!李银庭又敲杂技团头儿们的麻骨。杂技团长听罢只是蹙了蹙眉,打发了他一句:"知了。"唉,邪门,又过两天,还是没反响。李银庭坐不住马鞍桥,心想:"这帮头头脑袋进水了?曹正芳出事,谁来给你们举刀拉弓?"他见领导并没重视他,一如既往对他那副半封建半殖民地的扮相不感冒,而对曹正芳一如既往的热情、客气。他

问曹领导找他谈话没有？曹摇头。唉？他毛脸了，咋也猜不透头儿们的壶里装的是啥药，吃不透劲。

曹正芳也觉奇怪？听叔父说，杂技团的头儿们向曹文打听此事。叔父见事已透馅，就如实招了。奇怪的是，头儿们也没说啥，只是笑笑，不知玩啥猫腻？也许在官方看来，民间交易，就像机关对机关打一场篮球。曹正芳见领导没动静，宽慰许多。他盼别再扩大影响，千万别传到汴京镖局耳朵里，自己落个不守信用，不讲义气的罪名。他哪里晓得，啥事让李银庭知道，全世界就都知道。

李银庭"啪哒啪哒"抽着水烟袋。心想，这事儿不能算拉倒了，文化局、杂技团不重视我，有人重视我。捅，继续捅，往柯家捅。他决定去镖局一趟，问到柯家脸上，柯家不敢不认账，只要认账，旗鼓大张，声势一起，不就成了公开赛吗？中，就这干。

这一日，李银庭打扮齐整，端着水烟袋，溜达到双井胡同。进到镖局，柯京生不在，老爷子柯大膀正跟几个混家瞎喷。见到李银庭这个八杆子搋不着的亲戚，柯大膀问："弟儿，咋得空来这儿坐了？多天没见你，最近忙啥？"

李银庭落座，点上水烟："啥都忙，拆洗不完的事儿，一辈子闲不着的穷命。"

"有事儿？"柯大膀问。

"有点事儿，打听一下。"

"啥事儿，讲吧，只要不是腌臜事儿。"

李银庭抽了两口水烟："听人说，京生侄儿要和杂技团请来的那个举刀拉弓的比试？有这事儿没？"

"有，当然要比试。"柯大膀回答得干脆。但他并不知已经暗定了契约。他撇着嘴说："鳖孙，一个玩杂技的,也敢踢场,顶行,我们吃啥?不认字也不摸摸招牌!"

"真的要比?"李银庭追问了一句。

"废话,没杀爹的心,就别开镖局!"柯大膀一副子弹上膛的样子。

李银庭接着问:"听人说,恁镖局不让张扬?怕比输了丢面子?"

柯大膀的导火线被李银庭点燃,眼一瞪:"说啥?不让张扬?哪个鳖孙造的?柯家从不干偷鸡摸狗的事儿。丢面子?丢了命也不会丢面子!"

李银庭继续上发条:"外头传,是恁京生立的规矩,重阳节在延庆观,不让人知。"

柯大膀爆炸了:"放他妈的出溜屁!柯家还用在汴京城玩偷底摸张?八成是那玩杂技的在造谣!"

"我想也是,比试就比试,光明正大,怯气才怕人知。"李银庭觉着目的达到,起身向柯大膀告辞了。

李银庭离开镖局后,柯大膀约摸着不太对劲。儿子与曹家比试,并没有具体定时间地点呀?李银庭咋说得有鼻有眼?不该啊,比武这样的大事,镖局内部尚无商量透,外头咋会传得一事八节?

下晚,柯京生回来,柯大膀问是咋么一回事?听了老爷子询问,柯京生吃一惊,耳呆打过保票的事,咋会一下子满城风雨?这事,镖局内只有他和耳呆知道。没啥说,问题出在曹家。柯京生牙咬得咯咯作响,心里骂:姓曹的,胆子太壮了吧,擂台上没有人敢打保票,擂台下的活儿,我柯京生打你的保票,你不仁,我也不义!柯京生对他爹说:"好哇,咱就按外头传的,重阳节,延庆观见公母。"

柯京生立即派人去东寺门叫来耳呆,嘱咐了一番。耳呆肺都气崩,骂:"妈那瞎鳖孙!汴京这地儿,人物的事儿干家稀,没屁眼的事儿干家稠。曹家大概以为我掂刀是演小品吧!那中,咱就演个小品连续剧!"

第二天晚上,杂技团演出的园子里,开大锅。当曹正芳请观众登台试拉弓时,米哈衣窜上台。他掂着弓对曹正芳说:"你是右手拉,我用左手拉,我这人一辈子最大的爱好,是当人家老师。来,看老师的!"

米哈衣左手无名指的金戒指下,装藏着一个犀利的小刀片。只见他把手搭上弦,一拉一拧,就听"砰"的一声,牛筋制的弓弦,蓦然断开。米哈衣把弓往地上一撂,笑着说:"东方第一力士,哪路混家:别懵,这是汴京,不是儿童乐园。"台下的尿壶、太君、大头等人,领头起哄,骂、叫、喊、吹口哨;拍椅子,扔果皮和易拉罐。只听有人高喊:"恁算个球,俺爷在这个园子,哄走过梅兰芳!"

曹正芳也懵了,瞅着地上扔的断弓,说不出话……

怪事接二连三。曹文在城墙根儿站桩,把鸟笼挂在树上,不知压哪儿飞来一颗气枪子弹,笼中的百灵中弹身亡;一连几天,一辆稀里咣当的粪车,从早到晚停在曹家门口。汴京的粪车,不比北京上海,白天不准在市区逗留。汴京恰恰相反,大多白天行动,随人一同上下班。先起,曹文没在意。当臭气一连几天往院里飘,他愤怒了,站在门口大喊:"谁的粪车?谁的?"四邻窃窃地笑。蹲在离他家不远墙根儿的闷孙,瓮声瓮气地说:"没人要,就是恁的呗。"曹文无奈,只得自个把粪车拉开。更邪门的是,一个星期内,派出所上门查了两次户口,说曹正芳没办临时户口,罚款五十……

曹文愤愤对曹正芳说:"领教了吧,豹子头林冲从这发配走,老婆还被人霸占。"

曹正芳哀叹地说:"怪我,不该喝李银庭的二锅头。"

曹文摆手:"就是不喝李银庭的酒,又咋样?明枪易躲,暗箭难防。听我的话,后队变前队——撤吧!"

曹正芳说:"本来我倒想认输,因为是我违反了契约,递个降表拉倒。他们这么干,我非比出高低。我不信,我能在这里火葬。"

长吁短叹的曹文,没法子,他想:随他去吧,不碰个头破血流,不知道锅是铁的。

曹正芳别无选择,发誓打赢这场比武。他积极备战中,小俊一个劲撤他炉中火。她的道理与曹文大同小异:这帮人惹不得,把兄弟都拜到局子里,看都是些啥人嘛,何必自讨苦吃。曹正芳不理会,决意一条道走到黑。小俊没法,只得像妇女支前一样,买了蜂王浆、大宝口服液之类的营养品,还买了一条走红的505神功元气带。

曹正芳抚摸着小俊的头发说:"你真好,我要娶你。"

小俊心疼地靠在他肩头:"娶不娶无所谓,只要不出事,真为你担心……"

九

雪里藏不住尸。李银庭这一擩搅①,比武的事

---

① 汴京方言。"擩搅",掺合的意思。

曝光。柯京生生不出新点子，横竖是要打，打输就撕破脸，玩横的、邪的，不人物就不人物。柯京生决定：真的输，面子不能丢，找个借口，一呼群拿，把曹正芳打出汴京。这是下策。上策，自己也未必输，只是心觉得势均力敌。他安慰自己，胡思乱想没球用。练！

就在双方砺兵秣马，加紧备战时，形势发生突变，并不是像当年柯大膀和曹文要比武时的变化，政治运动使你要比也比不成。而是，比也得比，不比也得比，非比不可。这种突变，一下把两人抛入空中，比武成了惟一着陆的降落伞。

事情是这样：

对此事一直处于沉默的文化局和杂技团的头头儿们，不是真的保持沉默。按老百姓的文：就是俩人打架，当头儿的瞅见，也得动嘴劝劝，讲一盘道理，作一番批评。头头儿们认为，两人约定私下比武，与打架不一回事，既不影响国家安全，又不影响社会治安，也不妨碍公共秩序和道德。私事，不咋好管。但是，拐过头想，曹正芳是高薪聘来的台柱子，指望他撑门面，卖票房，万一失手，断胳膊断腰，咋办？难办的是，人家曹正芳又不是恁管辖的人，除上台演出发工资，别的人家干啥，碍你啥事。出人命有公安局、法院，文化局、杂技团插不上足。即便插足，干涉多了，曹正芳一恼，拍屁股不给你干了，彻底傻脸，左想不是，右想也不是，头儿们作难。

起先，头儿们确实想让李银庭去劝曹正芳，但，瞅见李银庭一副拿捏、耍投机倒把的样子，头儿们放弃。都知李银庭热粘皮，给点颜色就开染房，你求着他？他立马就会向你提出增加夜班费之类的事；再则，头儿们最怯李银庭，是爱张大话，漫天许愿，正事往反里干，就替你干，也是成事不足，败事有余。让

他去劝曹正芳,不定给你结个啥茧出来。

在头头儿们翘急不出汗的时候,文化局一个负责第三产业的副局长,想出一个绝妙无双的好点子,一个得来全不费工夫的生财之道。他向头头儿说了想法,一个个茅塞顿开,都说弄成这一把,创收是小,为今后的文化工作开辟了一条新路。"中,就这么办!"局长拍了大腿,立即召开党组会,局长在会上说:"……形势不再多说,物竞天择,适者生存,机不可失,失不再来。咱们操办这次比武,可称'世纪末大战',一定作好组织宣传工作,气派要壮,规模要大,要与电视里世界拳王争霸战媲美。利用一切可以利用的新闻媒介,向全市、全省乃至全国进行宣传……"局长粗算了一笔账,他说国外一场重要拳赛,一张门票卖到二百五十美元。咱们别宰得太狠,咱们一张票卖五十元人民币。租体育馆,一万多个座位就得了,一万人,一五得五,就是五十万。加上台阶票和站票,加上吃喝拉撒、旅游观光的各种服务,还有广告赞助,二百万左右没问题……

一本万利,谁听谁心潮澎湃。党组会开得热烈;互相启发、互相推动、互相鼓舞、互相欣慰,正可谓:团结、胜利的党组会。唉!也真难为这帮头头,现在的形势,咋整?汴京城养活着,豫剧团、曲剧团、二夹弦团、歌舞团、话剧团、杂技团,这么多张嘴吃饭的,没一个赢利。演戏的没戏了,走穴的没穴了,已经到砸锅卖铁的份上。这个招出的,就像黑夜里的一把火,照亮头头心窝窝,比剧场改舞场,排练厅改饭馆招高,局长称这是"招中的绝招"。

会上有人提:"是不是征求一下曹正芳、柯京生的意见。"

局长大包大揽:"啥意见!奖金与奥运会持平,

胜者八万，负者六万。中国人都清亮，兜里没钱，谁也不同情！"

雷厉风行，说干就干。比武者还一无所知。

文化局以局长挂帅，热火朝天弄起来。从形成正式文件，经市政府批复，到展开前期宣传工作，短短只有三天工夫。局长咧着嘴，高兴地说："不一样，就是不一样，早一天使用，迟一天衰老。"

全市的新闻媒介，急剧运转起来。汴京日报用套红大字登出标题"汴京之战——世纪末之战"；汴京电视台的广告，是在收视率极高的香港连续剧《天下无敌》之前，黄金时间播出的，反复播，一晚上三四遍。那位漂亮的播音小姐，用圆润的嗓音说道："……惊心动魄的决战，将牵动世人之心，世纪末的武功，融南北少林、峨眉武当、散打搏击、气功绝技、东方跤术、西方拳击为一体。汴京镖主——武术世家，自幼习武、久经沙场，武功绝伦，均无敌手；燕京浪人——盖天之力、身怀绝技、无攻不破。一个打遍天下，一个天下无敌。激动人心的擂台，将于本世纪末，公元××××年×月×日，在古城汴京开拳。良机不可错，千万不要留下世纪末的遗憾……"

铺天盖地，汴京哗然。

各路混家，一齐往双井巷涌。

镖局的大门上，贴了一张八个字的告示："三日之内，概不会客。"两名身穿紧身衣，腿套灯笼裤的高徒，背手叉腰立在门旁，犹如金刚一般。

上房里，柯京生来回走着，耳朵闷头抽烟。柯大膀沙哑着嗓子，拍桌子喊："弄，往死里弄，国家给摆的擂,咋不弄,没杀爹的心,别弄这行! 京生,我给你撑着,往死里弄!"

柯京生没理会老爷子,仍在屋里来回走。耳呆瞅他半天不语,说:"哥,文化局把活儿做绝了,暗招不能再使,落骂名的事咱镖局不能干。姓曹的那货,太不人物,早知今日,当初就该领一帮弟兄,把那货榷出汴京城!"

柯京生边走边说:"这一手真高,姓曹的让文化局就这来一下。打赢,他在汴京就立住脚;打输,一个外乡人,拔腿就走。作难的是咱……"

柯京生走到老佛爷送的那块匾下,盯着发愣。

耳呆说:"不中不打,就说你身上有伤。"

柯京生摇头:"不打不中,早不伤晚不伤,偏在这时候伤? 都不是傻子。"

耳呆:"那有啥,中国运动员经常这么说。打赢了,光彩。打输了,因为带伤不落份儿。"

"关键是不能输。"柯京生两眼直勾勾瞅着那块匾,说:"我柯京生在汴京城,下馆子吃饭人家不让付账;坐出租人家不让交钱;银行给咱无息贷款;商号让咱先卖货后付钱……当官的:只能上不能下;做生意的:只想赚不想赔。咱汴京镖局的这块匾,也是同样道理……"

听儿子这一番话,柯大膀无论如何也坐不住。他几大步走进厢房,搬出香案,点上蜡,插上香。他先跪下,冲着那块匾,磕了三个头,站起身,命令儿子:

"京生,儿,跪下,向恁爷和老佛爷起誓,不撂翻曹家,不是柯家的种。咱这双井胡同,两口井,撂不翻? 恁一口,恁爹一口!"

"爸,恁别就这,划不着……"柯京生懵顶。

柯大膀翘急："少说涮蛋话,跪下!拆掉桥,不留路,打不尽豺狼决不下战场,跪下!咳咳咳……"

柯大膀胸膛里的气,一个劲往喉咙里涌,脸憋得紫红。

此情此景,柯京生不得不两眼暗淡地跪下……

一旁站着的耳呆,脸都白透。这场所谓世纪大战的根源,由他引起,这要是打不赢,两条人命可咋办呢?耳呆心里发誓,不论咋着,也要帮柯京生打赢。

耳呆拿准主意,悄悄离开镖局。

再说曹家,依旧门庭冷落,像往常一样,庭院里花草盛开。曹文提着喷水壶,往花草上浇水。曹正芳手里卷着《常清静经》,围着曹文,不停地说："像什么话!文化局咋能这么干!这是侵犯人权,违法行为,我要去法院起诉他们。奸商,彻头彻尾,不择手段的奸商!我要登报声明,决不参加这场比武,这是对武术的玷污!谁是燕京浪人?谁有盖天之力?谁敢称天下无敌?扯淡!我决不让他们的阴谋得逞……"

曹文面挂微笑："得了,得了,你还是看看太上老君是咋说的吧。"

曹正芳愤愤地说："太上老君当然有说法,老君曰:高尚者顺应自然,与世无争;低下者急功近利,总好强争。"

曹文："你当初同意比武,顺应不顺应自然?是不是与世无争?算不算急功近利?"

曹正芳："人家找上门,当然是顺应自然,我并不是非让别人服气我的拳脚,习武读书当然算与世无争;八万块钱,名利双收我不动心,肯定不是急功近利。"

曹文放下喷水壶,手在衣襟上擦了擦,说:"就算如此,这一切为啥会发生呢?排除杂念和各种干扰,离开汴京不就得了?你却说啥,也开一家镖局,还要作李银庭家倒扎门女婿,这又怎讲?"

曹正芳涨红脸:"有的话是玩笑,我不愿离开汴京,主要是喜欢这里的文化,汴京城自古就是习武人理应来的地方!"

"好好好,你的嘴巴不用与我比武。"曹文边说边往上房走,"凡事,一个巴掌拍不响。很简单,你登报声明退出比武不结了。声明怎么写?文化局卑鄙?无耻?下流?侵犯人权?人们会问,文化局咋会知道你要比武?事实不是从你嘴里传出来的吗?你失误?我不认为是失误,你愿意比武,明比也好,暗比也好,总之你本意愿意。眼下旌旗招展了,你能怨谁?你不比了,众人骂得最多是你,不是文化局。没人夸你高尚,认为是胆小,递降表。"

听了叔父这番话,曹正芳发怔。事情闹得云天雾地,怨不得别人,谁让他那天去李银庭家喝酒?谁叫他喜欢李银庭的女儿呢?种瓜得瓜,种豆得豆,咋办?他进退维谷。

这时,有人拍院门。曹文对曹正芳说:"去,看是谁来了,比武的事,你再考虑吧。"

曹正芳将院门打开,见是手里掂着老宝泰油果的耳呆。

十一

耳呆此次上门,没有了一副像是来吃饭的轻松的面孔,腰里也没别刀子,面孔和蔼可亲,笑容可掬。他把油果搁到桌上,对曹文说:"爷儿们,不介意的话,我想请我兄弟出去说几句话。"

曹文很知趣地,操着汴京话说:"中啊,别往胳膊上再画刀子就中。"

曹正芳情绪低落地说:"有啥话,在这儿说吧,出去干嘛?"

曹文手转健身球:"你这个货,总把事情办糟的原因,就是只知道,啥花开在啥季节。春天的花,冬天里照样开。去吧,读书习武不是一回事,文化和人倒是一回事……"他没再往下说,笑着把曹正芳和耳呆送出院门。

耳呆把曹正芳领入一家上档次的饭店,要单间雅座,叫了几道汴京名菜:鲤鱼背面、红薯泥之类的。曹正芳说,一辈子再不喝白酒。耳呆换上啤酒和饮料。

耳呆为曹正芳斟满,端起杯说:"来,弟,先干一杯。"

曹正芳说:"让你破费,真不好意思。"

耳呆把酒仰进脖子,拿起筷子:"来,弟,吃菜,啥破费不破费,说这话外气,汴京人好朋友,吃点喝点算啥,来,吃菜。"

曹正芳更加不好意思,叹了口气,说:"唉,是我对不住你们,没遵守协定……"他窥视一下耳呆的小臂。

"拉倒,拉倒,"耳呆豁达地用自己的筷子,往曹正芳碟子里夹菜。"事到这一步,说啥也晚了,弟,今天哥哥叫你出来,就为重新商量一下这事。形势你也知道,这事现在是无人不知,无人不晓,据讲文化局还准备上中央电视台作广告。收场是不中了。"

曹正芳自愧地点头,抓起杯子,喝个干净,的确惭愧是自己把事情弄坏,他垂着头。

耳呆重新斟满曹正芳的杯子:"弟,你看这事咋办呢?"

"我也不知该咋办。"曹正芳盯着酒杯说,"打吧,接受不了这种方式;不打吧,又收不了场。你说该咋办?"

耳呆满面难色:"是啊,俺镖局也不好办。打吧,张得太大——久经沙场,均无敌手。啥话?这要惹大麻烦的,搞不好会把外国的混家都会招来。不打吧,和你一样,咋收场咧?还有一点比你麻烦,镖局面临的都是家乡父老,咋办?"耳呆端起酒杯,"来,弟,喝着说着,办法是人想的,总会有招。来,干!"

两人碰杯,喝干杯里的酒。

耳呆继续说:"京生这人,你不知儿,功夫中,人也中。不像我,功夫不中吧,还爱打个邪。京生说你是条汉子,说等这事完了,一块儿坐坐,交个朋友。京生说,比武吧,友谊第一,比赛第二,决不伤和气。"

曹正芳听了这话,很感动。他再次觉得汴京人爽快,仗义。为了表达这种心情,他端起酒杯,又一杯下肚。耳呆一瞅,二话没说,也把自个的酒杯喝空。

耳呆把酒续上:"弟,实话对你说吧,京生私下和我说,既然公开比试了,谁伤着谁都对不起谁,再说,官方介入,大叫大喊的,也没啥意思了,他说他准备输给你。他叫我来告诉你,他的弱点在左腿,他把左面让给你,到时候你往他左面进招。"

曹正芳一听这话,脸顿时沉下来:"这咋行?比武是公平的,不能让。我已经对不住你们,这叫我咋做人。"

耳呆说："话是这么说,让就没意思了,可是官方把事闹到这种地步,好像比武是为了钱。如果还按照先前咱们约定的,肯定不存在谁让谁,肯定要拿出全部本领来切磋。"

曹正芳又一次感到,是自己把事情办糟的,耳呆的话在理,他抓起酒杯,又喝空一杯。他的脑袋开始转向。他说："不管怎么说,不能让,如果他让,我也让,让赢的事,我绝对不干,绝对……"他抓起耳呆再次续上的酒,再次喝完。他眼睛不灵活了。

耳呆约摸着火候差不多,便说："我看,这事这样办,既然官方事办得不地道,咱们也不地道,干脆,比试四局,各自让两局,打平手,既不让观众失望,又表示了对官方的抗议。等事过了,你们哥俩背地再好好切磋一次,你看咋样?"

曹正芳用不太转圈的脑袋,考虑了一下,觉得耳呆出的这个主意不算上乘,但能接受。他平生最看不起两种现象:一是表示有钱而花钱,一是没有钱还要花钱。就像电视台广告,明明不是天下第一,要吹成天下无敌。明明同人民币没关系,硬要拉上八万元,这年头,就像那个叫王朔的写小说:正经的东西,搞的不正经;不正经的东西,搞得正儿八经。

曹正芳举起酒杯,学着汴京话说："中,就这么定了,平手!各让两局!"

耳呆举起酒杯,一直平和的脸,一下子严肃起来:"算数不算?"

"算数,当然算数。"曹正芳坚定回答。

"那好,啥也不说了。"耳呆一口把杯里酒闷掉,"咣当"把杯子摔破在地上,拾起一片碎玻璃,捋起胳膊,再次画了一个"×"。

曹正芳一见此景,也上了汉子气,从地上拾起一

片碎玻璃,捋起袖子,照此办理。他画完"×"之后,也不再说话,站起身,同耳呆握了握手,晃荡着身子,走出饭店。他没想到,啤酒照样醉人,而且不比白酒差。

曹正芳喝醉了,与上次不同的是,这次守口如瓶。回到家后,曹文问他手上哪来的血?他笑笑,啥话不说,连他的叔父他也不相信。他要把这次不成文的契约,烂在肚里。他一头倒在床上,临睡着前,对曹文说:"老君曰:执著于物欲和功能的人,既未感悟道体,也不懂得道用。原文是——执著之者,不明道德……"

曹文紧蹙眉头,转着汉白玉健身球,看着打呼噜的侄儿说:"小子,你以为戴孝就是死人了?戴着孝心里高兴的人大有人在……"

十 二

耳呆的心里像揣着一窝老鼠挠心地去见柯京生。因为他所做的这一切都是自作主张。当他来到镖局把所作所为对柯京生一讲,柯京生半晌没表态,随后,锁了半晌的眉头松开,用手在耳呆肩上拍了拍,表示认可。

就在柯京生与曹正芳私下握手言和时,形势则又在迅猛无比地发展。这种发展也大大出乎文化局那帮策划人的意料,竟然有人发起彩票,就像跑马场赌马一样,更有火爆者,已经与外商挂钩,投资在汴京建造一所培养职业保镖的学院,就像美声唱法的学院派。整个城市都动作起来,银行、税务、工商、公安局、保险公司、街道办事处……尤其是公安局,重点研究保卫问题,决不能像某一次奥运会,出现以色列运动员被刺的事件;税务局已经提前琢磨如何收

税,收多少,怎么收？决不能出现刘晓庆在某地逃税的丑闻；各宾馆、饭店预先开展服务大竞赛、岗位练兵,口号是以优质服务迎接盛会；商店的橱窗、广场的宣传栏、街头巷尾的墙壁和电线杆,处处可见,比比皆是,有关此次比武宣传的,以及"两强"的照片……混家们坐在酒楼和夜市上,端着小黑碗,挑着大拇指说："中,真中,北京上海的谱,咱也能摆,摊上好时候了,忘了没,前十年,谁家没干过用杂面换大米、大米换杂面的事？"

汴京镖局,门庭若市。瞅瞅大门外：桑塔那、铃木150、三轮摩托、轻骑、自行车、架子车；再瞅瞅大门里,一等混家、末等混家、大混家、小混家、老混家、新混家,全是来探信、助威、捧场。徒弟们也不练功了,成日端茶倒水、洗菜、切肉,从早到晚,流水的宴席不散的客。柯京生烦透。又没办法,都是朋友,是混家,是好意,想着柯家,跟柯家一势。

柯京生有自己的打算。每日,除了陪不得不见的朋友小坐,大多时间反锁住后院的门,在里面练功,他让老爷子和徒弟负责应酬。前院的酒桌,拳猜得响连天。后院的沙袋,拳打得连天响。柯京生每使出一个招,每打出一趟拳,心里都经不住发狠——平手？扯淡！瞅准机会,一招致他死地。孩儿,我是将计就计……

柯京生下定决心,非打赢这场已经举世瞩目的擂台。但他心里难以解决的问题,还是如何把内丹功、铁沙拳、铁布衫这类硬气功法与现代武术散打的实用技法良好地结合。虽说参加过一些水平较高的散打擂台赛,那就是在有限的范围内,并没有真正表现中华武术的风采。那该死的香港武打片,把人害了！这次擂台,吸引力之大,一改以往有关散打擂台的规则,实行首例无规则打法,往哪打,用啥招数打,随便。正如汴京一家影视制作中心广告里的一句话:"影视是把武术神话,这场擂台把影视中的神话实际。"无疑,这是件好事,增加了中华武术走向世界的可行性,柯京生想:什么大刀王五、霍元甲,包括他爷爷柯小辫,谁亲眼见过?是骡子是马,今天真要拉出来遛遛。

柯京生越发感到打倒曹正芳的重要性。他找来耳呆、尿壶、太君、大头、米哈衣,还有一些自己的高足,进行实践陪练,他派人去找闷孙来练力量。闷孙是不入帮不入伙的混家,他与柯京生讨价还价:管吃、管喝、每天还得给十块钱。柯京生挖苦闷孙说:"我瞅你不闷,价要得越来越合理了。"闷孙瓮声瓮气地说:"我才不闷,现在啥都涨价。"

耳呆瞅出柯京生这个练法,不像要打平手的模样。他想:假如柯京生违背诺言,咋办?事情到这个份上,有把握打赢,也不能打,人家曹正芳让步了,你这样干,面子上先不说,一旦底细透出去,落骂名的可不是你柯京生一人,我耳呆也跟你帮光。不中,不能就这弄,不人物。于是,他问柯京生:"京生哥,瞅你这架式,不拉倒?"柯京生一铁指搋在硬硬的沙袋上,说:"中原这地儿,出假烟假酒,出不出假人?"这话模棱两可,耳呆不清亮柯京生究竟咋想,但不敢再问,他下意识地摸了摸手臂上的两个"×",又想到曹正芳胳膊上的一个"×"……

战鼓敲得这么响,当然也打破了曹家的平静,除了记者来作前期采访之外,还有一些曹文的朋友,上门以示关心。来的次数最稠的,就数李银庭。此时此刻的李银庭,除了满城奔走,四处游说之外,一得闲,就泡在曹家。不管别人眼下咋看他,他眼下把自己看得不低,原因,他是曹正芳未来的丈人头。

李银庭不再脚踏两只船,一心眼盼曹正芳获胜。他抽着水烟,对曹家叔侄说:"汴京人,井底的蛤蟆,栅栏里的猪,见过啥?打肿脸充胖子,那张脸,不打自肿。我在这地儿呆了一辈子,混家们谁吃几个馍?喝几碗汤?清亮。尿泥!汴京人都带尿泥底。"

曹正芳不解地问:"尿泥是啥?"李银庭一吹水烟袋:"就是杂碎,不是正经八百的肉,下水、肠子、肚子、口条……"

曹正芳还是一知半解,摇头。

李银庭又塞紧一锅烟,说:"咋着?还不懂?用课本上的文,就是当婊子还要立牌坊。"

曹正芳不赞同:"偏激。汴京人有福同享,一个馍馍两下掰——有我的就有你的;有难同当,一张肉案两人上——你敢砍胳膊,我就敢剁大腿。包括您也有这么点意思。"

曹正芳保持着清静,习武读书。无论李银庭往他耳朵眼里灌啥,不受干扰,对此,曹文颇为满意,他惟一为侄儿担心,真打败柯京生,咋办?他不怕曹正芳输,就怕曹正芳赢。

十 三

举世瞩目的一天,就到跟前。汴京各家宾馆、饭店爆满。街上到处行走着外地人,在逛千年古都的风景。男的女的,老的少的,像是来赶世纪末最大的庙会。

一件震惊古城,令所有预言家都无法预言的,令全城百姓都无法置信的事,在世纪大战前一夜,无情地发生了。

万事俱备,只等开战。柯京生计划在曹正芳让出的第二局，用点穴秘技，致曹正芳于死地。为了这一招，他苦思多日，并在闷孙陪练时试用一家伙，闷孙吐血几天，不得下床。闷孙卧在床上说："再不干这事，命比钱要紧。"点穴制敌神功诀有多种，少林、武当、岳家拳、达摩等各门派都有点穴术，从不轻易传人。但不论哪家门派，在实践中都需要快速之中，完成稳、准、狠。柯京生练的是岳家拳点穴秘技。他是跟朱仙镇一个卖年画的老汉学的。朱仙镇离汴京咫尺之遥，据那个卖年画的老汉讲，是祖上传下的秘技，当年岳家军抵朱仙镇扎营，他的先人亲受岳元帅指点。起先，柯京生似信非信。后来，他从广西南宁邮购一套《神功精武》丛书，在里面找到依据。书中配有的插图，详细说明了经脉穴位、动作要领，与老汉教授的出入不大。他选中岳家拳的点穴神功，皆是从武林各流派中采撷而来，最合适他，练的最熟。

　　开战前一天晚上，柯京生咋也睡不着，他从床上爬起来，将浸泡在酒里，爹给他制的药丸提出服用。为了儿子耀祖光宗，柯大膀精心配方制作了一些药丸，辅助儿子打败曹正芳。这些药丸早晚吞服，用泡药丸的酒外擦肌肉，功效奇特显著。柯京生服完药，还是睡不着。他索性走出镖局，走出双井巷，舒展一下神经，听听夜市中的声声吆喝，和人们之间那亲切的交谈、买卖之情中浸透市井的趣味。他经常在晚上来到夜市，不是要吃啥、买啥，而是总有一种稀罕不够的风韵。他一边溜达，一边听家乡人的对话，他仿佛头一次仔细听人们的市井对话。那种妙不可言的亲切，使他平静。

　　他身旁一个卖"荷包酥"的在和买家对话："咋样，老伙儿，没哄你吧？我做的点心，绝对是卖回头客。没事再来啊。"

吃完"荷包酥"的，告辞："中，中，走了，老伙儿，没事去俺那儿玩。"

天晓得这个吃"荷包酥"的家门朝哪儿，柯京生暗自发笑。这时，他听见，身旁几个正喝啤酒操外地口音的年轻人，取笑卖"荷包酥"的。

一个说："汴京人卖东西，不打粮食的话太多，王婆卖瓜自卖自夸。"

另一个说："那个卖瓜的王婆，是不是汴京人啊？大概是卖点心的七奶奶吧。"

外地年轻人笑起。

卖"荷包酥"的不依了，面带微笑地说："咋着，汴京的王八蛋还不够多？又来了几个鳖凑数？不撒泡尿瞅瞅恁的熊样？说恁长得像同性恋吧？亏恁了。说恁像艾滋病携带者吧？高看恁了。鳖孙！没事在家玩尿泥呗？到汴京来弄啥？找你七奶奶？"

柯京生听罢卖"荷包酥"的这一段连腌臜带作贱的话，心里像喝了果子汁一样，酣畅。

外地年轻人朝卖"荷包酥"的走去："你他妈的骂谁？"

柯京生一瞅，这帮小子确实像卖"荷包酥"的形容的那样：苍白的瘦脸，分不出应该是男人留还是女人留的头发，虾米般的身子，空穿着西装，蹬着老板裤和耐克鞋。这样的货色，通常出现在卡拉OK厅和街头的栏杆上。

卖"荷包酥"的被揪住脖领。柯京生上前劝道："拉倒吧，恁先嘴贱，还要动手打人，理不顺啊。"

"你少管闲事儿！他就是明天比武的那个柯京生，我们今天也要打他！"

柯京生："如果我是柯京生呢？"

"那好哇，今天我们先会你！"

柯京生正想表明自己真是柯京生时,且不知,一条板凳从他身后狠砸在他头上,随之而来是一顿啤酒瓶子……

是的,柯京生猝不及防,在他认为没必要防备,可是,现实是残酷的,不以汴京人的意志为转移。柯京生满脸是血地倒在地上……

十 四

汴京暗淡了。

天没塌,地没陷,人们用不同寻常的眼光看着《汴京日报》"……勇斗歹徒,身受重伤,公安人员连夜出击,将凶手缉获……"

混家们判断,决不是一般混家干的。能把柯京生撂翻,不是峨眉,就是武当,搞不准和曹家有关。为啥不早不晚,偏在节骨眼上出这事?别听报上瞎喷,待业青年?有人瞅见,是几个和尚,一水光头。一虎不抵群狼,京生不是身上有功,早去球了。混家们还一致认为:不能跟曹正芳拉倒,比不比武小事,暗招毁人大事,汴京镖局非拆坏他不中,不信等着瞧,柯家徒弟就好几百,哪有曹家过的。还有混家听说,曹正芳已经吓窜了。混家们断言:不管他窜到哪儿,柯京生绝对要报这个仇,来个"七剑下天山……"

各路混家,从四面八方涌向医院,掂着各种营养品;党政军领导也去医院,掂着各种慰问品;市长的小轿车停到了医院门口。市长和各路混家一样,被镖局两名六亲不认的高徒挡在病房外,话只有一句:"镖主发话,除了大夫,老天爷来了也不准进。"市长问医生,伤到底咋样?医生回答说:"没事,柯师傅正在写毛笔字呐。"写毛笔字?奇怪,混家们琢磨半

天,比较一致的说法是:柯京生在立"生死文书",上刀山、下火海,曹正芳只要活在世上——有他,没我!

东寺门的曹家门外,别有一番情景,情绪冲动不能自拔的混家们,堵住曹家院门,只见院门口也有两个门卫——警察。两个警察苦口婆心,混家们就不相信他们说的事实真相。警察摇头说:"现在的人咋回事,不相信警察,也不信报纸,气蛋!"

耳呆、尿壶、太君、大头、米哈衣,个个操着家伙:九节鞭、三节棍、大刀、长矛、青龙宝剑,冲着曹家院内狂吼:"出来,有胆有种就出来!"伤未痊愈的闷孙,蹲在不远的墙根,逍遥自在看热闹。

曹家院内,曹文直挺腰板,坐在屋里,手掌中的汉白玉健身球,仍像往常一样规律地转动。他既无恐惧,也不牢骚,失去表情的眼睛,瞅着正收拾行装的曹正芳和小俊。小俊一边帮着收拾,一边抹泪:"我跟你走,天涯海角,我跟你走。"

曹正芳喃喃地:"还是太上老君说的对:总有妄想不息的纷动,就惊扰着清纯的元神;清纯的元神总被惊扰,识神就执著于事物的表象……"

曹文突然笑道:"太上老君,太上老君,把太上老君当师傅,已经过时,小俊的爸爸李银庭,倒能传授你一二。"

曹正芳思索叔父的话,眨眨眼:"有道理,两个都当我师傅,会是什么样呢?"

曹文道:"千年媳妇熬成婆,到我这把年纪,啥师傅也不要喽。"

这时,门外的警察领进一位汴京镖局的高足。进屋后,高足抱拳,向曹文和曹正芳施礼用普通话说道:"二位前辈,我师傅给曹正芳师傅送来一张帖。"

"什么帖?"

"您一瞅便知。"

高足将帖递交曹正芳,施礼退出。他走出院门后,门外嘈杂声、叫阵声消失。

曹正芳将柯京生送来的帖子打开一看,上面写道:

兰 谱

安危共仗
甘苦同尝
海枯石烂
死生不渝
敬奉
正芳如胞兄惠存

谱兄柯京生谨订

九×年×月×日

籍贯 中原汴京双井胡同
年岁 三十四岁生于×年×月×日
父讳 中原 母刘氏

曹正芳看罢,吃惊道:"柯京生要与我结拜兄弟。为啥?咋办?"

此时,曹文手中的汉白玉健身球,急剧转动。他把目光从柯京生送来的《兰谱》上挪开,投到屋外,思想仿佛落在很远,许久没说话。

"叔父,你说我该咋办?"曹正芳再次问。

曹文缓慢把思想拉回来,用极平淡的语调问:"你说,柯京生真诚吗?"

曹正芳一丝不苟地想一想,说:"真诚,我相信他真诚。"

曹文手中的汉白玉健身球停止转动,大声说:"那你还犹豫什么,换兰谱!"

小俊摆上文房四宝,将墨研得浓浓的。曹正芳铺好纸,提笔写道:

兰　谱

京生如胞兄惠存

结盟真意
是为友谊
碎尸万段
在所不计
故奉

谱弟正芳谨订

九×年×月×日

籍贯　燕京天桥
年岁　二十八岁生于×年×月×日
父讳　顺堂　母氏竹

　　搁笔，曹正芳恭恭敬敬摁了指印，神情庄重地对叔父说："我与京生兄交换兰谱，有劳叔父。请转告京生兄，无论天涯海角，为弟都会与京生兄共同光大中华武术。"

　　在曹文看来，这样的兰谱交换，是祖辈不曾有过的，没摆香案，没插大红三支蜡，没插香的紫铜香炉。祖辈更不曾有过，结拜的胞弟连胞兄面都没见过。奇怪吗？在曹正芳与柯京生这辈人看，将来会有更多奇怪事发生。

　　在曹文替侄儿送兰谱的同个时辰，曹正芳领着李银庭的女儿小俊，离开汴京古城，小俊抹着泪说："爸会气死的。"

　　曹正芳胸有成竹地说："现在是世纪末，你爸会想开的。太上老君说的好：能够感悟到人天之道者，身心就永远是清清静静。"

　　登上火车，曹正芳才突然发觉，那本《常清静经》落在叔父家了。他没太大遗憾，说："写封信，让叔父转送给京生兄吧。"

皇家老店

王少华汴味小说之四

枪毙陈二勇那天,刑车由北向南压四面钟过。背插亡命旗,五花大绑的陈二勇,立在敞篷大卡车的最头里,神情坦然得就像逛商场,两眼一个劲地往东瞅"一春楼"的招牌,嘴里遗憾地说:"忘了个事儿啊。"

他身后的老警轻声地问:"啥事儿?"

陈二勇说:"夜个儿忘交代恁,包子买两种,'一春楼'和'皇家老店'的各两笼。"

身后的老警跟着遗憾道:"那你是迷的啥,吃最后一顿好的,还不操心。马路上这多人,又不兴讨嘴,谁敢停车去给你买包子?"

陈二勇长叹一声:"唉,就这吧,来生脱胎,头一顿饭,不外气,还是要吃小笼包子。"

身后的老警说:"那你还得死在小笼包子手里。"

陈二勇:"死就死,认。"

从古到今,汴京城里砍头枪毙人,兴游街示众,

据老年人讲,每章儿出西门砍人,被砍的冤家皮①们,在出西门的路上,一路讨嘴,好吃好喝,沿途要吃啥,张嘴一吆喝,店面的掌柜就慌慌地给拿啥。"一春楼"是老店。据老人们讲,民国十七年,冯玉祥在汴京督军时,一次砍了二十四名祸害百姓的手下。"一春楼"的老掌柜皇贵堂没有死的时候,给他的徒弟刘少亭喷过这一板。刘少亭眼望儿都六七十了,老头虽然没见过那个场面,可跟别人喷这一板的时候,那神态,那表情,一下能年轻十岁。刘少亭的话:"乖乖儿,那执法队押着二十多个冤家皮,压山货店过,冤家皮们异口同声吆喝着要吃咱'一春楼'的包子,老掌柜那天算是赔得劲了,你想吧,恁多讨嘴的,那时一天才蒸十来斤面的包子,碰着二十多个不愿做饿死鬼的货,你想吧,乖乖儿……"

据刘少亭讲,也就是那会儿,"一春楼"包子馆名声大震。

眼望儿枪毙人,虽不兴沿街讨嘴,要啥吃啥了,但老规矩还是有。死囚临打头②的前一天,老警会主动去死牢里,问冤家皮们道:"最后一顿了,说,想吃啥?吃啥买啥。"要走的冤家皮们面对人世间的最后一顿饭,各持不同的态度,大多数都是啥也不想吃,想吃也吃不肚里。但有的混家确实有样,谈笑风生,该弄啥弄啥,把老警当做店小二,像派菜单一样,把汴京城里好吃的物件点了个遍,"一春楼"的灌汤小笼包子,马豫兴的烧鸡,新生家的烩馍,寺门的羊蹄儿,沙家的牛肉……并笑着对老警说:"哥,最后一顿了,要人物,把手铐给我打开咋样?带着它,吃

---

① 汴京方言。"冤家皮",倒霉蛋的意思。
② 汴京方言。"打头",枪毙的意思。

起来不朗利。"碰见这种情况,老警们大多都比较人物,把手铐打开,让冤家皮们把最后的晚餐吃得劲。

一二十年前,汴京城里枪毙人,都往西门外拉。眼望儿不中了,西门外已经成了开发区,到处是楼房,到处是人,每章儿的刑场都盖成了居民家属楼,打头的事就挪到相对比较冷清的南郊。

陈二勇站在大卡车头里,一边浏览南郊路两旁的景物,一边和身后的老警聊着天。

陈二勇:"你说这皇家的包子和'一春楼'的包子,到底谁能挺过谁?"

老警:"难说,'一春楼'是官办的,皇家是私人的,我看胳膊拧不过大腿。"

陈二勇:"皇家老头我熟,我觉得他说的在理儿,没有皇家,哪来的'一春楼'的今天?这叫啥?知识产权?"

老警:"你知的还不少呢,你要知这是知识产权,还打不了你的头呢,咋样,把自己玩掉里了吧?"

陈二勇感叹道:"啥法儿,我这事儿,命里摊的,认吧。"

陈二勇和老警聊着聊着,刑车就接近了大堤外的法场。这时,只听路旁传来一个女人声嘶力竭的哭喊:"二勇啊,这是你最爱吃的'一春楼'包子,政府啊,恁停停车,行行好,让他吃几个包子再走吧……"

陈二勇往路边一瞅,他媳妇手里正托着一盘包子,追着刑车边哭边喊。于是,陈二勇扭着头冲他媳妇喊道:"哭啥哭,别哭啦,夜个儿吃罢了,把包子端回家,让孩儿吃吧!"

要说陈二勇这辈子,确实和"一春楼"有缘分,

这货压小就爱吃"一春楼"的包子。过生日、"六一"儿童节、"五一"劳动节、"十一"国庆节,他爹问他想吃啥,他总是毫不犹豫地说去"一春楼"吃包子。陈二勇当知青时,每月农场发两块钱的零花钱,他连管牙膏都舍不得买,放假回城的头一件事儿,就是去"一春楼"吃包子。后来,他在煤厂拉煤,煤厂离寺后街不远,兜里有俩钱,就去"一春楼",家里连个存折都没有,吃包子却成了他的家常饭。用"一春楼"经理刘少亭的话:"乖乖儿,这货是真能塞,我卖了一辈子的包子,也没见过这能吃的。乖乖儿,一人能吃五笼,啥时候吃罢都说才吃个半饱,乖乖儿,吓人不吓,谁家有个这,算倒霉了。"

刘少亭的师兄皇秉忠说:"要论吃包子,谁也吃不过藤野,每两面粉五个,每个包子连皮带馅六钱,人家藤野一次能塞二斤面的包子。"

皇秉忠说的那个藤野,是一九三八年日军驻汴京的一个小队长,爱吃包子。那时的"一春楼"还在山货店街,日本人进汴京的时候,有钱有势的主儿,都沿着陇海线往西窜了,汴京城里剩下点穷老百姓,别说吃包子,连杂面都没得吃。皇秉忠跟别人喷的这一板,可不是道听途说,当时,他正在"一春楼"跟着他爹当学徒。皇秉忠是老掌柜皇贵堂的儿子,这个皇秉忠十岁压长垣老家来到汴京城,眼望儿已经七十多岁了,啥时候喷起藤野吃包子那一板,都记忆犹新。

一九三八年冬至那天,北风刮得迷眼,大晌午头,山货店街上就没了行人,由于日本人进城,"一春楼"的生意萧条得快到维持不下去的地步。那天,皇秉忠独自一人候在冷冷清清的店堂里,呆呆地瞅着街面上的树叶被风一阵阵地旋起。他正在发愣之时,听到由远而近传来整齐脆响的皮靴声,他心里一咯噔:"娘也,日本人。"他正准备去关店门,已经来不及了,三个日本兵步伐整齐地走到店门口。这三个在街上巡逻的老日,原本不打算进来,但其中那个挎指挥刀的军官,一眼瞅见"一春楼"的牌匾,停住了脚,眉头一皱,瞅了好大一会儿,一挥手,领着扛三八大盖的士兵跨进店来。

"小孩,老板的有?"

皇秉忠浑身筛糠,声音瑟瑟地冲着后房喊道:"爸,爸,爸爸,有,有,有客……"

身穿大棉猴,手操在袖口里的皇贵堂,压后房里走出来,一瞅,店堂内叉腿站着三个武装到牙齿的日本兵,吓得也是小腿肚差点转筋。

"你的,老板的?"

"我,我的是。"

日本军官扭身一指门楣:"门上字的,你的写?"

皇贵堂连忙摆手:"不,不不,不是我的写,隔壁吴翰林的写。"

日本军官问:"吴翰林的,什么的干活儿?"

"前清朝廷的官,翰林,就是皇帝的文学侍从官。吴翰林,七品,挂朝珠,著貂褂……"

日本军官听不明白,干脆不听,命令皇贵堂道:"我的,要见吴翰林的,你的把他叫来。"

皇贵堂拱手道:"太君,吴翰林不在,走了,去西安了,全家统统的走了。"

"噢,走了的不好。"日本军官摇着脑袋说,"我的,要和吴翰林的,朋友的干活,吴翰林的书法的,大大的好。"

皇贵堂的心放进肚里了,原来这个老日爱好书法。皇贵堂虽然不懂书法,但他这块招牌,自打挂上

门楣,招来不少懂书法人的青睐。尤其是那个"一"字,行家们夸像一条腾飞的龙。日本军官问,这么好的字为何挂到门上?日晒雨淋可惜了。皇贵堂解释,字好是因为店好,店好是因为包子好,包子好了才敢在汴京城里称第一;别看一间门面不打实,吃罢了包子,让你心服口服挑着大拇指承认这是第一。皇贵堂这么一介绍,日本军官不走了,拉过一条凳子,手握军刀往店堂中央一坐,说道:"包子的,什么的干活?天下第一,我的不明白。"

皇贵堂没法了,也拉过一条凳子,往日本军官跟儿一坐,掏出烟,递给日本军官一支,日本军官摇头,皇贵堂自家点着后,开始和他喷"一春楼"的灌汤小笼包子如何了得,汴京城的包子和品种如何之多,有鲜肉包子、薄皮包子、风球包子、水晶包子、虾肉包子、蟹肉包子、绿荷包子、鳝鱼包子、羊肉包子、水煎包子、瓠包子、素包子、糖包子……而"一春楼"的小笼灌汤包子,起源于宋代汴京城内玉楼山洞的"梅花包子",而梅花包子又是压"脚店"①之中著名的万家灌浆馒头、太学灌浆馒头演变而来。这太学馒头,曾受宋神宗赵顼"以此养士,可无愧矣"之称赞。北宋的太学生们以浴"圣恩",用其馈赠亲友,民间做寿摆宴也就成了必备之物……

皇贵堂说出了"一春楼"灌汤小笼包子的根,日本军官闭着眼睛琢磨了半晌,问了一句:"灌浆馒头什么的干活?"

皇贵堂又接上一支烟。或许是和老日聊了半天,恐惧心理减弱了?或许是一喷起包子就忘乎所

---

① 汴京方言。"脚店",即专卖店。

以了?皇贵堂的二郎腿也翘上了,说话的音调也直捻①了,语气也居高临下了,开口也带起他习惯的话把儿了。

"姐,说这又扯远了。说浅了吧,你不清亮;说深了吧,你又不懂,姐。"皇贵堂用食指敲了两下烟灰,仰起脸说,"武王伐纣,也就是姜子伢时代,纣王无道,把周文王的儿子给杀了。姐,杀了就杀了呗,这货,他把周文王儿子的肉剁成馅,使面包住,蒸熟了让周文王吃,姐,你说这咋能吃,姐……"

日本军官打断皇贵堂的话:"吃人肉的?什么的干活?"

"打仗,侵略,坏人干的事儿。"皇贵堂用食指接连敲了几下烟,说,"各自过各自的日子呗,打到人家门里有多好受?气蛋……"

"什么的气蛋!"日本军官"仓啷"一声压腰间抽出了军刀,搁到了皇贵堂的脖颈上,大声喝道,"你的良民的不是,死啦死啦的!"

一旁站着的皇秉忠,被日本军官的举动吓得面无血色,只觉身下一热,尿顺腿流到脚脖根儿。此时此刻的皇贵堂,纹丝不动地坐在那里。或许是他知怕也没用,或许是他已从这个老日的眼里看出,自己被刀劈的可能性不大。他稳了稳神儿,把腰坐直,说道:"姐,太君,别吓唬俺。这一说,又得给你说到历史,汴京这地儿,自古就是个吃喝玩乐的地儿,谁来谁喜欢,来家也多了。金兀术知吗?就是跟岳飞打仗的那个。姐,那货,吃罢喝罢不算,还大车小车地拉走。算啥,姐,不算啥,俺汴京有的是好玩艺儿。

---

① 汴京方言。"直捻",挺拔的意思,此处做理直气壮讲。

太君,俺这儿的包子,是祖辈单传,传儿不传女,我没儿子,你要是把我杀喽,你还咋尝俺这'一春楼'的包子呢?姐……"

日本军官的军刀,在皇贵堂的脖颈上足足架了有两分钟,才"仓啷"一声收回刀鞘里。

"我的不走,包子的伺候,包子不好的,死啦死啦的!"

"姐……"皇贵堂摇着头去后面捏包子去了。

没啥说,日本小队长藤野吃中了"一春楼"的包子。要是吃不中,也许老掌柜皇贵堂真不会活到一九七〇年。

一九七〇年,陈二勇在郊区的一个农场下乡。那年月,买啥都要票,买粮要粮票,买布要布票,买煤要煤票,买油要油票,买副食品要副食品票,买自行车要自行车票,吃包子当然也要票。陈二勇放假压农场回城,向他妈要了两张包子票,天不亮就奔"一春楼"去排队买包子。那时的"一春楼",叫"卫红包子馆",招牌是汴京当时的革命委员会主任写的。说起那时的生意,现在的人都不敢相信,天不亮就排起大队,为能占个好位,有的人甚至卷着席片在门前过夜。用"一春楼"经理刘少亭的话:"乖乖儿,那时候汴京城里有俩地儿排大队,一是新华书店发行红宝书,再一个就是'卫红包子馆',乖乖儿,生意真火,没见过就这多要吃包子的。"

一九七〇年冬至那一天,陈二勇因为吃包子,惹了一场祸。冬至那天,飘着小雪花,陈二勇压农场回来。他妈让他在家吃饺子,他偏要去吃包子,他妈没法儿,给了他两张包子票。陈二勇来到寺后街一瞅,好家伙,又是排大队,一满排到大门外隔壁的妇产科医院。这咋办？天这冷，陈二勇不想排队，他里里外外转了个遍，不愿排队，又不愿放弃，于是想了个孬招。他来到卖牌儿的窗口，哭丧个脸对前面排队的人说："俺妈在隔壁妇产科医院刚做罢手术，想吃包子，恁行行好，让我先买了吧。"汴京人爽快、人物，极富有同情心，见不得别人受苦受难。排到窗口的一个老婆儿让出了自己的位子，并对其他排队的人说："让这个孝顺孩儿先买了吧，他妈在医院等着吃包子呢。"

陈二勇买罢牌儿，等了一个位子坐下，足足又等了快半个钟头，包子才端到他坐的桌上。他把醋碟倒满醋，剥了一个大头蒜，使筷子夹起第一个包子，还没搁到嘴里，一疙瘩肉馅就丢兜掉了出来，正落在他的衣服上，包子里的一兜灌汤洒了他一身。他恼丧地把皮吃了，去夹第二个，谁知这第二个比第一个还糟糕，还没离醋碟就又掉了底，溅得一满碟醋四处飞洒，他懊丧地先吃了皮，后吃了馅儿。接着第三个，第四个，第五个都一个球样，个个掉底，灌汤包子成了漏汤包子。陈二勇彻底恼了，骂开："啥鸡巴包子，吹得怪好听，'掂起来像灯笼，搁下去像菊花'，球！"

说来也巧，平时总爱呆在后面革委会办公室里的刘少亭，今天咋在大厅里转悠，正好走到陈二勇的身边。这时的刘少亭正是牛皮哄哄的时候，革委会副主任，小五十岁，年富力强，技术上他又是大拿，店里的上上下下都得瞅他的脸色。那时虽不兴挂特级厨师的牌子，但提起刘少亭，上至市里的头头，下至拉架子车的，只要喜欢吃包子的，没人不知他刘少亭的。陈二勇也听说过刘少亭，但是不认识他，如果认识这张脸，恐怕也不敢挺头。

"吆喝,乖乖儿,馅里吃着个钉?扎住嘴是咋着啦?嘴里血糊淋落的?隔壁是妇产科医院,不中我掏钱,你去看看大夫,乖乖儿。"

陈二勇腾的一下站起来,牛蛋眼一瞪:"你骂谁啦?"

"乖乖儿,还怪冲。"刘少亭把陈二勇压头瞅到脚,说,"咋,瞅你这劲头,今天是要砸店?乖乖儿,你嫩点,一九四七年,汴京城里谁最难缠你知不知?国民党的伤兵,他们都不敢说这是啥鸡巴包子,乖乖儿,你中,你吃铁屙钢,汴京城里咋尽出点这号货。"

陈二勇指着刘少亭的鼻子:"我问你骂谁!?"

"有拾金拾银的,哪有拾骂的?你愿意拾,就算骂你的吧。"

"我拆坏你!"

遗憾的是,陈二勇的拳头还没抬起来,就被店内戴红袖章的两名工人民兵给拿下了。旁观者中的一个老婆儿说道:"这小,瞎话篓,说他妈做手术,想吃小笼包子,真不是东西,得好好拾掇拾掇他。"

陈二勇被工人民兵押送到市里的民兵指挥部,挨了一顿打,关了一整夜,第二天才被放回家,陈二勇咬牙切齿,发誓一辈子不再吃"一春楼"的包子。

自打陈二勇被刘少亭羞辱之后,赌气再也没有蹬过"一春楼"的门。可,压小爱吃灌汤包子的天性是改不了的。在之后的多少年里,他几乎把汴京城里所有的小笼包子铺吃了个遍,也没有吃上能和"一春楼"相媲美的包子。为此,他非常失望,经常在心里问道:"气蛋,难道汴京真的没有比他'一春楼'好吃的包子了吗?"

事隔十二年,陈二勇还没调到煤厂,在一家工厂打临时工的时候。有一天,他去西南城坡的一家砖瓦厂帮朋友拉砖,中午在路边一个写有"皇家小笼包子馆"的席棚里吃饭。这个席棚生意红火,几张桌子坐满了人,跑堂的小年轻腾出一张搁杂物的小方桌让他们坐下。他和朋友要了六笼包子,搭嘴一吃,他的眼神一亮,心说:"噫,这味道咋和'一春楼'的包子恁像?"他一连吃了几个,确实和"一春楼"的不相上下。于是,他叫来跑堂的小年轻询问,这包子是哪位师傅做的?小年轻一指席棚外一个正蹲在那里修笼的老头说:"俺爹的手艺。"

陈二勇吃罢包子,走出席棚,上前与老头搭起了闲话。

"爷儿们,手艺中啊,包子味正。"陈二勇递给老头一支烟。

老头接过烟道:"谢谢。"

陈二勇给老头点着烟,然后自己点着,说:"爷儿们,汴京的包子我吃过来了,咋不知这西南城坡还有这好的包子。"

老头谦逊地说:"过奖了,刚开张,多提宝贵意见。"

"啥意见,没意见,恁的包子我吃着比'一春楼'强。"

"不敢,不敢,人家'一春楼'是大门楼头,俺不敢和人家比啊。"

"拉倒吧,啥大门楼头,十个包子五个丢兜,不就卖一块牌子吗?"

跑堂的小年轻抱着一摞碗盘走出席棚,往油糊糊的大铝盆里一放,说:"牌子,牌子是俺家的,俺皇家是'一春楼'的师傅。"

"啥?啥?你说啥?恁皇家是'一春楼'的师傅?"

陈二勇吃到了稀罕。当他打破沙锅问到底,方才知,这个不打实的席棚里,窝着一个何等了得的人物——皇秉忠——"一春楼"老掌柜皇贵堂的亲儿子,汴京灌汤小笼包子的正宗传人。

说到皇秉忠,又得扯到刘少亭,扯到刘少亭,又得扯到那个吴翰林。日本人被打窜后,那个吴翰林压西安回到了山货店街上。他听说"一春楼"因为他写的招牌,拉来了日本小队长藤野这样的顾客,生意在日本人占领期间并没赔本,一直保持到每天十一斤面左右。吴翰林听了很高兴。吴翰林回来的当天晚上,老掌柜皇贵堂请吴翰林喝酒吃包子时,吴翰林瞅着三十个一笼的大笼屉,对皇贵堂说,天津天顺城"狗不理"包子名气不小,三尺笼屉,论个卖。咱"一春楼"的灌汤包子,论笼卖,三十个一笼显多,胃口小的人买一笼吃不完,浪费又怪可惜,若把大笼换成小笼,十个一笼,就笼上桌,既给人亲切之感,又实惠便利,没准还是扩大经营的手段。皇贵堂一琢磨,觉得在理儿,便问吴翰林,大笼换小笼多大尺寸为好?吴翰林想了想说:"常说十全十美,将小笼的尺寸定为十寸为好。"

就在皇贵堂准备大笼换小笼的期间,一天,国民党省政府来了一个穿中山装的官员,向皇贵堂下达了一条命令,说是山货店这一片地儿,一九三二年就被张钫张长官样中①。省政府官员二话没说,压皮包里拿出三十块光洋,哗啦一声倒在桌子上,限期二十天内迁移出山货店街。省政府的官员走了,皇贵

---

① 汴京方言。"样中",看中的意思。

堂找着吴翰林问该咋办？吴翰林说："这咱能挺住喽？张钫何许人？国民政府的元老，和蒋介石称兄道弟的主儿，咱跟人家挺？找死。"皇贵堂沮丧地说："挺不住咱不挺，可让我挪哪儿去呢？"吴翰林蹙着眉说："别急，我来想想办法。"

将近过了一个星期，吴翰林满面春风地跨进店门，对皇贵堂说："这一回是大笼换小笼，找着个得劲地儿。"

皇贵堂问："啥地儿？"

"啥地儿，寺后街，车马行人的主干道。"

皇贵堂眨着眼，仍旧满脸疑云："寺后街啥地儿？"

吴翰林往凳子上一坐，大腿压上二腿，胸有成竹地说："'祥运商号'。老板刘跛子因贩私盐吃了官司，要把'祥运商号'卖掉，出价八十块大洋。"

皇贵堂大泄气地："八十块大洋？我这只有三十块……"

吴翰林含而不露地一笑，说："八十块是个虚数。"

"实数是多少？"皇贵堂不解地问。

吴翰林的手从袖筒里伸出一掌。

"五十？"皇贵堂依旧为难，"那二十咋办？"

"行了，别愁眉苦脸的了。"吴翰林把二腿从大腿上拿下，说，"刘跛子有个儿，和恁家皇秉忠岁数大小差不多。刘跛子吃官司几乎是家败人亡，他想让他儿子学门手艺，今后生活上也有个着落。他的意思是，那二十块钱不要了，让他的儿子来跟你当徒弟，也算是等价交换吧。"

"祥运商号"在寺后街上不算太大的门面，二层木楼，清朝末年的建筑，虽然年代已久，但再撑上一

二十年问题不大,三十块大洋能买下当然是求之不得,再好不过,只是……

吴翰林看出了皇贵堂的顾虑。

吴翰林说:"我知,恁皇家包子的技术是传儿不传女,更不用说是外族。但我总觉得,'天下熙熙,皆为利来;天下攘攘,皆为利往',终究有一天,你是要带徒弟的,你就是不带,你的儿子也会带,你儿子不带,你孙子也会带,老夫今日断言在此,不信走着瞧。"

皇贵堂权衡利弊也没多大的用处,因为他无更好的出路,只得做了等价交换的交易。"一春楼"压山货店街迁移到了寺后街上。临迁移的前一天,举行了拜师仪式。祭罢皇家祖宗的牌位之后,皇贵堂坐在从吴翰林家搬来的红木椅子上,问跪在面前的刘跛子的儿子:"你叫啥名儿?"

"刘少亭。"

"多大了?"

"十五了。"

"知不知拜师学徒的规矩?"

"知。"

"说说我听听。"

"一日为师,终身为父;不教不问,守口如瓶;不懒勤务,早起晚寝;十年树艺,百年树德。"

"说的不错,压今儿个你进到门里,就不把你当外人了。"皇贵堂把儿子皇秉忠叫到跟前,说,"来,恁弟俩也互相拜拜,我早晚有一天会不中的,这皇家的灌汤包子,持久不持久,就看恁弟俩的了。"

在寺后街重新开张没几天,喝,生意火红。这倒不完全是因为地理位置和大笼换小笼的缘故,用老掌柜皇贵堂的话:"姐,藤野他们跑了,国民党干部

压峨嵋山回来了。姐,这些货们可是比老日有钱,攒着劲回来吃呢。姐,还有好些穿着长衫旗袍的河南大学的学生们,成群结队的……"

皇秉忠和刘少亭回忆起那两年,也是眉飞色舞。皇秉忠经常给他的儿子皇建新喷这一板。迁移到寺后街没多久,有一天临近晌午,店堂内正上人时,突然门外进来四个挎盒子炮的国民党士兵。进来后大声驱赶着店堂内的顾客:"出去,都快出去,今天这里不营业了,政府包用!"

见此状,皇贵堂上前问道:"长官,恁这是要弄啥?"

士兵把眼一瞪:"少费话,刘主席马上要来吃包子,恁都得留神一点!"

"刘主席?……"皇贵堂一时半会儿没有反应过来。因为他从不操心时事,也就不去关心什么刘主席张主席的。

士兵见皇贵堂不识人间烟火的样子,指着他鼻子骂道:"傻孙,连刘主席都不知,刘主席就是刘茂恩主席,河南省政府主席。"

皇贵堂大惊,心里说:"我的娘,刘老五,这可比藤野强实①的多。"他是从吴翰林和一些街坊邻居嘴里知道刘茂恩的,他们喊他刘老五。皇贵堂虽然不多操心,他们曾经说过的两件事儿,让他难以忘怀。第一件事儿,说刘茂恩是个孝子,公务再忙,只要在家,对老娘必以三拜九叩的古礼,早晚请安。他娘爱玩雀牌,刘茂恩常给陪他娘打牌的人发钱,定暗语,让他娘多赢牌,并且让他娘多赢"绝张"、"边张"和

---

① 汴京方言。"强实",厉害的意思。

"夹张"等不易赢的牌,以此引逗他娘的笑声。第二件事儿,因刘的嫂子被查有与人通奸勾当,一次在清明扫墓时,刘老五亲自拔枪把嫂子打死在祖坟旁。皇贵堂只要听汴京人谈起刘茂恩,最多的评价就是:"刘老五这货,二球。"而爱发表评价的这些人,好像刘老五就住在他们门口,在一起吃喝不论似的。皇贵堂没有见过刘茂恩,只是在钟鼓楼上吊着的大喇叭里,听过他在颁发《绥靖手册》时的讲话,一听就知是巩县人,说起话来尾音大。

皇贵堂赶紧招呼皇秉忠和刘少亭,把桌椅板凳再擦干净一点,自己跑上楼换了一件新布衫。当他压楼上下来时,刘茂恩正好跨进店来。

"哪位是老板啊?"

"我,我是。"

不知所措的皇贵堂,下意识习惯地掏出烟,递给刘茂恩一支,没想到刘茂恩还真的接住了,皇贵堂急忙划火柴去把烟点上。凑点烟的空儿,皇贵堂偷偷把这位国民党河南省主席这么一瞅,喝,确实器宇不凡,大背头,四排脸,高额头,浓眉大眼,尤其是那鼻子长得好,又高又直,一瞅就知是个咋么样的人物。

刘茂恩打量了皇贵堂一眼:"都说恁这儿的包子好吃,今儿个特地来尝尝,老师傅是哪里人啊?"

"回刘主席话,俺是长垣县人。"皇贵堂毕恭毕敬。

"怪不得。"刘茂恩一边环视着店堂,一边说,"长垣可是个出名厨的地儿啊,来汴京多少年了?"

皇贵堂一边压桌下拉出板凳给刘茂恩让座,一边说:"跟俺爹来的汴京,五十多年了。"

刘茂恩问:"恁爹也是做包子的?"

"回刘主席话,俺爹是个中医。"

"那你是跟谁学的这门手艺的呢?"

"回刘主席话,是跟一个早年住在书店街的御厨。"

"何方的御厨啊?"

"回刘主席话,戊申光绪年间的御厨。"

"汴京这地儿水深藏龙啊。"刘茂恩抬手指了一下店门外的大街,说,"这街上走着的人,别看不打实,你弄不清他是个啥人物头。那天我去百益阁烧香,碰见一个老太太,说起闲话,一问,吓了我一跳,老太太是刘光弟的夫人。刘光弟何许人?'戊戌六君子'之一,在北京菜市口被太后砍了头。你说这厉害不厉害,汴京这地儿真是太厉害了,是不是掌柜的?"

"回刘主席话……"

"罢了罢了。"刘茂恩打断皇贵堂,"听你这么回话回话的,我咋觉得是清朝,咋,你要复辟,把我当袁世凯了?"

皇贵堂笑了。刘茂恩也笑了。

那天,刘茂恩一人吃了快两笼包子,开心的不得了,他把随从统统赶到门外,凑近皇贵堂问,这包子里的汤是咋灌进去的?他见皇贵堂面有难色,便说:"我知,惩做包子的技术保密,你别怕,我保证不外传,我又不做包子。"皇贵堂很为难,但又不敢不说,想了想,只得向刘茂恩透露了一点"配方"。他告诉刘茂恩,把煮好的肉冻切成小块儿,一个包子里放一块,上笼一蒸,不就化了吗。刘茂恩一听恍然大悟,说:"嗨,隔行如隔山,这么简单个事儿,一捅就破,我咋就没想到呢,看来,干啥的就是干啥的,我这辈子是卖不了包子了啊。"

　　刘茂恩来吃包子这一板,陈二勇是听皇秉忠喷的。因为陈二勇经常去西南城坡的席棚里吃包子,和皇家的人逐渐熟了起来,有关"一春楼"的背景他了解的不少。他和皇秉忠的最大共同语言,就是骂刘少亭不是个东西,忘恩负义,见利忘义,无情无义,不学无术,不择手段,不可救药。骂来骂去,最终的话题还是归到,没有皇家就没有今天的"一春楼"。皇秉忠的儿子皇建新对此有不同看法。皇建新和陈二勇一般大,初中毕业下了两年乡,回城后分到运输公司当了几年会计,平时爱好瓷器,自己活动活动,调到官瓷研究所烧窑,后因官瓷不景气,工资又低,办了个停薪留职,和他爹一块在西南城坡卖起了包子。老人们之间的恩恩怨怨,皇建新都是听他爹说的,他亲眼见到的,就是文化大革命刚开始,爷爷皇贵堂站在"一春楼"门前挨斗,刘少亭声泪俱下控诉皇贵堂如何讨好藤野,如何巴结刘茂恩,如何保守不教给他真正的技术,公私合营时如何对共产党心有余悸等等。当时皇建新不能理解,心里恨透了刘少亭,随着岁月的推移,他慢慢化解了许多东西,他觉得事物都不可能一成不变,在文化大革命那种年代里,谁能拍着胸脯保证自己没有喊过"打倒"二字?谁又能看到几十年后的今天是个这模样?不管他刘少亭处于什么动机,不管他嘴里如何喊与皇贵堂划清界线,他心里比谁都清楚,只要他刘少亭还捏包子,就是跑到天涯海角,他和皇家的这条界线也是划不清的,"一日为师,终身为父"这个理儿,再过一百年,全中国的人民都得认。

　　皇建新问过他爹,刘少亭为啥说爷爷不教给他真正的技术?皇秉忠说:"包子有多少巧?没多少巧,师傅领进门,修行在个人。恁爷惟一没告诉他的就是,咋样把握下笼的时间。在馅里做文章,只是个三分肥七分瘦,按这个法儿配料,包子蒸熟,一个包子一勺汤,没跑,告诉傻孙,傻孙都会。"

要说刘少亭从师学艺没下功夫,那也不实事求是,该学的,他都学到了,只是他跳不出和面配料这个圈圈,而和面配料只要操心,一般不会出啥问题,他始终认为,和面配料是包子灌汤的基本原理,而这个原理一直让他教条了大半辈子,直到文化大革命前夕,他虽然还是按师傅传授的原理操作,但是他还是悄悄地来了一点小小的革新。

事情是这样的:一九六四年,全国餐饮行业大比武,市二商局推荐参加包子比武的任务,自然交给了"一春楼"。那时,老掌柜皇贵堂是'一春楼'的总经理,自然也就把此项重任交给了皇秉忠和刘少亭。临去北京之前,老掌柜让他俩各自包了一笼包子,不让说明谁包的是哪一笼,他要亲自拿味。包子下笼后,端到老掌柜面前,老掌柜先尝了第一笼,满意地点了点头。接着去尝第二笼,包子入嘴之后,老掌柜眉头一皱,急忙伸筷子又尝了一个,细细一品味,不一道劲,口感和第一笼的不太一样。

皇贵堂指着第二笼的包子问:"这笼是谁包的?"

"是我,师傅。"刘少亭回答。

"馅里放啥了?"皇贵堂问。

"没放啥,还是固定的配料。"刘少亭有些不自然。

"固定配料都有啥?"皇贵堂眯起眼睛问。

"盐、姜、酱油、味精、香油、甜面酱。"

皇贵堂把眼一睁,说:"姐,你还唬我?皇家的包子,里头多啥少啥,就像眼睛里掺不得沙子,自家

的眼睛自家还不知？姐。"

刘少亭没法儿，只得从实招来："我，我把甜面酱换成白糖了。"

皇贵堂把眼合住，稳丝不动地坐在那里，一言不发，大半晌，才说道："'一春楼'的包子去北京，不能是两样味，把甜面酱换成白糖吧。"

"爸，这能中？……"皇秉忠瞪大眼睛。

"少废话，按我说的去做！"

皇秉忠没法，只得按他爹的指示去做，但心里却埋下了对刘少亭的怨恨。

一九六四年的大比武，汴京"一春楼"的灌汤小笼包子获得了包子的第一名，天津的"狗不理"，扬州的富春茶社的"四季新"，杭州的"南翔"，一些有着悠久历史的名牌包子，纷纷败在汴京"一春楼"的手下。在人民大会堂召开新闻发布会那天，汴京市二商局的局长，大出了一把风头，嘴里喷着吐沫星子，给大家介绍着汴京的灌汤小笼包子，铿锵有力地说："俺'一春楼'的包子虽然夺了第一名，这不算啥，俺汴京有的是好包子，俺汴京回民做的包子那才叫绝，说出来恁不相信，俺汴京回民做的一种素包子，馅里的油插根捻儿能点着，停电的时候，包子能当油灯使。恁信不信，不信恁去俺汴京瞅瞅，汴京的包子绝对绝天下第一。"二商局长的这番发言，在人民大会堂引起轰动，当场有记者就提问，"一春楼"包子的历史渊源出自何朝何代？二商局长给记者们胡喷一通，拉出了宋代的玉楼山洞梅花包子和鹿家包子。后来，老掌柜皇贵堂听说了二商局长在北京的这番发言，不满地说道："姐，胡连八扯，谁见过宋代的梅花包子和鹿家包子？我问过河南大学的教授，《东京梦华录》上也没说梅花包子、鹿家包子是个啥样,姐,想咋说咋说呗,汴京的包子都能把梅花包子当成祖宗,没啥考究。"

也就是因为那次比武,给刘少亭的生活带来了很大的改变。压北京回来后,他当了行业标兵,到处作报告、演讲,第二年,他入党了,接下来就是文化大革命,他与皇贵堂划清了界线。

老掌柜皇贵堂一九七一年秋天死在老家长垣县。老掌柜死的时候,身边只有孙子皇建新一个人。当时皇秉忠压毛泽东思想学习班里才出来,被调去给挖防空洞的人们做饭,一天三晌离不开。皇建新在爷爷的床跟儿守了一个星期,在这一星期里,他得到爷爷的真传是他爹都不可能得到的,皇贵堂把灌汤包子的秘诀,在临终前毫无保留地告诉了他的嫡孙。皇贵堂苟延残喘地说:"姐,甜面酱改白砂糖,那是小打小闹,不是包子味道的关键。包子味道咋样?中不中?关键在上笼的时间,三分?七分?十分?十五分?出来的味道都不会一样,姐,都在面和馅上打主意,傻乖乖们,恁错的多……"皇贵堂让孙子给他点一支烟,然而,他已经没有力气抽烟了,当孙子把烟搁在他嘴片上时,他说完了人生的最后一句话:"姐,烟比包子香……"

一九八一年,刘少亭当上了"一春楼"的经理,上任的头一天,他在全体职工大会上说:"咱'一春楼'的包子,在汴京城里一直是排老大,为啥一直是排老大?因为咱不墨守成规,咱是在传统的基础上,不断创新,不断发展,才有今天的位置。我们要继续沿着这条路走下去,勇于抛弃传统……"

刘少亭正侃侃而谈之时,坐在下面的皇秉忠站了起来,大声问道:"刘经理,我有一点听不明白,按你话的意思,这'一春楼'能有今天,和俺爹没啥关系了？'一春楼'的包子不姓皇，姓刘？"

会场鸦雀无声。"一春楼"的职工们心里清亮，今天要有一场好戏看。

刘少亭耐着性子，对皇秉忠说："师兄，有啥事儿咱俩下去再说……"

皇秉忠把胳膊一挥："不中，现在就说，当着大伙儿的面说！"

刘少亭把脸一沉，拿出了一点儿经理的口气："师兄，你咋这样？这是在开会。"

"谁是你师兄？别耽误你的事儿！"皇秉忠像炸药一样被点着了，指着刘少亭的鼻子骂道，"全汴京人民不知你是个啥东西，我皇秉忠知你是个啥东西，你创新，你不墨守成规，你想把俺皇家抹净就抹净了？这'一春楼'就成为你的了？没门！这'一春楼'的一草一木都有俺皇家的血汗！"

刘少亭顿时脸色煞白，满脸的肉一个劲地在跳，嗓子里的腔也变了音："皇秉忠，你说话要招呼，这'一春楼'不是哪家的，是党的，是人民政府的。"

"别吓唬俺，俺家还放着公私合营的股份文件呢，你说这'一春楼'没俺皇家的份儿？"

"那是那个历史时期。"

"哪个历史时期？红军长征时打的借条，现在还算数呢。"

"你知的还怪多呢，红军长征，红军为啥长征你知不知？打土豪分田地，砸碎旧世界，创造新世界，你懂不懂？"

"咿，乖乖，你知的真不少。"

"乖乖？乖乖是你的小名儿。"

皇秉忠指着刘少亭："乖乖，你想咋着吧？"

刘少亭一拍桌子："你想咋着吧？"

皇秉忠不吃这一套,反问:"你想咋着吧?"
"你想咋着吧?"
"你想咋着吧?"
……

俩人一替一声地就往跟儿凑。这种场面,在汴京城的街头巷尾是经常发生的,俩人挺头,互相不服的结果,便是找地儿见个高低,见高低的方法也大不相同,最终结局还是凭实力,拳头的实力,权力的实力,社会关系的实力,现在还必须加上一个经济实力。那时的皇秉忠和刘少亭,都是五十大几的人了,论拳头,皇秉忠大概不是刘少亭的个儿,因为皇秉忠必定比刘少亭大这么几岁,个头又没刘少亭高。也许是汴京这个地儿的人自古到今不愿受欺压的缘故,就连这个已经成了领导干部的刘少亭,虽知论拳头已经不符合身分,但当着全体职工的面,也不愿栽了份儿。两人往一起凑的时候,自然有人从中挡住。

汴京话,这叫两人挺头。但,这俩人的头是拳头挺不起来的。经上级主管领导同意,一张处分皇秉忠的布告贴在"一春楼"的墙壁上。在布告贴出的当天中午,生意正红火的时候,皇秉忠往店堂里一站,破口大骂了一中午刘少亭,骂完后说:"老子不干了,你没法儿了吧?"

皇秉忠炒了"一春楼"的鱿鱼。

转眼,到了一九八九年。这一年汴京城里的饮食业好不热闹,尤其是卖包子的,如雨后春笋般遍布汴京城的大小角落,那些以往已经销声匿迹的品种,和新发明的品种,会不知影儿的从哪个角落里冒了出来。汴梁包子、菊城包子、王家包子、张家包子、李家包子、白家羊肉包子、牛家油炸包子、河道街的素

包子、北土街的薄皮包子、上海的青菜包子、广东的松叶包子、南京的豆沙包子、大连的太子包子、天津的狗不理包子、扬州富春茶社的四季包子、新疆维吾尔族的烤包子……大街小巷,门脸高挑着的,除了酒幌,就数包子招牌使人眼花缭乱。然而,在一片熙熙攘攘之中,异军突起的不是别人,正是西南城坡大席棚内的皇家包子。这时的皇家包子,别瞅席棚不打实,席棚外停的都是高级轿车。皇家包子的老板皇秉忠一问,那些西装革履的吃家当中,有不少是压郑州专门来吃皇家包子的。无庸置疑,皇家包子的名声叫响了。

就在这一年里,"一春楼"二三十年以来第一次感到高处不胜寒。总经理刘少亭每天亲自过目日营业额,每天中午快上人的时候,就压办公室来到店门口一站。俗话说:"瘦死的骆驼比马大",尽管日营业额每况愈下,凭着这块老牌子,一些老顾客还是不少。了解顾客心理的人知,任何一个老字号,顾客如果经常见不着掌门人在店中,多少会有一点遗憾。所谓老字号,不单是要有一块古色古香的牌子,还要有顾客信任的老面孔,有这样的老面孔往店堂中一站,人们心里似乎会踏实许多。

外国的穷人吃啥?汉堡包,麦当劳。中国的穷人吃啥?包子。汴京的款儿们,再有钱,一早起来,要不,去寺门喝汤;要不,就往街头小摊一坐,一盘包子,一碗胡辣汤,有钱人吃的得得劲劲,没钱人也吃的得得劲劲。别看四面八方的包子都涌入汴京城,但,汴京人最认的还是自己的包子。刘少亭担心的也不是外来包子的冲击,对他威胁最大的不是别人,正是西南城坡皇家的那个大席棚。刘少亭为此苦想了几个晚上,这一天一上班,他便把"一春楼"的几

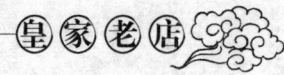

个头头叫到他的办公室里,门一关,开了一上午的会。

刘少亭在会上对几个副手说:"死一式①怕是不中了,再不想招儿,吃包子的人都窜到西南城坡了。我问恁几个问题,恁实事求是地说中不中?"

几个副手:"中。"

刘少亭:"咱'一春楼'的创始人是谁?"

几个副手:"皇贵堂。"

刘少亭:"皇家包子凭啥厉害?"

几个副手:"皇贵堂。"

刘少亭:"我想了,他皇秉忠早晚有一天会打出他爹的旗号,压西南城坡挪进城来和咱抗膀子,俗话说,'先下手为强,后下手遭殃',咱先把皇贵堂的旗号给打出去。"

几个副手面面相觑。

刘少亭瞅了一圈副手们,瞅出了他们心里的顾虑,于是又问:"恁说,皇秉忠的师傅是谁?"

几个副手:"皇贵堂。"

刘少亭:"我的师傅是谁?"

几个副手:"皇贵堂。"

刘少亭:"这不就妥了吗,不管别的啥,只要人民群众认我和皇秉忠是同出一门的师兄弟,咱就先打出皇贵堂的旗号来,恁说中不中?"

几个副手:"中。"

一星期之后,"一春楼"的招牌下面,又多出一块黑底烫金的牌子,上面写道:"名师皇贵堂亲授弟子刘少亭主理。"可别小看这十四个字儿,爱打听事

---

① 汴京方言。"死一式",认死理的意思。

儿的汴京人,压门前一过,便会问道:"皇贵堂是啥人?"知一点底细的人打渣子道:"去球了,皇贵堂都不知? 白混,刘少亭混的怪光棍,政协委员,人大代表,他要不会捏包子,也去球,恁连皇贵堂都不知? 去球了恁。"

要说眼望儿的人,知皇贵堂的人还真是不多,但汴京这地儿,不管哪个行当,只要挑头的中,服家就多,服家一多,传播就广,传播一广,名声就大,名声一大,各种离谱的传说都会有鼻子有眼。刘少亭首先亮出皇贵堂这块牌,确实当用,好些只知刘少亭不知皇贵堂的人,听知底细的人一张扬,顿时对那块牌子肃然起敬,更加确认"一春楼"的包子要比西南城坡的包子更正宗。

就在刘少亭挂出皇贵堂牌子的时候,似乎是遥相呼应,包府坑新开张的一家包子馆,也打出了皇家包子的旗号。本来应该是对"一春楼"形成的威胁,一下转加给了皇家。皇秉忠在听说"一春楼"打出他爹牌子的同时,又听说包府坑打出了一家皇家包子的旗号。这两条消息无疑是在皇秉忠耳边炸响了两颗炸弹,他破口大骂了一天之后,对儿子皇建新说:"刘少亭打恁爷的牌子,咱没法,小人也好,君子也罢,群众的眼神儿是清亮的,恁爷是不是他师傅,恁爷不吐口谁也没法儿。这包府坑又冒出一家皇家包子,是咋回事儿? 这可得弄清楚,汴京城里真是妖怪不少,我倒要瞅瞅是何方妖怪,不知死活,也敢打咱皇家包子的旗号。建新,你明儿个去包府坑瞅瞅,咋回事儿。"

第二天晌午头,皇建新骑着自行车去到包府坑,果然瞅见有一家刚开张的"皇家包子店",门面不大,但位子显眼,正在十字路口上,南来北往的人一目了然，皇建新心说："乖乖，这可真是顶俺的行啊。"

皇建新扎住车，下车后装着顾客进了店。此店刚开张，包子打八折，生意还算可以。皇建新找着位子坐定后，要了一笼包子。他在等包子下笼时，突然听见乱哄哄的店堂内传来一个非常耳熟的声音，他扭头一看，只见陈二勇在和别人说话。

"俺这儿的包子，也是得皇贵堂的真传，西南城坡皇家是真的，俺这儿也假不了，俺这儿的老板不姓皇，'一春楼'的经理也不姓皇，不见得非得姓皇才是皇家的包子，杨门女将非得都姓杨？佘太君，穆桂英，不照样。"

皇建新气得在心里一个劲儿地骂："杂碎，怪不得这么多天不照头了，跑到这儿来开包子店了。"

皇建新很有涵养，他没立马和陈二勇照头，而是等包子下笼，吃罢之后，才找到了正在柜台内，和一个老太婆一块儿点钱的陈二勇。

"陈老板，忙着呢？"

陈二勇一抬头，瞅见皇建新，窘迫之极，语无伦次："咦，老兄……咋……我这是，是帮忙……"

"没事儿，没事儿，该咋着咋着。"皇建新微笑着说，"包子缺点味，面和的也欠点功夫，你瞅人家'一春楼'，机器和面，中，和出的面精道，俺家是手工和面，这手工和面要得法儿，看来恁这'三软三硬'的要领没掌握住，想要包子不掉底儿，也不光是面上的功夫，咋着，要不要我教你两招儿？"

"咦咦，老兄，你别误会，别误会。"陈二勇拍着胸脯向皇建新保证道，"俺真没有偷学恁的技术，俺要是用了恁的技术，我陈二勇不是娘生娘养的。"

皇建新摆着手说："别赌咒，别赌咒，我没说恁

的技术是偷学俺的,俺皇家的技术,除了教,偷偷不走的,我今儿个把话撂这儿,就恁这技术,最多撑仨月,不关门剜了我俩眼。"

陈二勇说的是实话,他和这个老得不像样的老太婆合开的这家包子店,既不是皇家的技术,也不是"一春楼"的技术。要说不是皇家的技术吧,追根寻源,还与皇家老掌柜有关,老掌柜皇贵堂要是知汴京城里冒出了这么一家皇家包子,在九泉之下也会捧腹笑岔气的。因为事情经过是这样:

一九四八年六月中旬,解放军挑了个大热天围攻汴京城。当时汴京城内只有国民党的第六十六军李仲莘的一个旅和刘茂恩的几个保安团。蒋介石命令刘茂恩和李仲莘坚守三天,由驻在兰封的邱清泉的新五军前来解围。刘茂恩和李仲莘坚决执行老蒋的命令,刘茂恩负责指挥保安团,李仲莘负责指挥一个旅,扎开架势,喊出了"誓与汴京共存亡"的口号,坚守三天。刘和李两天就招架不住了,汴京的大、小南门和东边的宋门、曹门均被解放军攻破。解放军那是真能打啊,摞着尸体往城里打,进城来首先控制了城内的制高点鼓楼,李仲莘退守龙亭后自杀,刘茂恩率家人退守到省政府大院,负隅顽抗。

当时住在省政府边的老人们,对那天的枪炮声记忆犹新,用刘少亭的话:"乖乖儿,'一春楼'里住的尽是解放军的伤号,一九四八年那一年,老掌柜成日愁眉苦脸,打恁大的仗,谁还来吃包子?"那一天,老掌柜站在门口,不断地往省府街上张望,心里说:"国民党真的就这么要完蛋了?刘茂恩真的不中了?"在老掌柜心里,国民党不中那是罪有应得,他觉得刘茂恩这人不算个孬人,挺讲义气的,啥时候吃包子啥时候掏钱,还请书法家重新写了招牌派人送来。在一阵紧似一阵的枪炮声中,老掌柜替刘茂恩担心起来。

再说此时此刻的刘茂恩,可真是到了戎马生涯最艰难的关头,解放军集中炮火一个劲地朝省政府院猛攻,院内的核心工事被摧毁,大礼堂内的弹药库起火,流弹横飞,爆炸四起,保安团在做着最后的抵抗。

刘茂恩在地下室里,见大势已去,拔枪自杀之时,被身边一个汴京籍,小名叫挠豆的随从,一把将枪夺下,挠豆说:"主席,你这是弄啥?打不过咱就跑呗,死了不是白死。"

刘茂恩沮丧之极地说:"跑,咋跑?解放军把省府街都给堵住了,城里城外尽是解放军,往哪儿跑?"

挠豆说:"没事儿,俺在汴京城光屁股长大,大街小巷俺都熟,主席放心,俺保证带主席出城去。"

挠豆让刘茂恩换上士兵的衣服,满头满脸缠上绷带,翻过省政府院的西墙,让其他几名随从用担架抬着,朝西南方向逃窜。挠豆觉得白天出城太招眼,稳妥起见,不如先找个地方藏着,等天黑再出城。于是,挠豆领着刘茂恩一行七人,藏到西南城坡一百姓家中,天黑后,刘茂恩又换上一身蓝布大褂,掺杂在出城的百姓之中,混出了汴京城。在往兰封逃窜时,挠豆一不小心蹉了脚脖,肿得像个发面馍,他实在是没法儿跟着刘茂恩走了。挠豆坐在沙地上,对刘茂恩说:"主席,恁赶紧跑吧,我的脚跟不上了,一旦解放军追来,咱都跑不掉。"

刘茂恩也坐了下来,说:"没事儿,坐下多歇一会儿,要跑咱一块儿跑,把你撇下,我刘某人太不人

物。"

"啥人物不人物,有主席你这句话,就算俺没鞍前马后白跟你一场。"挠豆一边揉着脚,一边说,"主席,有句话俺不知该说不该说。"

"没事儿,你说吧。"

"主席,俺瞅这国民党怕是不中了,俺就是脚不瘸,又能跟你跑到哪儿去呢?汴京城里,俺是上有老下有小的,俺是想……"

"你别说了,我知道了。"刘茂恩压兜里掏出一厚叠钱来,塞进挠豆手里,说,"这点钱你先拿着花,我再告诉你一个祖传秘方,今后不管是国民党的天下,还是共产党的天下,保证饿不着你。"

"啥秘方?"

"'一春楼'灌汤包子的秘方。"

挠豆惊讶地问:"主席,你咋还知这?"

刘茂恩自嘲地说:"三十年河东,四十年河西,谁能料到我今后不会去卖包子?唉,还是卖包子省心啊。"

刘茂恩坐在沙地上,把从皇贵堂那里听来的灌汤包子的秘方,告诉了挠豆,把挠豆感动得满脸泪,趴倒在地给刘茂恩磕了三个响头,目送刘茂恩一行消失在黑夜之中。

再说这个挠豆,一瘸一拐地先去到袁楼乡,躲在一个亲戚家,没多久,明哲保身的亲戚不人物,把挠豆交给了刚成立的乡人民政府。好家伙,给刘茂恩当随从,刘茂恩逃出汴京是他引的路,那还能有他的好?挠豆可是没少受罪,因为这一板,差点让打了头,在牢里蹲到一九六三年。挠豆压监狱里出来后,原本想在他家住的老会馆街开一家包子铺,可是他没敢,因为那时的"一春楼"已是官办的了,挠豆一

想,不中,别惹麻烦,一旦让人吃出我这包子和"一春楼"同出一辙,让我交代咋回事儿,又得扯出刘茂恩,那不毁了。挠豆一想,拉倒吧,安生吧,把刘主席这个秘方烂在肚里吧。为了生存,挠豆卖过"枕头糖"(大麦芽糖),干过"清场"(民间的红白事儿),捏过面人,吹过糖人,摸过彩,推过水车,后来认识了一个曾在第四巷"燕洛书寓"(妓院)做过姐儿,名叫小菊的女人。两人结婚不到三年,挠豆得病,临死之前,他对床前的小菊说:"我是不中了,没啥给你留,告诉你个秘方,不定啥时候就能派上用场。"

挠豆把这个秘方传给了小菊,而小菊根本就没把它放在心上。小菊想,做包子根本就不可能,面是定量,肉是凭票,据说,"一春楼"多买二斤肉,还要市政府特批。小菊压"燕洛书寓"刚出来那两年卖过一段馄饨,卖馄饨才多点肉,就这都卖不下去,卖灌汤小笼包子?小菊想都不敢想。几十年过去,小菊变成老菊,无儿无女,靠街道上的接济维持着生活。夏天,在门口找块树荫从早坐到晚;冬天,同在街口晒暖的老头老婆凑堆儿,嘴里不停地念着她的"老婆言"。老菊的"老婆言"是老会馆街一带有名的,大人孩子压她跟儿过,都要停住脚听上两段。

一九八九年秋的一天,天空阴霾,菊老婆像往常一样坐在街口,念她口中的自编的熟语:"一儿一女一枝花,多儿多女多冤家。""烧香磕头难求福,种豆得豆吃豆腐。""好坏全凭群众嘴,杨清潘浊是湖水。""皇家包子一勺汤,老婆我手里有秘方。"……

"你说啥。老太太?"正在跟前听的一个年轻人,急忙打断了菊老婆的熟语,"你的手里有秘方?啥秘方?说着玩吧?"

菊老婆翻了年轻人一眼:"说着玩啥,你要不要？要我卖给你。"

这个年轻人不是别人，正是陈二勇。

陈二勇要花一千块钱买菊老婆的秘方，菊老婆不卖。照说，这一千块对菊老婆来说已经是一笔数目不小的钱了，可这汴京人气蛋，一堆儿老头老婆一听有人要做买卖，便叽喳起来。没文化的老头老婆叽喳吧，也就算了，那有文化的也跟着叽喳。一个剧团退休的老导演，成日也在街口坐，他说的话，一堆没文化的老头老婆坚信不移。老导演说："这可不能瞎卖啊，这是知识产权，知不知啥叫知识产权？知识产权可不是卖破烂，三文不值两文的，要卖就卖个大价钱，要不然就共同合作，利益分成，二一添作五。"

事情叽喳了几天，菊老婆终于和陈二勇达成了协议，陈二勇出钱找房开店，菊老婆出技术。包府坑这家"皇家包子馆"就这样开张了。

皇建新并没有和陈二勇论短长，他吃罢陈二勇的包子后，心里有了数，那算啥皇家包子，十个包子八个掉底儿，一吃就知，馅使的就不是后腿肉，肥瘦的比例也不对，且不说面和的既不光滑也不筋柔，十八至二十个绉折只捏出了十六个，掉底的不说，不掉底的汤也跑得干干净净，毛病多了，用汴京话说："野仙做的包子，尽瞎糊弄。"

皇建新不能忍受的不是陈二勇的包子，而是他打的这块牌子，汴京就这大一块地儿，好些不知天高地厚的货们，都打皇家包子的牌子，咋办？于是，皇建新压陈二勇的店里出来，直接找到一家律师事务所，经律师指点，皇建新第二天就去把"皇家包子"进行了商标注册。注册罢商标没两天，工商部门就找到陈二勇，勒令三日内更换招牌，如不执行，就将

封店。

陈二勇和菊老婆合开的这家"皇家包子馆",刚开张一个星期,生意还中,不管咋样,"皇家包子"的旗号,确实能唬住人。皇建新把商标这么一注册,牌子不让挂了,加上包子的质量根本不是那么回事儿,很快生意就萧条起来。陈二勇每天一核算,连房钱都包不住。陈二勇开始骂菊老太:"啥鸡巴秘方!秘方,毒药方,药死人不偿命,要逼老子跳楼啊!"

菊老婆不挺,哆嗦着手指着陈二勇的鼻子:"你这孩儿,吃人饭咋不说人话,咱俩是周瑜打黄盖,愿打愿挨,赔了赚了都得二一添作五,都这吧,我老婆子也跟你生不完这个气,我退出,你把该是我的钱分给我拉倒。"

"啥?你说啥?"陈二勇的眉竖到了额头上,"发你的迷,该滚蛋赶紧滚蛋,我没问你要钱就算好的了,你还问我要钱,耽误你的事儿,晚生五十年,你还去干你的本行!"

别看这菊老婆七十多了,压年轻时候脾气就叫①,每章儿在"燕洛书寓"的时候,因为客人没按价付钱,她曾拔去头上银钗扎破客人的脸。眼望儿虽然是老了,秉性依然不老,菊老太婆甩开老腔和陈二勇对骂起来:"妈那赖孙×!不查查你那儿有几根毛,奶奶啥人没见过,早生你五十年,你当个汉奸,晚生你五十年,你当赖孙、鳖孙、兔孙、龟孙、王八孙、腌臜孙、不要脸孙……"

菊老婆的嘴是真得劲,连珠炮似的把陈二勇骂得不弹展儿②,陈二勇递不上嘴了,便递上手,他冲

---

① 汴京方言。"叫",暴躁的意思。
② 汴京方言。"不弹展",还不上价钱的意思。

上前,一把搦住菊老婆那除了皮就是筋的脖子。他本想吓唬她一下拉倒,让她闭住嘴,谁知,他还没使一点劲儿,菊老婆就翻了白眼。出了人命,啥都别说了,吃官司,爬堂,下死牢,枪毙。汴京城里的人都说陈二勇这货不值顾,菊老婆活够本了,他陈二勇年轻轻的。没法儿,杀人偿命,自古以来就是这个理儿。

枪毙陈二勇那天,刑车压大南门过时,皇建新也站在路旁观望。他心里说不出是个啥滋味,他觉得从某些方面说,是他害死了陈二勇,不就是开个包子馆吗,何至于上刑场打头呢? 一连几天,皇建新像霜打了似的,闷在大席棚里绞肉馅儿。他爹皇秉忠一连几天忙得是大头小尾巴似的,皇秉忠在迎宾路上样中一大门面,楼上楼下大厅带包间三四百平方。老爷子高兴坏了,嘴里不停地说:"这一回我要不给刘少亭个好看,那才怪,看看到底是恁'一春楼'中,还是俺皇家中,这一回要分出个公母来呢,这口恶气,我憋了快二十年。"

皇秉忠终于把迎宾路上的大门面拆洗下来了。老爷子找来装修队和泥瓦匠,楼上楼下里外装修,垒灶间,盘煤火,购置全新的餐桌餐具,托熟人请来一个南方工匠,按他规定的尺寸和要求,做了二百个松木笼屉。老爷子得意地对儿子说:"听说'一春楼'在盖一个可高可大的新楼,他的楼就是盖进云彩眼里,也白搭。他刘少亭可会革新,把木笼屉改成啥铝合金的,尽扯蛋,铝合金的能有木的聚气? 祖上传下来的玩艺都有祖上的道理,就是到美国,熬咱的中药也得使砂锅,练咱的武术也得扎咱的板带。"

"中了,咱卖咱的包子,他卖他的包子,谁想咋卖咋卖,较那劲儿弄啥?"皇建新不耐烦地说。

"较那劲儿弄啥? 不较那劲儿,就没有咱皇家

今天的生意。"老爷子指着"一春楼"的方向,大声道,"'一春楼'的老字号不是让他们用了吗,今儿个我把话撂这儿,我再起个名儿,照样汴京第一,照样成为百年的老字号!"

开业那一天,皇秉忠率全家,郑重地将皇贵堂镶镜框的大照片,挂在正厅正对门的墙上。开业那天好不热闹,请来了市里的头头、工商税务、公检司法、派出所、街道办事处、居委会、国营企业的经理、个体公司的老板、各界名人、还有老红军;唢呐队、盘鼓队、秧歌队,还有一支军乐队,气派大透了;从晌午到晚上,流水席,一共待了快五十桌。老爷子那天真是高兴,一辈子也没这么高兴过,七十多岁的人了,支应了一整天,喝酒加累加兴奋过度,下晚就不算数了,回到家一洗澡,老爷子晕倒在澡盆里。

皇秉忠被拉进了医院,一诊断,脑溢血,抢救了三天三夜,才算脱离危险。皇建新守在老爷子的病床旁,呆呆地想:"这是弄啥,这包子就这么重要?难道真是汴京人说的那样,'不蒸包子蒸口气'吗?"

"皇家老店"焕然一新重新开业,委实吓了刘少亭一跳。在皇家重新开业的头一个星期里,"一春楼"的生意明显滑坡,以往晌午头一轮吃罢至少还有一轮,这一星期里,一轮吃罢就不见人了。刘少亭是个足智多谋、不甘寂寞的人,他不会坐以待毙,等着皇秉忠把自己挤出历史舞台。在"皇家老店"开业的期间,他独自去了一趟扬州,扬州富春茶社的总经理江善南,是他一九六三年在北京比武时结交的朋友。扬州的富春茶社,也是一家有着一百多年历史的老字号,以经营各色点心而名扬四海。其包子品种多达几十种,且依四时八节而变,夏天的干菜包

子,秋天的蟹黄包子,冬天的鸭菜包子,四季常新。

刘少亭在富春茶社考察了三天,发现极受顾客欢迎的五丁包子是以肉丁、冬笋丁、鸡丁、海参丁和虾仁丁佐以酱油、鸡汤等拌成。这五丁包子给了刘少亭很大的启发,在打道回府的路上,刘少亭琢磨,你扬州能搞出五丁包子,俺汴京就不能搞出八锦包子来吗?听说西安有饺子宴,汴京就不能有包子宴吗?刘少亭主意已定,回到家后就召开了领导班子会议。

刘少亭说:"皇秉忠打出皇贵堂的旗号虽落后咱一步,但那是他爹,他只要喊,肯定就比咱响亮。他有他的优势,咱也有咱的优势,他是私营,咱是国营,他在城外,咱在城里。依我看,早晚有一天他皇家会杀进城的,咱要是还打着皇贵堂的旗号,吃亏的是咱,咱的出路在哪儿?在变,在创新,我的话恁同意不同意?"

副手们:"同意。"

刘少亭:"真同意假同意?"

副手们:"真同意。"

"好,咱说干就干。"刘少亭压兜里掏出两张纸来,戴上老花镜:"夜个儿晚上,我搭夜拟了个方案,我念念,恁看中不中?"

副手们:"中。"

刘少亭严肃、郑重其事地念道:"标题是'继承传统,再创辉煌;三年小变,五年大变;一春楼一春楼,更上一层楼'……"

刘少亭推出的"小笼包子宴",全称叫"八锦风味包子宴",由鸡丁、韭头、鱼仁、虾仁、山楂、三鲜、麻辣与传统品种灌汤包子八种风味组成。你别说,花样一变就是不一样,八锦包子隆重推出后,马上受到各界人士的青睐,无论是公款请客还是私款请客,只要是吃包子,首先想到的便是八锦包子宴。一时间,汴京城里的餐饮业,让"一春楼"这八锦包子压得有点喘不过气来。

皇秉忠是在病床上听说这个信儿的,老爷子一边打着吊瓶,一边对儿子皇建新进行部署:"你去找几个记者来,我要开一个新闻发布会,他刘少亭憋别人中,憋我憋不住,啥八锦包子?压扬州富春茶社学的,偷去吃了,吃到底他还是咱皇家教给他的灌汤包子,有一样是他刘少亭自己的玩艺儿吗?"

"中了,中了,你老安生吧,也不瞅瞅你是在哪儿,病治好了再开新闻发布会中不中?"皇建新劝解道。

"不中,坚决不中,我非得和他刘少亭战到血海里不中!"

皇建新心里清亮,就他爹这个身体,不能再这样较劲儿下去了。皇建新交代全家人,今后有关"一春楼"的情况,一概对老爷子进行封锁,啥时间问到"一春楼",就说八锦包子不中了,没人吃了,快关门了,老头爱听啥就给他说啥。大夫告诉皇建新,老爷子这病即便是好了,身体也不可能像以前那样自如了,家里人招呼好了问题不大,招呼不好,就很难说。皇建新清亮,"皇家老店"今后全靠自己了。

老爷子得病,"一春楼"推出八锦风味包子,对"皇家老店"无疑是雪上加霜。而皇建新考虑更多的,并不是再围绕着"一春楼"做文章,有一点他坚信不移,"一春楼"的八锦包子沸沸扬扬一阵之后,顾客的心态静下来,依然会这样说:"皇家的包子,是'一春楼'的师傅,去吃皇家的包子,才算吃到根上。"

转眼,陈二勇被枪毙几个月了,汴京的老年人又套上了羽绒衣,但,如果你留意去看那相国寺门前,许多在那里晒暖的老年人,他们身上依旧保持着老伴一针一线做出的棉袄。

这天晌午头,皇建新走进店里,跑堂的服务员就对他说,店里来了一个古怪的老头,进店来先给皇贵堂的大照片鞠了仨躬,然后往柜台上放了一百块钱,端着醋碟进了灶间。皇建新来到灶间,看见了一个非常可笑的镜头:一个头戴花线帽,身穿大红羽绒服的老头,手里端着醋碟,守候在灶间热气腾腾的笼屉旁,他谁也不答理,谁也不说话,服务员让他去厅内坐下等候,包子好了给他端跟儿,他瞅了服务员一眼,没有理睬。

皇建新走到老头跟前,说:"爷儿们,没事儿,你老去坐下,包子熟了头一个给你端。"

老头瞅了一眼皇建新,依旧没答理他。皇建新想,老头儿可能是个哑巴,他要站这儿就让他站这儿吧。

皇建新没有走开,在一旁留意着老头的举动,因为他觉得,这个老头不像一般的老头,有种说不出来的感觉,气质不凡,神态凝重,皱纹堆积的一双老眼之中,虚中有实,实中有虚,时而闪烁出的几星光芒似有巨大的力量。在他用鼻子去闻笼上雾气中的清香时,让人感到是那样的深情,那样的痴迷,那样的满足,那样的心驰神往……

下笼时间已到,皇建新走上前拉开下笼的伙计,亲自下笼。当他刚把最顶层的笼屉端下来时,更令他惊奇的一幕展现在眼前。只瞅见那个迫不及待的老头,伸手就往笼里去捏。

"别拿,烧!"皇建新急忙喊道。

老头不管那些,皇建新喊叫时,他已把一只包子捏在手中,搁进了醋碟。

"你爷儿们真中,没见过你这样急着吃的,不怕烧着你喽。"

我行我素的老头,根本不答理身边的皇建新,使手压醋碟里掂起包子,放进嘴里,又哈气又吹气,呲牙咧嘴地把包子吃下肚。

老头长出了一口气,终于开口说话了:"六十年的,没有的吃,大大的好!"

"爷儿们,你……你压哪儿来?"

"你的,皇贵堂的什么的干活?"老头开始上下打量皇建新。

"皇贵堂是俺爷,我是他孙儿。"

"我的,皇贵堂的朋友,藤野。"

皇建新大惊道:"我的爷,你是藤野爷……"

藤野的出现,是皇家人所料不及的。这一段往事儿,皇建新常听他爹皇秉忠喷起,印象最深的就是,藤野每一次来吃包子都先付钱,钱付多了总是不让找。每喷到这一板,皇秉忠就会撇着嘴说:"瞅瞅人家老日,丁是丁卯是卯,规规矩矩,比国民党强。国民党的干部不人物,十个有八个签单。"在皇建新心里,这个藤野是日本人里好的那种,所以藤野的到来,使皇家的后人,对老一辈人的这种友谊倍加珍惜。

吃罢包子,皇建新领藤野去医院看了皇秉忠,压医院出来,又领藤野故地重游,去龙亭、铁塔、相国寺转了一遍。藤野告诉皇建新,他先找到山货店街,一步步打听才找到迎宾路来的。藤野很高兴的不完全是又吃到了皇家的包子,而是山货店街、徐府街、书

店街虽有改变但变化不大，好找，他遗憾的只是不见了鼓楼。倒使他不明白的是，"一春楼"既然是皇贵堂的，皇家的后人怎么都跑到迎宾路上来了？皇建新对他说，包子的事儿，不光是吃的事儿，里头有许多恁外国人不懂的东西，为啥人们喜爱吃包子，就因为能吃出意想不到的命运来……

藤野站在龙亭上，望着面前的汴京城，对皇建新说，日本侵略汴京的时候，抢夺走许多好东西，他这次来汴京，是要再把汴京的包子"抢"走，他要投资，让皇建新在汴京创办一家速冻包子工厂，每年向日本进口十万箱汴京的包子，让汴京的包子进入日本各大城市的超市。皇建新瞅着这个踌躇满志的日本老头儿，心想："这些货们是咋保养的，俺爷咋就活不到这个年龄呢？"

藤野在汴京停了三天，与皇建新达成了办速冻包子厂的意向后，双方草签了一份协议。藤野走了，皇建新却睡不着了，他在想，一年出口十万箱包子，那可不是吹气儿，传统工艺的灌汤包子，厨艺要求高，不宜工业化，也很难工业化，日本人吃包子，也是抱着欣赏中华美食文化的心理去享受的，这样的包子惟有坚持手工制作才能保持其特色和风格，它独特的风味不是工业化生产所能做到的。十万箱包子得多些人和面多些人捏？凭"皇家老店"这几十号人？弄死也不中。皇建新这时想起了陈二勇，暗自叹气道："那孩儿要是活着，倒是个不错的帮手，喜爱包子，又想发财……"

晚上，皇建新来到医院，一进病房门，老爷子冲他就吼开："咋，听说你要办包子工厂？胡闹台，守住'皇家老店'干好就不容易，鲜点不少，尽些花屁股门儿，机器能捏出包子？"

皇建新睃了一眼病床旁的弟弟妹妹,说:"咋就不能,你瞅瞅市面上速冻饺子卖多好,速冻包子照样。"

老爷子眼一瞪:"扯蛋!日本人恁能,学去了咋办?"

"日本人只想吃包子,没空学这,人家要学这,当年把俺爷和你押到日本去不妥了,还用着费这劲?"

老爷子沉默片刻,喝了一口水,说:"学就学吧,这年头该保住的秘密就能保住,不该保住的秘密咋喽也保不住,刘少亭跟了皇家这多年,他能的不轻,恁爷不想教他的,他不照样学不会,'一春楼'的包子和'皇家老店'的包子错在哪儿?馅儿有啥秘密?皮有啥秘密?啥秘密都没有,到老刘少亭也不知这秘密在上下笼的时间上,乖乖儿,我教给日本人也不教给他。"

皇建新说:"这多年过去了,有啥深仇大恨的,再咋喽,恁俩也是师兄弟,这汴京城真是怪了,练武术的是师兄弟爱掐①写字画画的也是师兄弟爱掐,这蒸包子的也是师兄弟爱掐,这掐来掐去,又能掐出个啥名堂来呢?"

老爷子又急了眼,吼道:"那文化大革命……"

"中了中了,又是文化大革命,那本老皇历啥时候才能翻完。"皇建新手往窗外一指,"北宋末年,金兵入侵杀了咱汴京多少人,咋,咱现在跑到东北去杀人吧?都是中国人,弄啥?历史就是历史,过去就拉倒,要翻历史的老账,俺爷的包子还是人家光绪年间

---

① 汴京方言。"爱掐",爱斗的意思。

的御厨教的呢。"

老爷子不吭气了。

春节悄悄临近了,腊月二十三祭灶这一天,皇建新按照老爷子的吩咐,在店里摆上祭桌,桌上放上猪头、鸡、鱼三牲供品,燃香烧纸之后,他去了一趟南关陈二勇的家,给陈二勇的媳妇和孩子撇了五百块钱。离开陈二勇家,皇建新直奔寺后街去了。

"一春楼"搬进了新大楼,好不气派,身着古典旗袍的服务小姐,笑容可掬,清新典雅。离晌午还早,营业大厅空空荡荡,皇建新随便在一个位子上坐下。

"先生,您是吃包子吗?"服务小姐用普通话问。

"不,我想找一下你们经理。"

"请问先生您是……"

皇建新掏出一张名片,递给服务小姐。

"先生请您稍候。"服务小姐步伐很快地走了。

大约过了不到五分钟,刘少亭快步从里面走出来,大远就激动地高声喊道:"乖乖儿,乖乖儿,是你来了,我咋也想不到你会来这儿。"

皇建新起身,伸出手去:"师叔,身体还好吗?"

"好好好,见到你乖乖儿来这儿,师叔我心里……"刘少亭俩手握住皇建新的手,眼圈都想发湿。

"中了,师叔,还认恁这个侄儿就中。"

"乖乖儿,恁师叔啥时候心里都得承认,我是皇家门里出来的,皇贵堂是我老师,皇秉忠是我师兄,你皇建新是我侄官儿。"

"师叔,恁侄儿今天可是有事儿找你帮忙啊。"

"乖乖儿,情说了,皇家的事儿就是我的事儿,

情说了。"

皇建新笑道:"不是皇家的事儿,是咱汴京的事儿,是发展汴京小笼灌汤包子的事儿。"

皇建新把办速冻包子厂的事儿给刘少亭这么一说,刘少亭瞪大两眼,惊诧不解地问:"这好的事儿,恁爹同意拉上'一春楼'?"

"你看你,我不是说了吗,啥皇家包子'一春楼'包子,发展灌汤小笼包子是咱共同的事儿,皇家包子是谁的?'一春楼'包子又是谁的? 谁的也不是,是汴京人民的。"

刘少亭一时半会儿说不出话来。

中午,刘少亭硬留皇建新在"一春楼"吃了包子,爷俩在包间里喝了不少酒,刘少亭感慨万千地说:"乖乖儿,这些年,恁叔我经常想,有朝一日,把师傅的照片也挂到"一春楼"的门厅里,恁叔我对不起师傅,老了老了,小时候的事儿都回到脑子里转圈,没有师傅,确实没有恁叔的今天,唉,文化大革命……"

"打住,师叔,你咋跟俺爹一样,捞历史捞个没完,咱汴京的历史你能捞完吗? 咱中国的历史你能捞完吗? 人算个啥? 都得死,都得成为历史,只有咱的小笼包子,吃一万年还有人吃才中。"

刘少亭搂着皇建新的肩膀说:"侄官儿,恁叔是个爱创新的人,可恁叔再创新,也创不出你这份新啊。"

皇建新和刘少亭当天就达成书面协议,在西郊的开发区共同创建一座速冻包子工厂,刘少亭负责跑市里的关系,皇建新负责引进资金,用刘少亭的话说:"乖乖儿,咱爷俩联手,风调雨顺。"

就在皇建新和刘少亭轰轰烈烈建速冻包子厂的

时候,压台湾来了刘茂恩的后人,吃罢"一春楼"的包子又去吃"皇家老店"的包子。吃罢后说,刘茂恩一九八三年去世之前,家人问他想吃啥?吃啥买啥,刘茂恩说,想吃汴京"一春楼"的包子。

王少华汴味小说之五

旱天雷

上篇

序

《汴京文化志》中,有这样一段记载:一九四二年,汴京大旱,阴历七月三十,东郊乡皮屯塾师李茂,率下集数百面盘鼓,抬土柏岗关帝庙中关爷进汴京城,名为求雨,实为向日伪黑暗统治愤击盘鼓,四乡响应,爆发了汴京历史上最为震憾的千面盘鼓、数万民众声势浩大的游行。阴历八月初四,李茂全家正在自家地里收花生,被侦缉队几十支步枪,射杀在地头……

李茂何许人?据汴京群众艺术馆酷爱盘鼓的副研究馆员刘广合讲:"李茂是新四军的地下工作者,杀害他是当时的伪省长陈敬斋亲自下的令。"有人

对此也有不同的说法,东郊乡大王屯的李留根讲:"李茂是不是新四军不知,他是俺堂兄的四爷,听俺爹讲,李茂长个大块头,好朋友,讲义气,刀山火海都敢挺,是个人物。"

尽管志中有一点文字记载,但,半个多世纪前的事儿,考证起来是有点麻烦,过去发生的事儿,不管是正史还是野史,都已成为历史,眼前发生的,才让人看个实实在在。咱们下面要喷的这一大板,就是发生在汴京城里一群与盘鼓结下不解之缘的人们身上的故事。想看你就看,不想看,你找地儿喝酒、玩牌、喷闲空,弄啥都中。但我要告诉你,汴京城从古到今发生的大小故事,都有个讲究,都有个来头,用北京那些坐在宽敞明亮的大高楼里研究学问的老师们的话说:"这叫文化,汴京城里随便拾一个瓦片,都能让你研究大半辈子。"

开喷之前,还是给大家提个醒,还是别让那些喜欢对号入座的同乡,在故事没看完之前,就把几个主人公的门牌号码找着了,省得背后骂:"王少华这货,净瞎编,哪有这事儿,汴京城里根本就没这事儿。"有没有这事儿不碍咋,因为故事里的这一群人都不重要,重要的是,你觉不觉着汴京这地儿会发生这事儿,瞎喷也得往点上喷,得喷在谱不是?

一

公元一九八三年,汴京市七届人大常委会十七次会议,决定命名菊花为汴京市市花,并确定每年的十月二十五日至十一月二十五日为"菊花花会"会期。

首届"菊花花会"那天,昨天还是艳阳高照的汴京城,突然变天,一股寒流使温度骤下,灰蒙蒙的天空中卷着逼人的寒气,使人们不得不取出棉衣穿在身上。尽管天气变化,也阻止不住全城父老对菊会的热情,街上到处拥挤着人,到处是五彩缤纷的标语和招贴画,到处是喧闹的锣鼓和激昂的火鞭,汽车和人流把汴京城内的主要干道塞得满满当当,整座汴京城比过年还兴奋。

刘广合那天也跟着上街凑热闹,绕几绕,才绕到鼓楼广场外围。他站在乐仁堂药店的门口,踮着脚尖向东望去,除了人头还是人头。这时他听见身边一个脖子上扛着小孩的男人说:"恁爷爷一会儿就过来了,瞅好,恁爷爷是指挥打鼓的。"

大约又等了十来分钟,刘广合在挤拱不动的人群里站得腿酸,正准备离开时,就听见男人脖子上的那小孩高声叫道:"往咱这儿来啦,来啦!"刘广合再次踮起脚尖向东望去,果不其然,他远远瞅见了高跷上的人在舞扇子。

隆隆的鼓声像满天满地滚动着雷,向刘广合迫近。

"过来啦,爸,俺爷过来了。"小孩儿高喊着。

刘广合没有看见过来的鼓队,他翘首看到的是,一片白色水蒸气,在鼓楼通往寺后街的上空袅袅扩散,就像一片在无风的秋季移动的白色薄云,又像一架缓慢前进的蒸汽机,不停地散发出必须散发的热能。

"我的天,这是盘鼓队……"

刘广合的自语被扛孩儿的男人听见。

"你当是啥?就是这,全赤脊梁。"

"为啥赤脊梁?"刘广合问。

扛孩儿的男人张望着街面,说:"得劲!"

刘广合没往下再问,这时他已经看见鼓队前面

耍的水火流星。男人脖子上的小孩儿在用稚嫩的声音叫喊"爷爷！爷爷！"

"别喊了，恁爷爷聋，啥都听不见。"扛孩儿的男人说。

"鼓声也听不见吗？"脖子上的孩儿问。

"打鼓声听见了。"扛孩儿的男人说。

"为啥？"脖子上的孩儿问。

"不知。"扛孩儿的男人说。

此时，倒海翻江的鼓声已将所有嘈杂覆盖，在这万民倾城的时刻，这支赤脊梁的盘鼓队是主角。刘广合在人头缝里终于看见了小孩儿的爷爷。这是一个强壮的老者，高个，花白头，红脸堂，大眼，高鼻梁，乍一瞅还估摸不出岁数，但细一瞅，大骨头架子上，所有的皮都往下垂，老年斑遍及全身，但你从他那两只胳膊上退化的肌肉可以看出，从他那两条虎跳前行的大腿上可以明白，他仍有摔倒一头牛的力气。

老者虎步跳跃着，随着他手中的大令旗上下左右摆动，老者神情专注，将他手中的令旗低压，如猫般轻巧时，鼓手们便成了骑马蹲裆势，使鼓槌轻轻击敲着鼓边。就在这时，刘广合听见身后一声吆喝"着路①！着路！着路！"刘广合扭头一瞅，压乐仁堂的门面里挤出一个二十来岁的小伙子，手里一长条板凳举过头顶，奋力挤过人堆，跃到了街面上，只见小伙子把长条板凳横摆在行进的盘鼓队头里，压鼓鼓囊囊的怀里掏出一条烟搁在长条凳上，又压怀里掏出一挂火鞭，点燃。老者见此行为，停止虎步跳跃，使手中的令旗一摆，鼓手们便向两旁大步跨开，

---

① 汴京方言。"着路"，让开的意思。

边击鼓边自动形成圆场。这时,跟在鼓队后面的旱船竹马、小车高跷进到扩出的场子里来,开始表演。

已是深秋季节的汴京城,被这一群光膀子汗马流水①的大男人们的鼓点敲升了温。在汴京城里混了半辈子的刘广合,压小就喜欢跟在盘鼓队的屁股后头走街,可此时他却一点也找不到孩提时的感觉,在他的记忆里,也曾有过打盘鼓光膀子的印象,但今儿个他好像头一次看见盘鼓,头一次这样挤在人堆里,头一次把自己的心和所有人的心一起交给了盘鼓。

随着鼓点在令旗手的指挥下不断地加快,鼓手们随着节奏放声叫喊着,街两旁的人群在热烈地鼓掌,热烈地叫好。这时,刘广合身后又传来大声的吆喝:"着路!着!着!着路!"刘广合一瞅,刚才那个"拦队"的小伙子在头里开道,他后面跟着一个穿中山装的老头儿,老头手里掂着酒瓶和酒碗。刘广合认识这个老头儿,此人是乐仁堂药店的经理,只见经理挤过人堆,来到老当益壮的令旗手跟前,把酒倒在碗里,将一满碗酒端给老令旗手。

刘广合身边扛孩儿的男人担心道:"老头儿,你可照护着自己,不敢喝完啊,是个意思就中了。"

再看那光膀子的老令旗手,接过酒碗,一憋气,将碗里的酒喝了个底朝天,只听经理喝道:"好!三十多年没听你打鼓了,今个一听,中,还是汴京第一鼓。"说罢,经理压口袋里掏出封好的银包,塞进老令旗手的宽板带里,对小伙子一挥手说:"再放一挂火鞭!"

---

① 汴京方言。"汗马流水",汗流浃背的意思。

噼呖啪啦的火鞭声中,老令旗手指挥鼓队继续前进了。扛孩儿的男人把脖子上的孩儿取下来,长出一口气,说:"这老头儿真中,秉性壮,那碗酒少说有四五两。"

刘广合说:"没事儿,就这么出汗,再走两道街,别说汗,尿都走没了。"

刘广合掏出了烟,递给扛孩儿的男人一支,于是,两人像熟悉多年的朋友,一边跟着人流随鼓队走,一边攀谈起来。

"老弟贵姓啊?"刘广合问。

"我姓鲍,大名叫鲍国庆,小名叫鲍三。"

"老爷子多大年纪了?"

"六十多了。"

"老爷子玩盘鼓玩了不少年了吧?"

"啥时候开始玩的我不知,压我记事儿,家里就挂着一盘鼓。"

"家在哪儿住?"

"仁义胡同五十六号,没事儿去找我玩吧,到仁义胡同情打听了,一问打盘鼓的鲍家,没人不知。"

……

那天晚上,刘广合失眠了大半夜,只要一闭上眼睛,他脑子里就出现一片白色的水蒸气,耳边就响起韵律很强的鼓点,真是太闹和人了,他感到他的脑神经简直就像一面盘鼓,鼓手就是他自己,他手中的鼓槌咋着也停不下来。他压床上爬起来,找了一盒邓丽君的带子,塞上耳机,想让脑子里的鼓声在邓丽君的缠绵之中安静下来。这一招挺灵,鼓声是消失了,可那一群赤脊梁的汉子仍在脑子里晃动,他拔掉耳机,索性下床,从书架上搬下《东京梦华录》,倒上二两酒,来了个就书下酒。在《东京梦华录》的卷之九中,他找到这样的文字:"两旁对列杖鼓二百面,皆长脚袱头,紫绣抹额,背系紫宽衫,黄窄袖,结带黄义阑。"又在卷之十里找到这样的记载:"画鼓二百面,角称之,其角皆以彩帛如小溪脚装结其上,兵士皆小帽,黄绣抹额,黄绣宽衫,月脯时,三更时,各奏严也,每奏先鸣角,角罢,一军校执一长软藤条,上系朱拂子,擂鼓者观拂子,随其高低,以鼓声应其高下也。"看罢这两段文字后,刘广合喝了一大口酒,用手挠着头说:"这'杖鼓'的描写,咋和现在盘鼓的表演这像呢?服装都这像……"大概快天明的时候,酒劲儿上来了,刘广合倒在床上睡了,脑子里的鼓声虽然停了,但梦中有一群赤脊梁的男人在敲盘鼓,背景音乐是邓丽君唱的那首《云河》,到处是白雾,敲鼓的男人们在白雾中穿梭……刘广合一觉睡到中午,直到他老婆下班回来,站在床头冲着他骂:"太阳都晒到腚了,还挺尸,闻闻这屋里,啥味?不干一点正事儿,还自称是搞文化工作的,搞啥文化工作?别耽误事啦,搞文化工作的也没几个像你这样二半夜爬起来喝酒的,和你过一家人,我算倒八辈子血霉啦!"

在老婆这样的骂声中,刘广合向来是自我调整得很好。他压被窝里爬起来,先抓过床头的香烟,点燃一支,舒舒服服地抽两口,然后把燃着的烟搁到床头柜边沿,开始穿衣服,穿上一件,拿起烟抽上两口,然后再搁回床头柜边沿,再穿上一件,再拿起烟抽上两口,再搁回床头柜边沿,慢慢吞吞,等上罢厕所洗漱完,动作麻利的老婆已把饭菜摆到了桌上。

饭桌上,老婆说:"刚才下班回来,在院门口碰见恁馆长,他让我告诉你,下午去馆里开会。"

刘广合一边往杯里续着酒,一边问:"开啥会?"

"我知啊?问恁馆长去。"

"他咋没进来?"

"让他进来,他说他还要去换面条。"

刘广合抿了一口酒,点着头说:"我知开啥会了,省里要举办民间舞比赛。"老婆大口嚼着嘴里的食儿,说:"庄稼不收年年种,搞这有啥意思,能给汴京人民做多大贡献?"

刘广合斜了老婆一眼,说:"知啥?"

老婆把嘴里的食儿咽下肚,说:"工人造产品,农民打粮食,解放军保卫祖国,学生上学,老师培养下一代,恁说说,恁创造了点啥财富?"

刘广合:"俺创造的精神财富,俺是上层建筑……"

老婆:"下层建筑恁都算不上,别耽误瞌睡了,市里开大会表彰劳动模范,上层建筑的市长给下层建筑的环卫工人戴大红花,你在哪呢?你领着人在会场外吹喇叭扭秧歌哩,我不知你算个啥建筑,不上不下的建筑。"

刘广合一口酒呛住了喉咙,不住气地咳了起来,脸憋得通红。

下午,刘广合去馆里开了会,会上馆长问他对民间舞比赛有什么具体的想法?他摇头,说让他考虑两天再说。从馆里出来,他骑车围着龙亭坑转了两圈,就奔了仁义胡同。

二

刘广合头一次把盘鼓搬到舞台上,获全省第一名,至今已过了十多年,这十多年来,他与鲍家保持着密切的关系,尤其是鲍家的老爷子,几个月见不着还想。用刘广合的话说:"这老头,有玩艺儿。"他说的"玩艺儿",自然是盘鼓。这十多年来,尽管鲍家老头对刘广合所需要的是无私奉献,而刘广合却一直有一种"偷艺"的心理。他经常想:这老头,汴京的活化石,要是有点文化水平,了不得。

鲍家老头叫鲍玉昆,一辈子干过的行当多了,做过勤行(饮食业)、当过兵、粪业、棚彩、澡堂啥都干过,如果不是因为耳朵聋,鲍玉昆现在没准还是个住在干休所吃国家供养的老干部。用他儿子鲍三的话:"俺爹要是耳不聋,有文化,至少是县团级,命里没这个草,没法儿。"刘广合心里很赞成这话,普天下有能耐、有资格的人太多了,东大寺门前那个卖羊蹄的老头,一级残废军人,参加过淮海战役,抓住杜聿明时,他就在跟儿,咋着,不照样不中。

鲍老头告诉过刘广合,他的耳朵是咋聋的。一九五四年,鲍玉昆压朝鲜战场回来,市里组织仪式欢迎汴京籍志愿军战士光荣凯旋,压火车站到龙亭跟儿,满街彩绸,满街锣鼓,满街火鞭,那可能是鲍玉昆这一辈子惟一的一次自豪和荣耀。喝,他那个激动,那么多的人和他握手,那么多的市民请他签名,那么多的女学生向他献花,那种心情,你想吧,活着回来了,回到这块他走时不知还能不能再回来的地儿。他跟着欢迎的仪仗压火车站走到人民会场,开罢会又压人民会场出来走到宋门。当时欢迎仪仗头里那支盘鼓队是棚彩业组织的,当时棚彩业的盘鼓队是汴京城里的头把交椅,令旗手是鲍玉昆当兵前的朋友,外号顶棚张,此人顶棚扎得又快又好,鼓打得也出名。顶棚张指挥着盘鼓队走到宋门的城门洞时,走不过去了,被城外来的一支盘鼓队堵在城门洞里。汴京城里最忌讳两支盘鼓队碰面,不是说同行是冤家,而是汴京人好斗,凡是能斗的,汴京人都得斗斗,比如斗鸡、斗狗、斗鸟、斗鹌鹑,逮啥斗啥,就是过春节拉火鞭,恁家的火鞭要是比俺家拉得多,那都不中,非得再买一挂大火鞭和你比比。没法儿,秉性壮,就是穷也得过一把嘴瘾:"咻哎,那算啥,不就多拉一挂火鞭吗,俺家的门神是朱仙镇的,大鬼小鬼照样进不来。"

鲍玉昆也是个好斗的货,一瞅城门洞里两支盘鼓队斗起来了,就挤到了头里。宋门的城门洞本来就不很宽敞,两只盘鼓队的一百多盘鼓,正好塞了个满满当当。喝,那鼓声,恨不得把宋门的城楼敲得往下落土,鼓声在城门洞里轰隆隆地回旋着,就像一个巨大的怪物被关在一座大房子里,怒吼着发出周身的能量,却找不到一个出口。鲍玉昆看见,城外来的盘鼓队一水儿①是二十出头的小伙子,而棚彩业顶棚张这帮人,是老的老小的小,里头还有几个娘儿们。鲍玉昆看见,在顶棚张的令旗指挥下,棚彩业鼓队的老少爷儿们泼命擂着槌:头道花、二道花、三道花、架三棒、葫芦炮、羊抵头、双嘟噜、抽梁换柱、单游四门、双游四门、十六棒、狗咬狗、花三点、凤凰单展翅、凤凰双展翅、凤凰三点头、狮子滚绣球……城门洞里变不了队形,只有反反复复地打着这已熟套的鼓点。城外来的那支鼓队也一样在重复自己的鼓谱:大金枪、花炸边、不抢抢、乱劈柴、老得胜、小不抢抢、小花炸边、三炸边、大呼雷炮、两炸边、大哗啦啦……

鲍玉昆看见,顶棚张已是大汗淋漓,鲍玉昆知道,并不是因为顶棚张累出了大汗,而是顶棚张眼瞅着他手下这帮人要败下阵来急得出汗。再看城外来

---

① 汴京方言。"一水儿",一律的意思。

的鼓队,虽然头上也在冒汗,但阵角不乱,在那个令旗手强有力的指挥下,显示出必胜的信念。鲍玉昆看不下去了,顶棚张毕竟是自己的朋友,岂能瞅着朋友吃亏?于是,鲍玉昆去下身上的背包,摘下胸前的大红花,脱掉志愿军军装,上前从一个娘儿们脖子上去下裈带,将裈带挎到自己的脖子上,接过鼓槌,边打边来到"第一线"。鲍玉昆的冲锋陷阵,似乎一下给顶棚张充了电,顶棚张大喝道:"志愿军参战,美国鬼子都败了,妈那赖孙×,不能孬喽!"顶棚张的这股情绪决非是要感染那些不中用的手下,而是在感染自己的同时,一下把自己和这位主动"参战"的志愿军下士推到了类似"不成功便成仁"的绝境。

这鲍玉昆的鼓打得就是不同一般,似猛虎下山,如蛟龙出海,把几年只摸枪没摸过鼓的瘾,痛痛快快地过了一把,何止是过瘾,简直就像当年长坂坡上左突右冲的赵子龙,好家伙,棚彩业所有的鼓都敲不动了,只剩下鲍玉昆一面鼓,在顶棚张的带领下与城外来的盘鼓手们敲了个昏天黑地。鼓声,鼓声,还是鼓声,只敲得他忘记了时间地点,忘记了自己今天的光荣身分,甚至忘记了他的对手不知啥时候已经偃旗息鼓。鼓声,鼓声,还是鼓声,直到顶棚张扔掉手里的令旗,上前捞住他的鼓槌,他的耳朵里仍然响着隆隆的鼓声,顶棚张和他说话他听不见,对手冲他鼓掌他听不见,直到他昏沉沉回到家,倒头就睡,一睡就是一天一夜,等他一觉醒来睁开眼,他的世界就没有声音了。压那以后,鲍玉昆变成了聋子,不是完全听不见,而是别人和他讲话时,必须在他耳边大喊大叫。

刘广合听鲍玉昆讲这段经历的时候,变成了哑巴。他那时的心情是被什么东西取代后,整个自己

不属于自己的心情。当时他只听到不止一次听这段故事的鲍三说了一句话:"俺爹真不值,美国的飞机大炮没把他的耳朵震聋,让咱汴京的盘鼓给他落个终身残废,不值,真不值……"

在刘广合与鲍家交往这十来年里,他不止一次带领着他组织的盘鼓队,在省内外甚至国内外的比赛和表演中获大奖,但在这十来年里,他也不止一次地在想,为敲盘鼓落了个终身残废值不值这个问题,想来想去,他的结论是,人执著是对的,但不要过于执著,过于执著就会出问题了,就像他的馆长,离了四次婚,就是因为他太重视婚姻,太严要求女人,终归一句话,太执著。咋样,又做第五次离婚的准备了吧。

刘广合是个既有事业热情,又遇事相对理性的男人。他爱喝酒,但从未喝到醉得躺在大马路上回不了家的地步。这一点他老婆很庆幸找了这么一个文化人,因为汴京城内的妇女们经常在丈夫离家去喝酒的时候,临出门的统一台词就是:"照护点,别喝多。"因为女人们不愿意看到自己的丈夫在路人鄙视的目光中,用疑问的口气瞅着躺在马路沿的醉汉说:"这货,死了吧?"刘广合的老婆对刘广合大半辈子的放心,突然在一次全市的盘鼓比赛之后的酒摊上失去了。这并不是刘广合不保晚节,而是因为他那颗不愿为什么东西而执著的心,不当家了,要执著了,而且是非执著不中。刘广合始终认为自己不是一个事业上的胜利者,年轻的时候,他跳过民族舞,后来改拉二胡,粉碎"四人帮"那阵,他又演话剧,爵士乐兴起,他又敲架子鼓。用他们馆长的话,这样的万金油确是不好找,你别看群众艺术馆这活儿,"好汉不稀罕,赖汉玩不转",这话一点不假。对于刘广合来说,他的前半生为此用心过的那些玩艺儿,虽然下工夫不小,但没有玩出啥大名堂,最了不得的成绩,也就是挂在馆长办公室墙上的那面曾获群众文化工作先进单位的锦旗,在他没有接触盘鼓之前,这面锦旗便是他们馆里惟一的骄傲。自从他把盘鼓压地摊搬上舞台,这十来年里,馆长办公室那几面墙上都让盘鼓的荣誉给占满了,为此,各种荣誉纷至沓来:先进工作者,劳动模范,政协委员,有特殊贡献的专家。尽管这些荣誉并没有给他的经济带来多大的改善,但汴京城里所有关注盘鼓的人都知,盘鼓有今天的待遇,刘广合是大功臣,从某种程度上来讲,他刘广合就是当今汴京盘鼓的代名词。

可是,刘广合万万没想到,在前不久市里举办的第四届盘鼓比赛中,一个女人领着一帮孩子,差一点把他这个现如今的汴京第一鼓掀翻在地,那女人和他一起得了个并列第一。是可忍,孰不可忍,他刘广合啥都可以当老末尾,惟独这盘鼓要当老大,岂能容忍有人和他的肩膀头一般高,而且还是个女人。那天晚上喝了多少酒他记不清了,可把他老婆气孬劲①了,吐了一屋不说,小便失禁,尿了一裤,他老婆忍着恶心的气味,一边给他拾掇,一边破口大骂着:"腌臜菜,咋不喝死你个赖孙!作恼人②,还他妈的是文化人呢,当初要知你是这种货,哪个赖孙嫁给你!"

刘广合也睡了个一天一夜,他从床上坐起后,一连吸了三支烟,穿好衣服下床,不吃不喝不洗漱,掂起他屋里的盘鼓,站到院中,正准备敲,只见他老婆

---

① 汴京方言。"气孬劲",气坏了的意思。
② 汴京方言。"作恼人",恶心人、讨厌人的意思。

推车下班进院,他老婆一见他铁灰个脸站在那里,身上挎了个盘鼓,气就不打一处来,开口就骂:"你个赖孙……"

谁料他老婆下面的话还没等骂出来,刘广合像一堆炸药被点燃,扬起鼓槌砸向他老婆,老婆跟他结婚快二十年,头一次见他发这么大的火,他老婆不敢吭声了,把地上的鼓槌拾起来,走到他跟前,递到他手里,温情体贴地询问:"广合,到底出啥事儿啦?"

他深深地出了一口气,望着墙头外的槐树,说:"没啥事儿,你给我钩点槐花,我想吃。"

三

领着一帮娃娃,和刘广合抗肩膀头、获并列第一的那个女人姓曾,叫曾汴红,她的小出身,刘广合还是从仁义胡同鲍家打听到的。用鲍三的话说:"汴京城里打盘鼓的,隔不过俺鲍家的门楼头,拜师不拜师都得认咱这壶。"这话不是张大的,鲍玉昆宋门震聋耳朵这一板,就差没写进教科书里了,现如今汴京城里有一二百个盘鼓队,提起鲍聋子,谁都得咂嘴点头。尤其是那些靠教盘鼓挣钱的教头们,情查了,教的那些鼓谱,都是鲍家传授的。鲍玉昆老头虽然不再打了,鲍三子承父业,借着老头的名望,挣起盘鼓的钱来。鲍三在内环路上租了一间门面房,外面挂着的牌子上写道:"军乐盘鼓,新娘盘头,陈留豆腐棍,兰考豆腐乳,扎灯笼社火,做防盗门窗,兼营纯净水。"鲍三不光是吃盘鼓这一路,看来是哪路都吃,啥钱都挣。用鲍玉昆老头的话说:"多少有点生意就饿不着,汴京城养人着呢,当年冯玉祥断了旗人的口粮,人家刮盐土,卖煤土,照活。"

这个曾汴红是个小学音乐老师,小四十岁,起初对盘鼓,对鲍家,她一无所知。去年,汴京城里禁放烟花爆竹,盘鼓军乐的生意红火起来,凡遇喜庆事儿,无论是公家还是私人,至少得弄几把军号几面盘鼓去造个气氛。去年秋天,一个偶然的机会,让曾汴红第一次关注了盘鼓。曾汴红虽说是汴京城里的老门老户,但自小受她母亲的影响颇深,母亲曾是大家闺秀,琴棋书画无所不精,而曾汴红的父亲,却是个市井闲徒,成日转鸟市,赌斗鸡,坐酒馆,泡澡堂。曾汴红非常奇怪,像母亲这样一个女人,咋会找父亲这么一个市井男人呢?这个问题在她心里藏了好多年,直到父亲出殡后的那天晚上,她见母亲心情很好,才把这个藏在心里许多年的问题提给了母亲。母亲听罢,冲她笑了笑,说:"我在这座城市活了一辈子,却没喝过一回羊肉汤,其实我知道那是不错的东西。"

曾汴红始终没弄懂母亲说的那句话,直到去年秋天,她应邀去参加一个同事儿子的婚礼,在接新娘的人马到来的时候,她没有去看新娘的风采,而是被那代替鞭炮的十几面盘鼓打住了眼。她头一次这么近距离看盘鼓表演,头一次被那十几个盘鼓手忘我的律动而感动。在她从事音乐的生涯里,她知道许多鼓:安徽的凤阳花鼓、陕北的安塞腰鼓、山西的威风锣鼓、维吾尔族的手鼓、朝鲜族的长鼓、云南傣族的象脚鼓、广西壮族的蜂鼓、铜鼓、板鼓、书鼓、堂鼓、点鼓、缸鼓,她承认鼓的作用,但从不认为鼓能成为真正意义上的主角,就像诸葛亮唱空城计,将琴作为战争的主角,恐怕也是不得已而为之吧。

或许是去年秋天那段时间心情不好,或许是那十多个盘鼓手打得太好了,曾汴红看着看着,眼湿了,接着大串大串的眼泪无法控制地往下落,身边的

人们不知她是咋啦,一个劲地询问她出啥事情了?有啥不得劲啦?她用手大把地将满脸的泪水抹去,深深吸了一下鼻子,说:"我想打盘鼓。"

曾汴红第二天就找到鲍三的那间门面,要求培训。鲍三笑着说:"曾老师,你这大年龄了,学它弄啥,社会上是有女人打盘鼓,可你跟她们不一样,说难听话,那些女人都是啥也不啥才学打盘鼓呢,你是知识分子家庭出身……"

曾汴红平静地说:"俺家过去可穷,俺爸卖过梨膏。"

鲍三看了曾汴红一眼,随手掂起一面盘鼓,晃着里面的鼓胆说:"这一面盘鼓比半袋面还重,你中?"

曾汴红问:"多少斤?"

鲍三:"三十斤。"

曾汴红不以为然地:"一袋面五十斤,俺家买面都是我扛。"

鲍三上下又打量了一眼曾汴红,问:"铁心要学?"

曾汴红不再说话了,她从鲍三手中接过那面盘鼓,使手在右鼓皮上敲了两下,一换手,又在左鼓皮上敲了两下,似有所发现,于是,又敲了两面的鼓皮,问道:"这两面的声音咋不一样呢?"

鲍三笑着说:"男人女人一样不一样?"

曾汴红惊奇地问:"鼓也分阴阳?"

鲍三:"世上万物都分阴阳,鼓能逃脱?"

曾汴红在鼓皮上重重砸了一下,认认真真地说:"既然鼓也不能逃脱,打鼓就有女人的份儿。"

曾汴红交给鲍三二百块钱的学费,跟着鲍三学了十天的鼓。这十天对曾汴红来说,是决定性的十天,她开始走进盘鼓,她所听到的第一个关于盘鼓的故事,便是鲍玉昆在宋门敲聋了耳朵。这个故事一下使鲍玉昆老头在她心里高大得简直是顶天立地,她向鲍三要求去仁义胡同和老爷子喷喷,鲍三满足了她。

曾汴红头一次去仁义胡同那天,鲍玉昆老头留她吃了一顿饭,饭桌上,老头给她讲了一个女人不能打盘鼓的故事:光绪三年,汴京城近二百日无雨,开春,赤风大起,天昏地暗,数十日不息。河南巡抚钱鼎铭下令,组织盘鼓千面在禹王台求雨,令旗手便是鲍玉昆的爷爷鲍正元。上千名盘鼓手赤肚,一丝不挂,敲打了整整一天,到了黄昏时分,鲍正元的令旗挥舞不动了,这时,天空乌云压顶,可就是不落雨,河南巡抚钱鼎铭到场观看,说就缺一把力这雨就能下来了,可鲍正元这一把力已经掏不出来了。钱鼎铭让换个令旗手接替鲍正元,懂规矩的人提示说,令旗手可不能随便接替,就像每年正月村与村之间的"走会",接帖子的人必须是每村的会首,再打个比方,就像巡抚大人的官印,不能随便交给他人一样。钱鼎铭知了其中的轻重,急得搓手跺脚。这时,懂规矩的人在一边说,这令旗手家族是世袭,他的家人可以接替。钱鼎铭派人急召鲍正元的家人,来的却是鲍玉昆的奶奶王大妞。钱鼎铭大怒,骂成何体统,要将王大妞逐出禹王台。只见王大妞下跪叩拜罢,手指天空,立下军令状:"大人且慢,若是大妞敲不下雨来,就撞死在吹鼓台上!"就在钱鼎铭犹豫之际,王大妞一把抓过令旗,跳上台阶,挥舞起令旗……

鲍玉昆讲到这时不讲了,曾汴红冲着他的耳朵大喊大叫地催促道:"后来咋样?"

鲍玉昆:"你猜猜。"

曾汴红摇摇头后,又想了想,在他耳边大喊:

"下雨了。"

鲍玉昆叹口气说:"雨是下了,那天半夜下的,可俺奶奶的眼瞎了。"

曾汴红大喊着问:"为啥?"

鲍玉昆沉默了片刻,说:"俺爷爷使硫酸点瞎了俺奶奶的眼……"

曾汴红大喊着问:"她犯了哪条规矩?"

鲍玉昆看了曾汴红一眼,没说话,但那眼光仿佛是说:"这还不清亮。"

曾汴红本想再大喊着问一句,可鲍玉昆的眼光使她明白了,再问下去是没有意义的,她心里埋怨自己的反应太慢。这时,她听见鲍玉昆老头语重心长地对她讲:"妞,老头我对你说句心里话,信不信由你,盘鼓这物件,生就不属于女人。"

从某种程度上来说,鲍玉昆老头的这句话在曾汴红心里产生的撞击力比那个故事还大,对曾汴红来说,盘鼓属不属于女人她已经顾不得那么多了,但这盘鼓确确实实被女人喜欢上了,爱上了。她的心被这句话撞击之后,就好像惊涛骇浪平静后的水面,可以自由行舟。

曾汴红花了二百块钱学会了盘鼓,她感觉这盘鼓说白了就是一种乐器,还是一种比较好掌握的乐器。她在家里,把板凳绑上绳子挂在脖子上,复习着从鲍家学到的鼓点,虽然板凳没有鼓的那种感觉,但她仍旧那么走火入魔。终于有一天她说服了校长,同意买二十面盘鼓,校长把钱递到她手里时对她说:"这一千块钱压哪来的你知不知?乱收费收来的,咋办?盘鼓的事儿不是得办吗,咱学校又不是重点,生源又差,就这吧,能把盘鼓敲出个名气也中。"

听了校长的话,曾汴红心里一阵不好受,她在这所学校教了二十多年的音乐,在即将跨世纪的今天,好赖是一所小学的音乐教室里都是钢琴教课,而她还蹬着那架吱吱哇哇乱响的破风琴。在她二十多年的教学生涯里,她熬走了五六位校长,有能耐,有关系的校长都高就了,这一任校长是个老八板,嘴里经常警钟长鸣地对手下的老师们讲:"不管人家咋说咱,咋看咱,咱不中就是不中,但有一条,不管咱干啥事儿,咱不走邪门歪道,咱对得起人民对得起党。"

曾汴红压校长手里接过这一千块钱时,问:"校长,这乱收的是啥费?没事儿吧?"

校长的脸色难看得像一缸咸菜,掏出汴京城只有下岗工人才吸的汴京烟,打火机打了几打也没打着,索性不打了,指头里夹着没被点燃的烟说:"收都收了,还说啥,出事儿打我的板子,你只管把你的盘鼓敲好就中。"

曾汴红很感动,她让校长坐在她那架破风琴跟等她一会儿,她跑到隔壁的体育组,要来一只打火机,回到破风琴跟儿,亲手为校长打着火把烟点燃。校长第一口烟就呛住了喉咙,一阵掏心掏肺的咳嗽之后,说:"曾老师,我同意买盘鼓,是觉得你这个点子不错,汴京城有男人打盘鼓,有女人打盘鼓,有老人打盘鼓,就是没有小孩打盘鼓,咱是头一家,好好弄,没准还真的弄出点名堂来了呢。"

瞅着校长抽烟时的那副充满希望的表情,曾汴红感到了一种压力,最朴素的心理感觉就是要对起校长,不能辜负他为此所承担的乱收费的风险。

四

曾汴红怀里揣着一千块钱,找到了鲍玉昆为她介绍的一家做盘鼓的老字号。在汴京城,做盘鼓的

老字号不同于其他的老字号,马豫兴的烧鸡,老宝泰的果子,王大昌的茶叶,万芳春的包子,还有中兴楼、稻香居、老五福、又一新、陆稿荐、赵麻子、乐仁堂、京古斋、新华楼、义丰厚,这些老字号一提人们都知,可这做盘鼓的老字号"义顺兴",知道的家不多,原因是"义顺兴"是做盘鼓的,与老百姓的衣食住行联系不大,饭你得天天吃,茶你得天天喝,澡堂你可以三天两头泡,而这盘鼓买一面一用就是好几年,汴京城里的盘鼓队怪多,"义顺兴"天天有生意却是不可能的,何况"义顺兴"的盘鼓做得又是那么好,那么扎壮①,别说三年五年,就是十年八年也难心让你给打坏。这样既是良性循环,又是恶性循环,你的鼓做的越扎壮,买家使用的年就越长,使的年越长,你的生意就越冷淡。汴京城原先还有两家做盘鼓的,你想吧,"义顺兴"的生意都不咋样,别人就更谈不上了。但不管咋着,"义顺兴"硬撑下来了,撑了一百多年,真够顽强的。

"义顺兴"不是门面房,在大南门旁一条不起眼的背街里,小院门外挂着的那块匾牌,大概是曾汴红在汴京城里所见到的老字号匾牌中最不打食②的。一块做鼓剩下的榆木板上写着"义顺兴"三个字,知情的知这个小院非同小可,不知情的,还以为这是一家冒牌的什么作坊。

曾汴红走进院,一眼瞅见烘料池旁坐着一个老太太,两眼目不转睛地瞅着烘料池内,老太太一动不动坐在那里,灰蒙蒙的脸,灰蒙蒙的衣裳,整个人就像一座泥雕一般。老太太对院里走进人来,丝毫没

---

① 汴京方言。"扎壮",结实的意思。
② 汴京方言。"不打食",不行的意思。

有察觉。

曾汴红走近老太太:"大大,请问做盘鼓的胡师傅在家不在?"

老太太仰脸,漫不经心地瞅了瞅曾汴红,问:"你找哪个胡师傅,俺家都是胡师傅。"

曾汴红被问憎顶,说:"就是,就是那个做盘鼓的胡师傅啊。"

老太太:"俺家都做盘鼓。"

就这两句对话,已使曾汴红感到,这老太太是个别筋①。

曾汴红:"大大,是鲍玉昆师傅推荐我到恁这儿来买盘鼓的。"

听罢这话,老太太十分艰难地用手撑着膝盖站起身来,说:"哦,是鲍聋子让你来的啊。"

曾汴红:"对对,就是鲍三他爹让我来的。"

老太太冲着上房高声喊道:"春儿,来看着料,别叫烘着了。"

随着老太太的喊声,上房里走出个二十来岁的小年轻,一边往烘料池旁走,一边说:"奶,这一批的牛皮不中,有沙眼儿。"

老太太问:"蒙罢几张了?"

小年轻:"三张了。"

老太太:"揭掉。"

小年轻:"不是多显,不细看看不出来。"

老太太调门提高:"少废话,揭掉,咱义顺兴不干砸牌子的事儿。"

曾汴红跟着老太太去上房时,瞅了一眼烘料池,

---

① 汴京方言。"别筋",脾气别的意思。

说:"这还怪复杂的。"

老太太的唠叨伴着她那慢腾腾的脚步:"十六道工序,二百五十颗铜钉,少一个都不中,我到胡家今年整整五十五年了,跟着春儿他爷打了一辈子下手,春儿他爷死了,他爹妈嫌做鼓不赚钱,去龙亭公园门口摆小摊,春儿这孩儿热这行,他爹没教过他,我也没教过他,就这算接上气儿了,就是瓢点,做鼓这活儿,不同于一般的手艺活儿,用心学归用心学,还得掌握它的劲儿,我也算做了一辈子鼓了,就这都不中,春儿他爷临死还骂我只是个拉锯的料……"

曾汴红问:"春儿他爷是啥时候去世的?"

"香港回归那年。"老太太叹口气说:"那年活儿多,大李庄要六十面鼓,小北岗要四十面鼓,牛庄要四十面鼓,咱城里的群艺馆要六十面鼓,环卫、公交、饮食公司都来要鼓,俺家祖孙三代累得抬不起手,春儿他爷高兴得没法儿,说胡家做鼓生意从来没这么红火过,累死也值。这不,让他说应验了,老头真累死了,在医院闭眼之前还操心他的鼓,交代我,街上买的钉是不中,还是得使小红炉里打的八角铁钉,唉,那老头儿,扒扯①命,我跟着他没过几天好日子……"

整整一上午,曾汴红坐在胡家上房的小马扎上,被老太太的唠叨所吸引,她甚至忘记了她来是干啥的了。在她眼里,老太太是个彻头彻尾的汴京城七十二条胡同中随处可以见到的老太太,但老太太语言里无处不在的文化又使曾汴红震惊。老太太把曾汴红引到山墙上贴着的《清明上河图》的印刷品跟

---

① 汴京方言。"扒扯",吃苦、受累的意思。

前,指着卷尾那一处已被她确认的滚瓜烂熟的局部,说:"瞅瞅,妞,这儿是一个四眼井,这儿有一个人在提水,这儿有一个人在挑水桶,这儿这个人正在摇辘轳。再瞅这儿,这画的中间,这河边有一个正在修大车辘轳的木匠作坊,这就是最早做盘鼓的地儿,过去哪有专门做鼓的乐器工厂,最早做盘鼓就是桶铺,辘轳铺,俺家老公爹原先就是木匠,专门做桶做木盆的。"

曾汴红问:"大大,你嫁到胡家时,胡家就做鼓吗?"

老太太:"光做鼓还不饿大牙啊,啥都做,连棺材都做。那时胡家穷得底朝天,床都是草绳编的,他胡家的条件和俺家没法比,俺家祖上住在相国寺东门外,宋朝的时候,那条街叫绣街,俺祖上是做绣画,绣额,绣伞,绣球的。明代有个叫屠隆的人,写了一本书,上面有这样的话,'女红之巧,十指春风,回不可及',这就是写俺家住的那一片的。俺家不说有大钱吧,用现在的话说,算个小康人家吧,不管咋说,有家底儿,刚解放那阵儿,多穷,家里一没吃了,俺妈就掰一小块金子,去银行里换钱回来买面。你想吧,我嫁给胡家,俺家能愿意?"

曾汴红:"后来咋又愿意了呢?"

老太太:"啥时候也没有愿意,到现在说还是我自己愿意。俺那时结婚都兴媒人,我和春儿他爷是自己给自己当媒人,用现在的话说叫自由恋爱,想起来可笑,我爱他个啥? 我那时每天去工会的识字班,压他家门口过,春儿他爷每天跑到院门口瞅我,年轻的时候,不外气说,我长得可好看,大辫子又粗又长。我记得那天下雨,压他家门口过时,春儿他爷掂着个

可精样①的小盘鼓在门口截住我,说要把小盘鼓送给我,我不要,春儿他爷说,下雨了,你又没拿伞,把它顶在头上,全当个伞使吧。那个小盘鼓真是精样,就像个高级玩具,让我压心里喜欢,我是抱着那小盘鼓回家的。"

老太太的话说到这儿,曾汴红才仿佛一下子苏醒过来,说:"咦,我都把正事儿给忘了。"

老太太:"啥正事儿,不就是来买盘鼓吗,鲍聋子让来的人都是买盘鼓的。钱带来没有?没带也没事儿,老鲍家跟俺胡家打了一辈子的交道,用现在的话说,叫彼此信任,妞,没带钱,先把鼓掂走使。"

曾汴红:"大大,钱是带了,定金,我今天是来定做的。"

老太太:"定做啥,屋里做成的鼓情掂走使了,胡家的鼓,使罢有一点问题,别管了,我亲手把这'义顺兴'点火烧喽。"

曾汴红笑道:"大大,我相信'义顺兴'的鼓,我的意思是,我定做的鼓不是大鼓,是小鼓。"

老太太一听,没牙的嘴咧着笑开:"妞,你别听我刚才说的那些,那些和咱的生意没关系,那小鼓是玩具,用现在的话说,是定情信物,就像送个荷包一样,咋?你还当真要买小鼓了?你这个妞,真有意思。"

曾汴红解释道:"大大,我要定做的小鼓,和你那个定情信物不一样,我要的是小孩儿能打的盘鼓,八九十来岁的小孩儿打的。"

老太太听明白了,眉头蹙在满额的皱纹里,一直

---

① 汴京方言。"精样",精致、小巧玲珑的意思。

唠叨的老婆儿嘴瘪着不吭声,不过那嘴一直在蠕动,好像不停地在吃什么东西。老太太浑浊的老眼,从曾汴红脸上挪到山墙上那张《清明上河图》的印刷品上木匠作坊那个部位,久久地瞅着那里,仿佛要在那块一草一木都熟透了的地方找出一点陌生的东西来。

老太太重新开口了:"妞,你准备叫孩儿们打盘鼓?"

曾汴红肯定地点头。

老太太也点了点头,然后说:"妞,不是我打你兴头,男人没长成最好别着①盘鼓,你想想,一个盘鼓三十斤,孩儿们打不了恁重,减半,十五斤总得有吧,八九十来岁的孩儿,身上挎个鼓,就算一场敲十分钟,不压毁才怪。"

曾汴红:"没事儿,我十岁那会儿就能从粮站扛一袋面回家了。"

"你那会儿,咋不再往远处说说,十岁的小八路都管打日本了呢。"老太太压山墙上移开的眼睛又挪了上去,说,"再说了,就是孩儿们能打盘鼓,咱就按一盘鼓减半去做,这都没啥,现在的汴京城,哪儿都是盘鼓,是个人都能去打盘鼓,除了俺胡家之外,听说又添了好几家做盘鼓的,真的假的我不知,听说书店街也在卖盘鼓,谁做的不知,所说鼓皮比老婆儿的脸皮还松。我说的意思是,胡家的鼓盘盘实打实,就这大,鼓面四十二厘米,鼓身三十三厘米,祖上传下来的,咋做咋得,换了尺寸,这就难说了,祖上没这个弄法儿。"

---

① 汴京方言。"别着",别摸的意思。

曾汴红从怀里掏出一千块钱,往老太太手里一塞,说:"大大,你只管试试,用现在的话说,叫改革,做好做孬都不碍事儿,你只管做吧。"

老太太看着手里的一千块钱,意意思思①地:"只管做?"

曾汴红坚决地:"只管做。"

老太太:"那咱得讲个条件。"

曾汴红:"啥条件,你说吧。"

老太太:"如果做砸喽,你可不能对外头说这是俺胡家做的活儿。"

曾汴红笑着压小马扎上站了起来,说:"别管了,做砸喽,我就说是压书店街买的。"

老太太咧着没牙的嘴笑了。

五

曾汴红的这帮小盘鼓手,在汴京城里一亮相,喝,耳目一新,一个个那小样,穿着小黄褂,扎着小头巾,红腰带,灯笼裤,男孩儿打鼓,女孩儿拍镲,连蹦带跳的,确实招人喜爱。第四届盘鼓大赛那一天,这帮孩子出尽了风头,十个评委九个打出了满分。老话说的好,"要想人前显贵,就得旯旮里受罪",这帮孩子可真是没少受罪,当有记者采访领鼓的那个虎头虎脑的男孩儿时,那男孩儿说:"刚开始俺爸俺妈不让我练,我非得练,鼓把小鸡儿都磨烂了。"那个男孩儿刚说罢,一群男孩儿一齐对记者喊:"我的小鸡儿也磨烂了,我的小鸡儿也磨烂了。"记者是一个刚出学校门分到报社实习的女孩子,被一群孩儿喊

---

① 汴京方言。"意意思思",犹犹豫豫的意思。

成了个大红脸,第二天的《汴京日报》上,实习女记者如实写出了"小鸡儿也磨烂"的喊声。

刘广合看着《汴京日报》,听着办公室里的同事们的议论。负责舞蹈的冯美丽说:"盘鼓比赛,比谁的盘鼓打得好,他们哪是在比盘鼓,分明是在比舞蹈嘛,要是比舞蹈,轮八圈也轮不到他们啊。"负责戏曲的老张说:"盘鼓就这打下去,下一届比赛,搞不好还会有人连唱带跳,盘鼓比赛,鼓是主角,这样发展下去,鼓成了摆设,我看这一帮评委在误导盘鼓。"馆长手里捧着大水杯一丝不苟地说:"这个问题我得反映反映。"

"怨不得别人,怨咱自己,盘鼓是应该出新招了,人家想到咱没想到。"刘广合把手里的报纸往桌上一搁,站起身对馆长说,"馆长,把你屋里的那些奖状锦旗统统都摘下来,把第四届盘鼓大赛的日子,作为咱们馆的馆耻之日,等着吧,第五届盘鼓大赛时,我要让全汴京人民瞅瞅,啥叫真正的盘鼓。"

刘广合是平心静气说这段话的,但了解他的这帮同事们都清亮,刘广合要是跟谁较上劲,就会像港台片里的杀手一样,不是你死就是我活。同事们清楚记得,几年前馆里和电视台联合搞春节晚会,经费不足,一部分服装由自己来做,差几个扣子,馆长让刘广合上街去买,寺后街的一家卖扣子的商店,营业员嫌刘广合付的两毛钱太破,咋说都不收,刘广合恼了,去到隔壁银行,咨询这两毛钱属不属于残破程度较大不予接受的范畴,银行的同志看罢后认为不属于,并说如果花起来困难就换一张新的给他,刘广合没有换,理直气壮地返回那家商店,要求营业员接收这两毛钱,那营业员和刘广合一样,麻花不叫麻花叫拧劲,死活不接,于是一场旷日持久的"战争"开始

了,刘广合从一商局打到中国人民银行,又从市消费者协会打到中级人民法院,历时五年,最后终由中级人民法院作出裁决,判刘广合胜诉。这一件事一度曾经成了汴京城内的新闻,在刘广合胜诉后,馆长拍着他的肩膀头说:"我得离你老兄远点,不定哪天咱俩拧上劲了,你还不把我告到联合国去啊。"

没两天,刘广合找到馆长,说:"这一段时间,尽量别给我安排活儿,我找地儿打鼓去了。"

馆长说:"离第五届盘鼓大赛八秋远呢,急啥。"

刘广合说:"想应①爷就得早一点结婚,急啥?等你应爹的时候,人家早就应爷了。"

馆长问:"啥打算?说说。"

刘广合:"没啥具体打算,就是想组织一支过硬的队伍,找一个像当年鲍玉昆那样玩命的主儿。"

刘广合骑着自行车,围着龙亭坑转了一大圈后,奔仁义胡同去了。

在仁义胡同口,刘广合碰见鲍三,鲍三说老爷子病了,送了人民医院,刘广合问啥病?鲍三说,昨天老爷子去新华楼泡了个澡,回来就不得劲了,医院的大夫说心脏有问题,非让住院。刘广合调转车头,奔了人民医院。

在人民医院内科病房,鲍玉昆见刘广合来看他,很高兴,拉着刘广合的手说:"没啥事儿,还让你跑到这儿来看我,一辈子没住过医院,这是头一回,现在住医院,傻贵,咋会要恁多钱呢?"

刘广合把手里掂的水果搁到床头柜上,大声喊道:"别考虑钱,是钱重要还是人重要啊,钱算个龟

---

① 汴京方言。"应",当的意思。

孙,花完了再挣。"鲍玉昆:"挣钱不容易着呢,你三弟开了这么一个铺子,吃干打净,没多少挣头,接一次活儿才几百块钱,几十号人分不了几个钱。"

刘广合大声喊:"那可不是,现在汴京城里盘鼓队泛滥成灾,比着压价儿,能接住活儿就算不赖了。"

鲍玉昆:"真是没法儿,我去洗澡那天,在乐仁堂门口碰见乐仁堂老经理的儿子,他现在接他爹的班,当了乐仁堂的经理,他对我说,乐仁堂的药比别处卖得贵,是因为乐仁堂从不卖假药,就这生意也没原先好。原先,乐仁堂是汴京城里的老大,现在谁是老大?都是老大,不管真的假的,谁把兜里装满谁是老大。"

刘广合:"老爷子,我在想,挣钱当不当老大无所谓,打盘鼓咱必须当老大,我是你的徒弟,咱爷儿俩得合计合计,咋能变个法儿,让谁也别想替代咱。"鲍玉昆点头赞同,却作难地说道:"盘鼓就那些玩艺儿,谁学会是谁的,想当老大,就得有新的鼓谱,就得有新的招术。"刘广合:"你对我说过,盘鼓从前有二百多种鼓谱,可为啥就传下来这十多种鼓谱呢?我在想,如果在鼓谱上咱再有多一点的变化,人家有的,咱有,人家没有的,咱也有,这不就是新招术吗。"

鲍玉昆:"都这么说,谁知有没有那么多的鼓谱,依我看,不太可能,要是真有那么多的鼓谱,汴京城里玩鼓的那么多人,咋着也不会只留下这十几种,你说是不是?"刘广合点头,沉思着。鲍玉昆拉开床头柜的抽屉,从里头拿出香烟,递给刘广合,刘广合瞅了瞅病房内外,嘴巴凑到鲍玉昆的耳朵跟儿,音量相对放小地说:"算了吧,人家医院不让吸烟,拉倒吧。"

鲍玉昆满不在乎地说:"没事儿,这又不是中央首长住的医院,没事儿,吸吧,我见大夫还吸呢。"

刘广合半信半疑地在耳边问道:"真没事儿?"

"瞅你吓的,没胆,还是敲盘鼓的呢。"鲍玉昆笑着从刘广合手中拿过烟,说,"咱俩一块儿吸。"

鲍玉昆抽出一支点燃后,又抽出一支递给刘广合。刘广合点燃烟,深深吸了一口,大声喊道:"爷儿们,我就这想,首先咱得组织一支靠得住的队伍,开掘一些新鼓谱,再变换一下阵势,服装道具统统和别人不一样,然后咱再去申请一下专利,注册个商标,这盘鼓就属于咱的了。"

鲍玉昆:"属于咱的了?"

刘广合:"申请专利注册商标,就是让咱们设计的这一套东西受法律保护,别人不能用,谁用谁犯法。"

鲍玉昆:"咱的鼓点人家也不能用?"

刘广合:"咱们再与做盘鼓的老胡家联手,'汴京盘鼓'这四个字儿注成商标贴到盘鼓上,那些造假鼓的就不敢明目张胆的卖了,这对发展咱汴京盘鼓只有好处没有坏处。"

鲍玉昆:"申请了专利,注册了商标,这就是说,咱抢在人家前头,跑马圈地,鼓点和鼓别人就不能使了?"

刘广合:"当然不能用,就像咱家里的东西,谁拿谁得经过咱同意,咱不同意你拿走了就是偷,偷东西当然是犯法。"

鲍玉昆摇头道:"这能中?盘鼓这玩艺又不是咱发明的,祖宗留下的,谁想使谁使,咱硬说是咱的,国家也不会同意咱,你说呢?"

刘广合笑了："这恁老就不懂了,祖宗留下的玩艺儿多着呢,汴绣是不是祖宗留下来的?你瞅瞅,汴京城卖汴绣的有多少,就连苏州乡里的农民绣的绣品,都打着汴绣的旗号在全国到处卖,人家汴绣厂为了保证真正的汴绣不受侵害,就用了注册商标这个招,从今以后,'汴绣'二字的使用权就归人家汴绣厂了,谁用谁犯法。"

鲍玉昆:"盘鼓也能注册?"

刘广合:"咋不能,咱只要注册,别人谁再打盘鼓,就不能说他打的是汴京盘鼓。"

这时,鲍三提着保温桶来送饭,一大桶烩面外加两个烧饼夹板羊肉,让你咋也难以想象,一个七十岁的老头会有如此的饭量。鲍玉昆一边使筷子往碗里捞着皮带一般宽的烩面,一边对儿子说:"恁广合哥有个高招儿,恁俩喷喷,我不管恁了,早起打吊针,大夫不让吃饭,把我饿毁了。"

刘广合把自己的想法对鲍三一说,鲍三考虑都不带考虑,就摆手说道:"净出鲜点儿,盘鼓商标注册,只是对老胡家有利,咱挨不上边,开发新鼓谱申请个专利?咋开发?除了自己编,我才不信盘鼓有二百多个鼓谱,咱汴京人就爱吹,咱有包公,咱有杨家将,咱有宋徽宗,咱有李师师,吹那么多有啥用?你就是把整个汴京城拿去注册,该穷还是穷。再说了,就是国家同意咱把盘鼓注册,不信你看,最后别说工商局不管咱,在全汴京人民跟前咱还得落一身骂名:这帮货,下三儿……"

"中啦中啦,我知你的意思了。"刘广合制止住鲍三再往下说,问道,"那你觉得,咱拉起一支汴京城最强实的鼓队咋样?"

鲍三考虑都不带考虑地说:"那中,只要咱的活儿过硬，打仨挟俩，那咱照样吃香喝辣，照样兜住钱也兜住名喽。"

刘广合说："我觉得先得兜住名，兜住大名，让全世界都知咱的盘鼓，只要能世界闻名，啥大钱咱都能兜着。"

鲍三赞同地点头："这个我信。"

转眼工夫，老爷子已把俩烧饼吃下肚了，一边满头大汗地往嘴里捞着烩面，一边还操着谈话的心："咋样？注不注册啊？"

刘广合把嘴凑到鲍玉昆耳边喊道："你说说，汴京城里哪一支盘鼓队最好？"

鲍玉昆把最后一根面捞进嘴里，把手中的筷子一搁，使手掌抹了一把嘴，说："环卫的鼓队最好。"

刘广合与鲍三不约而同地相互看了一眼，一起点了点头。

六

这环卫的鼓队，有年头了，刘广合收集过有关材料，环卫组织鼓队是从一九五七年开始的。那时鼓队的成员，大多来自粪业，骨干分子主要是来自新开门外的粪场。那时的新开门外，除了一个粪场啥都没有，粪场挨着护城河，护城河外是环城路，行人车辆压环城路上过的时候，都能闻到强烈的大粪味儿，如果刮起西风，那粪味就进城了，包府坑边都能闻到。后来粪场啥时候撤销的，汴京许多人都不知道，也渐渐地忘记了，现在的新开门外已经成了闹市，粪场的原址上盖起了许多高楼，没有人还会去想那个粪场。

粪场是没了，打盘鼓的传统却留了下来，在粪场那帮打盘鼓的老人都退休之后，一茬一茬的新人接了上来,按辈分,鲍玉昆算现在这帮的师爷。当年鲍玉昆压朝鲜战场下来,因为没文化,又加耳朵出了毛病,分到工厂机关吧,人家别扭他也别扭,有人建议,让他还干他当兵之前的老本行,去饭馆的红案上,光掏掏力就中了,可他不干,他说干饭馆太耗人,从早到晚,节假日都不让人歇。退伍军人办公室的同志问他愿意去哪儿,他说想去个安静一点的地儿,退伍办的同志说有俩地儿安静,一是火葬场,一是大粪场,他选择了大粪场。鲍玉昆去粪场没几天,领导上就让他去组织鼓队,当时,他在宋门打的那场鼓,家喻户晓,把他传得神乎其神,说他在朝鲜和美国人打仗时,就用盘鼓吓唬过美国人,他在山头上一个人打鼓,吓得美国兵不敢冲锋。这话被崇拜者大声传到他的耳朵里,他说:"扯蛋,咱汴京的盘鼓要有这本事,北宋时金兵能进城?"

鲍玉昆在粪场没晒几天粪,就去训练环卫的盘鼓队了,这个消息传到棚彩业,让棚彩业鼓队的令旗手顶棚张坐卧不安。原因是,当时汴京城里的两支王牌鼓队,一支是棚彩业,另一支就是环卫,凡是在汴京重大的庆祝活动中,两支鼓队照头斗鼓的事儿时有发生,经常是打个平手,不分高低。汴京人评价,两支鼓队各有千秋,棚彩业的鼓打得花哨,鼓点变化多,好看;环卫的鼓打得扎实,古朴典雅,震撼人心。然而,鲍玉昆加盟环卫,无疑对棚彩业是一个沉重的打击,因为他们领略过鲍玉昆的风采,在宋门那场鼓战之中,鲍玉昆不光战败了城外那支鼓队,也在心里战胜了棚彩业的鼓队。消息传到棚彩业的当天晚上,顶棚张掂着果子,来到了鲍玉昆家,鲍玉昆说:"老哥,果子我收下了,以后两家最好不要碰面,免得不得劲,我吃的是环卫的饭,古人的话就是各为其主,俺要有活儿了,怹最好别去;怹要有活儿了,也最好别让俺知。盘鼓这玩艺儿,就不是一个合伙计的东西,高高兴兴的事儿,搞不好就弄得反贴门神不对脸。"

顶棚张遵守了这条不成文的协定,凡是有环卫参加的活动,棚彩业都回避,偶尔两家碰面,棚彩业也绕道而行,这么多年,因为有鲍玉昆的存在,使棚彩业有点喘不过气来。现在已经不存在谁怕谁了,鲍玉昆老了,顶棚张死了,再加上汴京城里的盘鼓目前是"封建割据"的局面,成心去找茬斗鼓的事儿也少了,各自忙着挣各自的钱,就是谁跟谁在街上照头,也都装着视而不见,用鲍三的话说:"都半斤八两,谁也不比谁好到哪儿去,弄啥?傻孙才去斗鼓。"

就在刘广合准备去找环卫的鼓队时,晚上,馆长来到他家,说馆里要有活动。落坐之后,刘广合关掉了电视,一边给馆长递烟,一边说:"咱俩不是说妥了吗,有啥事尽量不要找我,让我专心去整盘鼓。"

馆长不以为然地说:"不找你找谁,和你有关的事儿当然要找你。"

刘广合:"啥事儿和我有关?给我长工资?"

馆长:"长工资?你还真聪明,猜到与工资有关了。"

刘广合:"还真要长工资?"

馆长抽着烟,脸上有点沉重:"这年头,有个规律,你情掌握住了,好事儿轮到咱头上的不多。"

刘广合:"啥孬事儿又让咱赶上了啊?"

馆长往烟灰缸里弹了弹烟灰:"咱快断奶了。"

刘广合皱着眉问:"啥意思?你说是国家不发给咱工资了?"

馆长:"过渡三年,发百分之六十,三年之后自己找米下锅。"

刘广合:"别开国际玩笑了,怎么会……"

馆长:"怎么不会,文件我都看了。"

刘广合:"你说国家就这么不管了?咱又不是营利的事业单位。"

馆长:"咱说这没用,全国都一个样,我对你说的意思是,要提前作好准备,从现在开始,得干一些与经济效益挂钩的活儿,免得措手不及。"

刘广合:"我已经措手不及了。"

馆长:"所以我想问你,你把精力全投在盘鼓上,要是能顾着嘴,你就搞,要是顾不着嘴,我劝你还是另想招。"

刘广合闷头吸了两口烟,抬起头说:"顾着嘴,啥叫顾着嘴?干咱这一行的啥才算顾着嘴?就是做个小买卖还得天天出摊儿呢,咱上哪天天找活儿?谁又能天天有活儿?搞盘鼓能不能顾着嘴你还不清楚,我从八三年搞到今天这个份上,你屋里的奖状和锦旗不都是我给你挣的,不搞盘鼓,搞啥?你说搞啥?"

馆长把烟摁灭在烟灰缸里:"现在不需要再去挣什么锦旗奖状,现在需要挣钱,挣咱的工资,搞啥?我也不知搞啥,我只是问问你,盘鼓能不能把你养活住?"

刘广合知道馆长说的是大实话,他闷头不吭,把手里的烟头扔在地上用脚踩灭,压兜里又摸出一支,点燃。烟雾在他的脸上袅袅环绕,透过烟雾看得出他内心的复杂。

馆长说:"广合,我知你的想法,干咱这个工作的,说好听话,自己恭维自己,是文化工作者,说难听话，自己骂自己，咱就是个'柴坏'①，都是些喜好艺术，又没大发头的人凑到一堆儿搞群众文化。在咱馆里，像你这样对汴京民间文化艺术有想法的人真是不多，你瞅准了盘鼓，觉得它是个玩艺儿，想让它像模像样地往人跟前站，想在世人面前重新树立民间文化的形象和你刘广合的形象。我理解，谁不理解谁是个狗，谁不想让你把盘鼓搞出个名堂谁也是狗。但眼下谁能活在艺术的真空里？中央乐团咋着，还不是得找米下锅。盘鼓是不是个玩艺儿，你心里清亮，我心里同样清亮，只是别人不真正了解罢了，只看见你刘广合把这个人家原以为不是个玩艺儿的盘鼓，压汴京敲到了郑州，敲到了北京，可谁又能知，现在那些坐在路旁小酒馆里一天三醉的棚彩业的老鼓手们，曾经用他们那健壮的胳膊挥动着鼓槌，在汴京这块土地上砸下了多么坚实的基础，瞅瞅他们那一张张酒糟脸上那一双双不服气的眼，我真的知你刘广合心里是咋想的了……"

刘广合将一大口烟吸进肚里，吐出一片浓重的烟雾，说："你既然知我是咋想的，我就对你表个态，我也四十大几的人了，这后半辈子也就盘鼓这一个事儿了，搞不成，我是个狗！"

当天晚上，馆长走后，刘广合就骑着他那辆哪都响就铃不响的自行车，去内环路鲍三的铺子里找着了鲍三，俩人运筹了二半夜。刘广合没回家，在鲍三铺里那张又脏又破的长沙发上将就了一夜，第二天一早，俩人先去了寺门喝汤，喝罢汤后，俩人直奔环卫局去找局长拆洗成立联合盘鼓队的事儿。

---

① 汴京方言。"柴坏"，残废的意思。

环卫局的局长是个爽快人,用汴京话说,是个"大摊泥"①,当刘广合和鲍三说明来意后,一嘴说出一串:"中中中中……"局长舍去了上午一个什么会,把办公室的门一关,和他俩一喷就是一上午。局长说:"我早就想把环卫的鼓队再拉起来,一直不得空,也没人挑头弄这事儿,这不,都知俺环卫上的鼓队中,找上门联系活儿的家也不少,放着钱不能挣。再说了,恁俩在盘鼓上是专家,把环卫鼓队的底,现在的水平哪能和从前比……"

鲍三抓住局长话里感兴趣的部分问:"有人找上门联系活儿?"

局长:"咋没,昨天模范商场还来人,说下个星期天他们搞促销,想请俺的盘鼓队,被我给推了。"

鲍三:"为啥?"

局长:"人家要六十面盘鼓,咱没有,满打满算不到三十面。"

鲍三一把抓起局长桌上的电话,将话筒递给局长,说:"赶紧给他们打电话,就说有六十面盘鼓,一百面也有。"

局长:"实话瞎话?"

"啥实话瞎话,实话!"鲍三望着刘广合说,"咱就是凑也能给他凑够六十面鼓啊,你说对不对,刘哥?"

刘广合本想否定鲍三这种匆匆忙忙,转念一想,和环卫这次合作,就像杨子荣上威虎山得有个见面礼吧,想到这儿,刘广合接过鲍三的话,对局长说:"既然咱们要合作,就先练练兵,心里好有个数。"

---

① 汴京方言。"大摊泥",大大咧咧的意思。

局长一边点头,一边接通了模范商场的电话……

局长放下电话,告诉他俩,模范商场已经找了东郊乡大王屯的六十面鼓,但听说环卫也能去六十面鼓,非常高兴,大王屯的六十面鼓也不辞,加上环卫上的六十面鼓,一共一百二十面鼓,在汴京城搞一次惊天动地的促销活动。

刘广合有些忧虑地说:"模范商场把两支鼓队弄在一堆儿,这不又要斗鼓了吗?"

鲍三说:"斗就斗,谁怕谁啊。"

局长也惟恐天下不乱地说:"那才得劲,是骡子是马都拉出来遛遛,恁俩准备吧,缺啥少啥恁说一声,做上一面俺环卫的大旗,咱得让汴京城里的人们重新看看谁是汴京城里的王牌鼓队!"

七

刘广合与鲍三忙活了七八天,东拼西凑组织了一支以环卫为基础的鼓队,一天三晌训练,环卫局掏钱补充了些新鼓,又花了三百多块钱做了一面大旗幌,上绣八个醒目黑色大字——环卫王牌,声震中天。环卫局长说话兑现,除了必须的花费之外,凡参加训练人员,每天管一顿饭,每人还补助了五块钱。尽管大王屯鼓队是无名鼠辈,为了知己知彼,刘广合在训练期间,还是对大王屯的鼓队多少作了一些了解,了解罢,刘广合的心放回了肚里,他对鲍三说:"这年头是人是鬼都想吃盘鼓这碗饭,真正能入这个行的我心里都有数,你知大王屯的令旗手是何许人吗?"

鲍三问:"啥人?"

刘广合笑道:"是一个罗锅。"

鲍三惊奇地:"罗锅? 别打缠了……"

刘广合:"打啥缠,千真万确。"

鲍三:"咦,乖乖,咱这不是欺负人吗,跟一个柴坯斗鼓,坏了咱的名声。"

刘广合:"那咋办,就是碰上鱼虾鳖蟹也得斗啊,协议都签了。"

鲍三有些丧气地说:"要斗鼓就得棋逢对手,像俺爹当年那样,就是把耳朵斗聋,落个一世英名,这,这算啥?气蛋……"

话说回来,模范商场是故意按排一百二十面盘鼓在鼓楼街斗鼓,其动机还是为了增进商场的效益,这一点刘广合与鲍三心里十分清亮,所以,他们代表环卫在和模范商场签协议的时候,价提得很高,正如他们所料,模范商场价都没还便答应了。用鲍三的话说:"这叫开张大吉,第一炮生意就赚了两吊半。"刘广合对此也十分满意,他仿佛意识到,他们的这支盘鼓队前景不错,只要这头一炮打响,加上鲍家和自己目前的号召力,挣回自己的工资应该不在话下。

一转眼,到了下一个星期天,这模范商场真会选日子,这一天正好是三月十五日——消费者盛大的节日。喝,汴京城里的人跟买东西不要钱似的,疯一样的涌上大街,都说今天商家不敢卖假货,特别是大商场。模范商场算得上汴京城里为数不多的几家大商场中的一个,这模范商场始建于民国十七年,是冯玉祥督豫期间,引进的省内第一家国货商场,如今是时过境迁,国货和洋货一块儿卖,但搁在商场门口促销的大多是一些国货,积压库存多日的国货,因为是消费者的节日,消费者好像突然对这些往日并不感兴趣的国货一下变得兴致高昂,加上又有那么令人情绪膨胀的盘鼓,好家伙,压鼓楼街到学院门,简直挤拱不动。

旱天雷

刘广合和鲍三领着环卫的鼓队是先进场的,他们的位置在模范商场的南门拐弯处那座冯玉祥的塑像下,在他们到位之后没多大一会儿,就听见隆隆的鼓声压东面滚来,这时只听见爬在冯玉祥塑像身上的小孩们,指着学院门喊道:"瞅那罗锅,蹦多高!"

坐在冯玉祥塑像脚下刚点着烟的刘广合,站起身来,踮着脚尖往东一瞅,只见学院门的十字交叉路口,红绿灯和交通警都已失去作用,所有的车辆与行人都拥挤在四个路口,观望着一支行进在快车道上的盘鼓队。在汴京城的交通规则中,没有一条规定允许行进中的盘鼓队可以影响交通,而在汴京城里,任何一支行进中的盘鼓队,都可以在主干道上成为主角,汽车算啥,警察算啥,红绿灯就更算不了啥。刘广合没有瞅见罗锅,只瞅见令旗的上半截儿在人头中上下翻飞。这时,身穿红丝绒令旗衫的鲍三,招呼着坐在地上的盘鼓手们:"快,快起来,咱给这帮乡里人来个下马威。"

鼓手们从地上纷纷站了起来,将鼓和镲做好了准备。大约过了有两三分钟,刘广合瞅见了那个罗锅令旗手,他指挥着队伍上了模范商场前的人行道。罗锅令旗手正准备让他的队伍歇口气,鲍三手中的令旗挥动了,霎时间"大金枪"鼓点刺破了天,好一个鲍三,狼牙旗在他手里举落有秩,停顿有序,整个体态呈现出来的英姿,随着狼牙旗舞动的节奏,在鼓声中表现得分外完美。六十面盘鼓,就像六十只压笼子中放出来的老虎,个个一兜劲儿,他们牢记住了鲍三临来之前的训话:"咱的鼓,就是要霸气,就是要有大户人家的劲头,就是要当爹,就是要当爷,谁敢跟咱挺就掀翻谁,谁不服(扶)叫谁尿一裤!……"而鲍三却没把刘广合给他交代的话记在心里,刘广合嘱咐他,不管对方的鼓有多强还是有多弱,咱按咱的训练时的状态打,别太提劲儿,跟一个罗锅搁不着提怹大的劲儿。

事情原本不是刘广合和鲍三想的那样简单。鲍三像是只老虎,一口要把人家咬死,而刘广合却犯了兵家"轻敌"的大忌,本以为随便敲敲就能压住对方,且不知那原以为不打实的罗锅,简直就是个妖怪,让刘广合吓了一大跳。

正当鲍三气势如虹的狼牙旗招来众人赞许之时,大王屯那个歇罢了一口气的罗锅,弯曲着身子,用手中的令旗招呼他的队伍,这些乡里人真不简单,大远一路敲进城来,就歇了喝一口水的工夫,就又像加了油的拖拉机,满劲地发动起来。罗锅使了一个浑身抖动的动作,就像一个满身是水的刺猬猛然抖去身上的水珠,又团成一团,随后又像一只机敏的猴子向前一跃,伸展双臂将手中令旗转了一个三百六十度的圈,紧接着便是"大呼雷炮"的鼓点在他的指挥下接上了"大哗啦啦",整个动作让人看着眼花缭乱,也就是这么一个开头便引得围观者一片喝彩。刘广合也被罗锅这一手搞得一阵懵顶,在人们的喝彩过后,他定神仔细品了品罗锅的指挥手法,鼻子里轻蔑地一哼,说:"野仙儿,尽糊弄。"

罗锅的糊弄也被正在挥舞狼牙旗的鲍三看在眼里,鲍三差一点笑出了声,心说:"乖乖儿,你咋不躺到地上打滚啊,也不怕闪住你的腰。"鲍三不屑一顾地将他手中的令旗挥舞得更加自信。

俗话说,"内行看门道,外行看热闹",这话一点也不假,虽说盘鼓在汴京城里家喻户晓,但人们看的是热闹,没有几个人能说出它其中有多少道道。也正是如此,一个身带残疾的人与一个健全的人在一块斗鼓的话,按照汴京人通常同情弱者的心理,鲍三就是正宗到家的令旗手,环卫的鼓手们就全是"学院派",人们也会为罗锅指挥的大王屯鼓队叫好,老百姓的打分方法其中一个主要判断便是"热闹",而罗锅的那种做派和那样的生理表现,恰恰迎合了老百姓的口味。此时,刘广合已经明白,今天鲍三再卖力也是徒劳的,于是,他走到离鲍三不远的地方,提醒着鲍三说:"拉倒吧,别卖恁大的劲儿,让罗锅自己耍吧。"其实,刘广合就是不上前提醒,鲍三心里也清亮,可是人就这么怪,尤其是男人,在明明属于自己的东西偏偏不能得到的时候,那种窝囊和较劲儿是最难忍受的。

鲍三不那么提劲儿了,在他松懈下来的一瞬间,嘴里大声冲着罗锅骂了一句:"啥球玩艺儿!柴坯打盘鼓,耽误瞌睡不耽误!"

或许是鲍三的声音太大,或许是罗锅的耳朵尖,鲍三这句话钻进了罗锅的耳朵,那罗锅顿时停住了手,喘着粗气指着鲍三质问:"你骂谁柴坯?"

鲍三反问:"你是柴坯不是?柴坯能打盘鼓?还有人拾骂呢?"

只瞅见那罗锅二话没说,一把将身旁一个镲手手里的镲抓了过来,那动作潇洒得就像玩飞盘,一扬手,那只铜镲打着转向鲍三的头上飞来。罗锅的手如此之快是所有人始料不及的,当所有人明白过来是怎么一回事儿,该发生的结果已经发生了,只听鲍三"哎哟"一声,血像喷泉一样从头上冒了出来。

模范商场门前大乱,一场混战打得是乱七八糟,围观的人们可以一目了然看清战局的优劣,环卫穿的是黄布衫,大王屯穿的是绿布衫,色彩分明,阵线也分明,鼓,鼓槌、镲像手榴弹一样在空中投掷着,黄布衫和绿布衫扭成一团,拳脚相加,这一场面使那些爬在冯玉祥塑像身上的孩子们兴奋地高叫着:"得劲,真得劲,比看电影还得劲!"

刘广合被眼前这场突如其来的战争打得目瞪口呆,直到巡警们赶到,他才如梦初醒,拍着胯大声喊道:"恁这是弄啥?弄啥啊?"

受伤的人被送往医院了,没受伤的人被巡警们扭走了,刘广合看见,那个罗锅被警察扭走时,冲着自己高声吼着:"我知你是群艺馆的,他们都是你教出来的,我知你想当鼓王,你想独霸汴京盘鼓,没门儿,你等着,俺大王屯早晚会来踢你的场子,走着瞧!"

刘广合并没有为罗锅认识自己而惊奇,惊奇的是,罗锅怎么会说出他想当鼓王,想独霸汴京盘鼓?由此可见,他搞了这么多年盘鼓,无形之中已成了众矢之的,操他心的决不只是一个领着一群孩子向他挑战的曾汴红一个人。

八

要说这也算一种缘分,大王屯的那个罗锅叫李留根,此人就是当年在宋门洞里和鲍玉昆斗鼓,把鲍玉昆耳朵斗聋的那个令旗手李敦子的后代。李留根要是论辈,还是皮屯那个被日伪枪杀的李茂的一个远房孙子,是啥远房孙子连李留根本人也讲不清楚。李留根是一九六四年生人,那年又赶上大旱,大王屯的鼓队在李敦子的带领下,去到黄河滩上求雨,李留根在他娘肚里的羊水中折腾着已有八个月,算命仙儿对他娘说:"这孩儿是水命,水命缺水可不中啊,一辈子不顺。"算命仙儿教了他娘一个"破法"儿,让他娘和男人们一起去求雨。就这,他娘挺了大肚子

和他爹一同去了黄河滩,要说他娘还真够皮实,使镲一气儿拍了几个钟头,当天夜里就早产,生下李留根就成了现在这个模样。

有人说,李留根克他爹,要不咋会在他出生的第二年,黄河水大,大王屯组织劳力上堤,他爹和其他十来个人跳进水里堵管涌时,惟独把他爹给冲走了呢?这世上的事儿就是难说,邪气,这李留根从小就对盘鼓着迷,用他娘的话:"这货,生就一个弄这的货。"这话一点不假,李留根比盘鼓高不了多少的时候,就会使小手在鼓面上敲"老得胜"的节奏。因为罗锅,大王屯的鼓队一直不带他玩,他恼了,十八岁那年夏天,他进城给建筑队提了一个多月的泥兜,用挣来的钱去汴京的义顺兴胡家买了一面盘鼓,回家后,每天挎到地头去打。李留根的鼓打得是不赖,尽管鼓技上得到大王屯人的认可,平时在村里打着玩还行,但一碰到节气儿和正儿八经的庆祝活动,就没他啥事儿了,大王屯谁也不愿意让一个罗锅损了一村人的形象。李留根二十二岁那年,正月走会,老君堂的旱船和盘鼓走到了大王屯,天擦黑,当时村长正在李留根家喝酒,听见满村人在喊去看老君堂的表演,喝得快找不着家门的村长说:"老君堂的旱船还中,盘鼓跟咱错着级别呢,咱村就是派一个最不咋着的人去,也敆他们的茬儿!"

李留根趁机发牌说:"村长,明个去老君堂就让我也算一个吧。"

村长使醉眼上下打量了一番李留根,说:"中,那你就打令旗。"

李留根不敢相信地:"我打令旗?"

村长毫不含糊地:"对,就让你打令旗,咱就让他们知道知道，咱派上个不整壮①的人，也能当他们老师儿。"

李留根听着这话别扭，但他忍住了，为了明天能去老君堂抛头露面，村长说啥都得忍着，因为村长不光是村长，还是大王屯的会首，村长只要吐口，他就能参加走会。那天村长被李留根灌醉了，第二天醒来，在麦场上，村长瞅见李留根正在与令旗手争令旗时，村长大急道："留根，你弄啥？不该你着的物件你不要招！"

李留根大惑地问："村长，昨天不是你答应我的吗？"

村长一整脸②说："胡扯，我啥时候答应你了？我答应你啥了？"

李留根急了："村长，咱兴不兴说瞎话？昨天夜里你在俺家喝酒时，亲口许的愿，说今个去老君堂让我打令旗！"

村长眨巴着眼说："我咋不知啊？不可能，我再喝多，也不会让一个不整壮的人代表咱村去走会。"

李留根彻底大恼，拍屁股打胯地骂道："谁说瞎话谁是妞生的！谁说瞎话尻谁家先人！谁说瞎话让他出门被汽车撞死！……"

村长也彻底恼了，指着李留根的鼻子骂道："中，乖乖，你是成心要弄不得劲是吧？今年的公粮，恁家多交一百斤！"

李留根二话没说，扭脸回家，把他家那支打兔的枪扛到了麦场，对准了村长，说："你不让我活，咱都

---

① 汴京方言。"整壮"，健全、整齐的意思。
② 汴京方言。"整脸"，汴京人念"整"为 zhěn，变脸、严肃的意思。

别活,我轰烂你的头,再去跳井!"

村长吓孬劲了,直往麦场上练鼓的人们身后藏,练鼓的人们也都傻眼了,他们都知,李留根虽然身体是个柴坏,但秉性不柴坏,他真要耍起二球,警察都没法儿。有一年乡派出所怀疑他偷了水泵,把他抓到乡派出所,他一头撞在派出所长的办公桌上,差点出了人命,至今他的头上还有个大三角疤拉。按乡里的辈分,村长还得叫李留根舅。这时,能说上话的人纷纷上前劝说:"弄啥咧,都亲一窝,搁不着动恁大的劲,拉倒吧,拉倒吧,不就是想打个鼓吗,你是舅咧,让你打还不中,恁外甥能不让你打吗?拉倒吧,拉倒吧……"

众人也算给村长找了一个台阶,村长见李留根的食指离开了扳机,才压众人身后露出脸说:"你瞅瞅你,哪像个舅,拿着兔枪对着恁外甥,也不怕人家看笑话,不就是想打鼓吗?搁着搁着要杀恁外甥啊,让你打,让你打,你不怕丢人俺怕个啥……"

李留根铁青着脸,把兔枪往天上一举,"轰"地一声扣动了扳机,然后把枪往地上一摔,说:"这个令旗我打定了!"

当天黑晌,老君堂的人们算大开了眼界,起初是嘲笑,接着是沉默,再接着就是爆发出一片叫好。不光是老君堂的人,就连李留根指挥的鼓队,都被他那出神入化的、找不着出处的指挥语法带入了一种境界,在这种境界之中所造成的氛围里,没有人感觉到他是一个柴坏,是一个不整壮的人……

压那以后,李留根成了大王屯盘鼓的第一把交椅。

话还接着前头说。李留根在模范商场门前,一镲削烂了鲍三的头皮,被抓到局子里关了大半天,赔偿所有的医药费不说,还根据鲍三的要求,赔了鲍三两千块钱。村长外甥把他从局子里保出来,让他回家,他不回,村长外甥领着他在相国寺后的地摊上吃罢卤面后,他一抹嘴对村长外甥说:"咱不能回,咱得找一个人,找罢这个人咱再回。"

村长外甥问:"找谁啊?"

李留根说:"咱得找一个能帮咱出气的人。"

村长外甥:"咋,你还准备和人家打仗?"

李留根:"打个啥仗啊,咱把盘鼓打到城里,就为了挣几个钱吗? 咱得让城里这些货们看看,这盘鼓究竟是他们城里人打得好,还是咱乡里人打得好,别见天①觉得他们了不得,领着去郑州演出,领着去北京比赛,咋? 就没咱的份儿? 我就不信这个邪,那个姓刘的算个啥? 盘鼓比赛回回他都是第一,凭啥? 好像他就是汴京的鼓王,你瞅瞅他和鲍家霸气的,别人不认他们的路数,他们就开口骂人,这汴京打盘鼓的多了,非得都认他们的路数? 我就不按他们的路数,咱一会儿去找的那个人也不按他们的路数。"

村长外甥:"别说那么多,咱到底去哪儿? 找谁?"

李留根神秘地说:"去卧龙街,找一个女人。"

村长外甥:"找一个女人? 她是弄啥的?"

李留根:"年头里,咱进城来看第四届盘鼓大赛,获并列第一的那个队你还记得不?"

村长外甥:"咋不记得,一群小孩儿,领头的是个女老师。"

李留根:"咱要找的就是这个女老师。"

---

① 汴京方言。"见天",整天的意思。

村长外甥："咋？你是啥意思？"

李留根："你看她教的那帮孩儿是啥路数没？那些省里和北京请来的评委为啥给她打了高分？为啥她能和群艺馆姓刘的并列第一？这里啥巧儿？"

村长外甥："啥巧儿，鼓打得好呗。"

李留根："不是鼓打得好，而是她敢发明创造，想法和别人不一样，你看她编排的'十六棒'和一般编排的'十六棒'有啥不同？"

村长外甥隐隐约约地："好像是和别人不一样……"

李留根："她编排的'十六棒'，是让敲鼓家能跳得欢势，还有她的'三顿槌'，反复了多少次，我查着数哩，八次，哪有连敲八次的'三顿槌'，可人家就是敲了，敲的还可得劲儿。"

村长外甥："你的意思是，咱请她教教咱？"

李留根点头道："我比较赞成她的路数，敲盘鼓别死一式地敲，我打令旗咋样？在路数不在路数？啥路数都不在，只要花哨，看家喜欢，为你叫好就是路数。"

村长外甥白了李留根一眼，说："你恁能，还用着请人家，自己糊弄点路数不去球了。"

李留根颇为谦虚地："哎，我这两下子是猛一唬，小打小闹还中，想玩大，想夺盘鼓大赛的第一，还得请高手。"

李留根和村长外甥去卧龙街小学找曾汴红的时候，曾汴红正在音乐教室里上课，他俩一直等到下课，利用课间的十分钟，站在学校的操场上把来意告诉了曾汴红，曾汴红问："第四届盘鼓大赛咋没参加呢？"

"俺是想参加的，报名报晚了，再说，俺的人手也不齐,令旗手比别人也矬点儿……"村长外甥说到这,不自在地瞅了李留根一眼,没再往下说。

虽然村长外甥的话让李留根不舒服,但他还是顾全了大局,他心里清亮,不论他对盘鼓有多么痴迷,打得有多么好,在人们心里认为,他背上那一驼子肉总是美中不足,总是一种障碍。他知村长外甥话里的含意,没有报名参加第四届盘鼓大赛,并不是因为报名报晚了,而是村长以及所有大王屯的人,都不愿意让一个罗锅在众目睽睽之中,让大王屯的盘鼓留下不应有的遗憾。

李留根对曾汴红说:"曾老师,我是大王屯盘鼓队的令旗手,我是个残废,可我压小在娘肚子里就听盘鼓,俺农村人,没啥巴望,天不旱,地不涝,粮满仓,这就是俺最大的巴望。北京人有钱坐飞机旅游,郑州人有空坐歌厅里唱歌,俺汴京的乡里人,大钱没有,挣个小钱吧,进城还舍不得'打的',俺就喜好个盘鼓,爱听盘鼓的动静,没法儿,就上这个瘾。曾老师,只要你答应去教俺,我宁可不当大王屯的令旗手。说实在话,俺吃几个馍,喝几碗汤,俺心里有数,俺也不巴望去北京参加啥比赛,俺也不巴望去郑州获个啥大奖,曾老师,你只要让俺大王屯的盘鼓在汴京这地儿辉煌一把,我李留根下辈子为你做牛做马,也心甘情愿。"

曾汴红差点被李留根的这番话感动得流出泪来。曾汴红表态道:"别说了,啥也别说了,下个双休日一早,恁开拖拉机来接我吧,话说头里,恁要给我报酬,趁早别来。"

村长外甥:"那哪行啊,该是啥是啥,事儿得按规矩办,邓小平理论是啥?就是凭本事拿钱,不要报酬不符合中央政策,也不符合俺大王屯老百姓的心

愿……"

曾汴红严肃认真地说:"我告诉恁,我学盘鼓是交钱学的,那是学艺,我去恁那儿,不是教恁学盘鼓,而是咱们一块儿发展这门民间艺术。就这吧,俺家爱吃红薯,红薯下来了,给俺家送一车红薯吧。"

曾汴红说罢,扭脸伴着上课铃声去上课了。

村长外甥和李留根看着曾汴红离去的身影,异口同声说了句:"人物。"

九

对于曾汴红来讲,她可能并不完全清楚,目前她在汴京打盘鼓人们心中的位置,自从第四届盘鼓大赛,她与刘广合并列了冠军之后,可以说她的名声大震,汴京周围十里八乡,都知有个姓曾的女老师,指挥一帮孩儿,打小盘鼓得了盘鼓大赛的并列第一。第四届盘鼓大赛虽然是在龙亭后的华北体育场比的,当时恰逢龙亭公园后门的星期天庙会,这个庙会虽说是个新庙会,但十里八乡来赶集的人还不少,外加又是个星期天,去逛清明上河园和天波杨府的人也不少,顺着龙亭坑,悠闲地看看钓鱼,看看天空放的豪①,再去庙会买点打对折的东西,很自然就听见华北体育场里的鼓声。体育场恁大,门票只收一块钱,汴京人又像爱醉酒那样爱醉鼓,所以,庙会上的人都窜进了华北体育场,一传十,十传百,汴京周围十里八乡打盘鼓的,只要一提起曾汴红,不管是褒是贬,都得承认曾汴红敢弄,敢用孩儿们去打大人们的擂台,尽管相当一部分人不服,说那帮郑州和北京请

---

① 汴京方言。"豪",风筝。

来的专家评委不懂谱,可那帮专家评委所作出的裁定又没人敢当面提出异议。对此,曾汴红不发表自己的看法,刘广合心里虽不服气,但他也不赞成那些在他面前说三道四的人,他认为背后耍钩担的人,十个八个是在看他的笑话。公正地说,刘广合坚信盘鼓再过一万年,不论它用什么方式出现,还是男人的玩艺儿,而曾汴红却认为,盘鼓想要成为真正的艺术,就必须给它注入新的内容,这种注入不单单局限在各种演出和比赛的舞台上,而是要从根本上进行改变。曾汴红答应去大王屯,就是她这种思想的体现。

大王屯离城十来里路,近些年也发展了许多新庙会,曾汴红星期天坐着奔马牌手扶拖拉机来大王屯时,正赶上这里的庙会。奔马被拥挤在人堆里,曾汴红问来接她的村长道:"今天这是个啥庙会?"

村长说:"火神庙会吧?搞不懂,俺这儿眼望儿三天两头有庙会,谁知,大家搁一堆儿凑个热闹呗。"

曾汴红:"从前的庙会没眼望儿多吗?"

村长:"没有。听俺爹说,从前赶庙会都是去汴京城,谁知眼望儿乡里的庙会咋比汴京城里的庙会还稠呢!"

曾汴红:"我也没赶过庙会,知一点儿,具体有啥庙会我也不知。"

村长说:"曾老师会打盘鼓,不知庙会,还怪稀罕哩。"

曾汴红:"这有啥稀罕,日本人还喜欢盘鼓呢。"

村长笑着说:"这话可别让李留根听着,日本人杀了他爷。"

在奔马一点点向前挪动时,村长对曾汴红讲了

李茂被日伪杀害的故事,还讲了汴京从前著名的三月二十八的东岳庙会,五月二十三的关帝庙会,五月二十八和十月一的城隍庙会,正月初八的边村庙会和正月十一的干河沿庙会,讲着讲着,便听到不远处传来的隆隆鼓声。此时,村长脸上的表情起了变化,兴奋地提醒曾汴红道:"曾老师,你注意向前瞅。"

村长从奔马上站了起来,曾汴红跟着也站了起来,在前方大约一百来米的地方,一片人头之中,曾汴红看到了令旗的旗梢。随着鼓队向前行进,人头纷纷往路的两旁分开,曾汴红看清了令旗手明显地与众不同……

曾汴红没有说话,在喧闹的人声和鼓声中沉思着,她被令旗手的一招一式感动得说不出话来。这时,她身边的村长感叹地对她说:"唉,老天爷咋让他是个柴坯呢?他要不是个柴坯,大王屯所有的女人都愿意嫁给他……"

曾汴红依旧没有说话,当她看见一条上边写着"热烈欢迎曾老师"的横幅突然在鼓队中举起的时候,两串热泪滚下了她的脸颊……

曾汴红默默地说了一句:"他是个艺术家。"

一直被兴奋盘绕着的村长,没听清曾汴红嘴里说的是啥,问道:"你说啥,曾老师?"

曾汴红斩钉截铁地说:"他就是令旗手。"

村长没明白意思地说:"不让他当令旗手,他差点掂兔枪崩我,这事儿,你说和俺说不一样,你说他就没啥说了。"

曾汴红再次斩钉截铁地说:"我说他就是令旗手!"

瞅着曾汴红的脸,这一回村长听懂了意思,张了张嘴,想说啥没说出口来,带着一脸苦笑冲着鼓队摆了摆手,鼓队停下来后,村长说:"中啦,中啦,吸颗烟歇歇,恁都把曾老师感动哭了。曾老师说了,冲咱这股干劲儿,咱也得当上盘鼓大赛的老一,保证当上老一;曾老师说了,谁不当老一,咱也得当老一,咱不但要当汴京的老一,咱还要当河南的老一,全国的老一,全世界的老一。我理解曾老师的意思就是,只要咱当上了汴京的老一,也就是当上了全世界的老一。曾老师说了,当老一不难,难的是咱得服从命令,听喝①;不能谁想弄啥就弄啥,想练就练,不想练就不练,不能谁想要一通就要一通,谁想掂兔枪就掂兔枪,就这不中;咱今个把丑话说头里,曾老师说啥就是啥,一切按曾老师说的办,谁要不听喝,咱得说点啥……"

曾汴红的脸红通通的,心里一个劲儿埋怨村长:"咋能就这胡说,谁敢保证当上盘鼓大赛的老一?当不上老一咋办?真是,说话咋恁不负责任……"

村长胡连八扯了一大通后,请曾汴红给大家讲讲,被曾汴红谢绝了。曾汴红在村长和李留根一帮盘鼓骨干的簇拥下,来到村委会,村长命令人去抱来一布袋花生,倒在曾汴红的面前,说:"俺这就花生多,曾老师你先吃点花生,喝口水,歇歇咱再去麦场上,先让这些货们在麦场上等着。"

曾汴红忙说:"走吧,我不累,咱抓紧,一星期就这么一天时间,我今天先把我的想法跟大家沟通沟通。"

村长仰着脸说:"哎,跟这些货们沟通个啥,你咋说,他们咋练,那驴一上套,不是把式让它咋走咋

---

① 汴京方言。"听喝",听从调遣的意思。

走嘛,跟这些货们搁不着说那些。"

曾汴红严肃地说:"那不中,得商量着来,盘鼓又不是一个人的艺术,得发挥集体的智慧才中。"

村长咧着嘴,显得有点不自然,说:"中,中,按曾老师说的办,按曾老师说的办。"

曾汴红对一旁的李留根说:"留根,令旗还是你打,刚才我在拖拉机上看了,恁的鼓多镲少,是不是再找上几个打镲的。"

李留根:"打镲的?"

曾汴红:"对。可不要小看镲,配好配不好戏,全靠打镲的。"

李留根:"中,我去挑几个人,女的中不中?"

曾汴红:"最好是男的。"

李留根走了,曾汴红和村长一起来到麦场上。村长指着麦场上搁着的一面盘鼓说:"这鼓早就该换了,俺爹他们很早就使,一直使到现在,你别说,过去的鼓就是耐使,水牛皮,桑木箍,你瞅,这上面还显红漆印儿,'毛泽东思想宣传队'。"

曾汴红蹲下身,用手抚摸鼓身,自己的情感仿佛被一种更远的历史沧桑而触动,她将这面鼓搬起,挎上自己的肩,用手轻轻地敲了敲,鼓胆在鼓身里发出敏锐触响的回音,似乎在她的周身颤动着。

村长在一旁吸着烟,笑着说:"曾老师,说句不入耳的话你别介意,鼓胆就是那,男人的那,鼓中不中在那,男人中不中也在那,你别介意,我这是打个比方,这是俺爹他们说的。"

曾汴红这次没有脸红,她清楚村长的意思,问:"胡家的鼓?"

"除了胡家的鼓能使这些年,还能有谁的。"村长说着低头在一群鼓里挑了一面鼓,提起来使手敲了两下说,"再听听这,去年在范庄集上买的鼓,怪便宜,听听,成啥了,又闷又噼啦,没法儿,俺的会计吃回扣的鼓,兔孙玩艺儿,买罢回来我就把那个兔孙会计给抹哈①了。"

这时,李留根领着五六个中青年男人来到麦场,一个个向曾汴红介绍:"这是二孬,这是抓勾,这是粪堆,这是大腚,这是小腌臜,就这几块料。"

曾汴红问:"恁几个喜不喜欢打盘鼓啊?"

抓勾不满意地说:"村长样不中俺,嫌弃俺打不到点上。"

粪堆晃着头说:"我原来就是打镲的,支书他侄儿把我给顶了。"

小腌臜为难地说:"我中不中啊?上一回就没被挑上。"

二孬嘻皮笑脸地说:"村长铁面无私呗,论辈分,留根还得叫我点啥呢。"

李留根瞪着眼问:"叫你点啥?你说,叫你点啥?"

二孬嘻皮笑脸地说:"姐夫呗。"

"你万奶奶!"李留根抓起鼓槌向二孬摔去,俩人在麦场上追逐起来。

村长整着脸大声喝道:"中了中了,有劲儿没处使是吧?咱这是打盘鼓,还是学马家军练长跑呢?狂劲儿不小!让人家曾老师笑话……"

曾汴红笑了笑,像在学校辅导学生排练节目那样,拍了拍巴掌,招呼麦场上的盘鼓手们道:"来来,大家站队。"

---

① 汴京方言。"抹哈",撤职的意思。

十

自从在模范商场门前鲍三被镲削烂了头皮,刘广合对鲍三的意见越来越大,他极不赞成鲍三那种目中无人的鲁莽,他去到医院在鲍玉昆的耳边大声说着:"斗鼓不必斗气儿,打了个一塌糊涂,让人家咋看咱?鲍家的鼓不在于和别人斗一日之短长,汴京人都长着眼呢,大王屯的鼓打得咋样,时候一长自有公论,这样一骂一打,反而让人觉得咱技不如人,你说是不是老爷子?"

鲍玉昆点着头说:"没错,大王屯算个啥,小拇指头都排不上,跟他们斗啥?还不够丢人的呢!"

之后,鲍玉昆说了儿子一通,鲍三不服地大声说道:"广合这人就不长点脑子,那大王屯是来和咱争市场的,咱不是指望占领汴京的市场吗,这好,以后瞎子瘸子都来和咱争,打飞脚、翻马车轱辘,就地十八滚,统统成了令旗手的招术,这汴京的盘鼓成啥了?咱鲍家不去制止谁去制止?任大王屯那帮野仙儿这样打下去,我们这帮正规军都得缴械投降!"

鲍玉昆听罢儿子的话,点着头说:"那是,决不能让野仙儿们糊弄!汴京盘鼓就是咱鲍家盘鼓,鲍家盘鼓就是咱汴京盘鼓,祖宗的玩艺,咱不能不管!"

刘广合与鲍三有了分歧,然而这还不算啥大分歧,他俩的大分歧,还是在与环卫的签约问题上。环卫局的局长在合同草案里提出,盘鼓队的经济所得要六四开,环卫局得六,刘广合和鲍三得四,刘广合认为,不必计较得太真,咱看中的是环卫上的人力物力,得四就得四吧,可鲍三不依,鲍三认为,咱掏恁大的劲儿,让他们落大头,凭啥?咱得六都亏,咱起码要三七开,咱得七还差不多。就这,俩人呛呛了两天,鲍三坚持他的主张,刘广合没法儿,去跟环卫局长商量,可环卫局长是个别筋,咋商量也商量不通,环卫局长最后烦了,说:"恁要弄就弄,不弄就拉倒,恁吃亏,恁吃啥亏?人是俺的,鼓是俺的,服装也是俺的,训练场地还是俺的,恁还不愿意,说的怪好听,发展盘鼓事业,恁自己去发展吧,又不是俺热粘皮儿。"刘广合一看这个阵式,不敢再说啥了,于是就背着鲍三,签下这个六四开的协议。过后,鲍三十分不快,嘴里虽没有过多的难听话,行动上却表现得不再那么积极热心,训练鼓队时,三天打鱼两天晒网,不知啥时,又热衷起了婚纱照相,和街道办事处一个管计划生育的什么主任蹶到一起,筹备起了婚纱照相馆。刘广合心里很不舒服,他准备找鲍三好好谈谈。

鲍玉昆出院回家那天,刘广合掂着一只吃服几辈汴京人的马豫兴桶子鸡去了仁义胡同。

鲍玉昆老头很高兴,对儿子说:"恁广合哥来了,我床底下还有一瓶'汴梁老窖',恁弟儿俩喝点,我也陪着少喝点。"

刘广合大声在鲍玉昆耳边提醒道:"老爷子,你自己照护着点,大夫交代,你要少喝点酒。"

鲍玉昆歪着头说:"鳖孙哎,该死不能活,该瞎不能瘸,我才不信那一套,没事儿,我照护着呢。"

弄下酒菜,鲍三是轻车熟路,不一会儿,压街上就掂回几个塑料袋儿,一袋子五香花生仁,一袋子羊肚儿,一袋子卤豆腐干,一袋子调莲菜,还有一袋子刘广合没认出来,于是指着问道:"这是啥?"

鲍三说:"卖家说是南京的芦苇根儿,没吃过,头一次买。"

刘广合颇有感受地说:"瞅见没,老弟,南京的

芦苇根儿，南韩的生菜，湖南的臭豆腐，市场上啥没有？啥都有。你别管是真的还是假的，都是汴京人卖的，咱能把人家的玩艺弄到咱这儿来，人家就不能把咱的玩艺儿弄到人家那儿去？我听老胡家说，新疆乌鲁木齐都跑到这儿来买盘鼓了，老弟，咱得有点紧迫感才中啊。"

鲍三把塑料袋里的凉菜分到盘里，使手捏起一根芦苇根儿，撂进嘴里，嚼了两口，拧着眉头说："啥味儿，享受不了。"

刘广合也使手捏起一根儿，搁进嘴里，嚼了嚼，说："这味中啊，带点苦头，不难吃啊。"

鲍三又捏起一根儿，塞进嘴里品了品，还是摇头："不中，我还是拿不了这个怪味。"

小方桌支在堂屋，三人落座，喝了起来，酒过三巡，鲍玉昆戳着儿子同刘广合猜枚，鲍玉昆就喜欢看儿子和刘广合猜枚，鲍三的枚霸气，节奏快，指法变化多，活泛；刘广合的枚是老五魁，不紧不慢，棉里藏针，以不变应万变，枚贼。用鲍玉昆的话："这俩货凑到一块儿猜枚，半斤八两，哪个货也少喝不了。"鲍玉昆这话说的照，一瓶"汴梁老窖"不一会儿就见了瓶底儿。鲍三不拉倒，又跑到街上掂了一瓶"睢州粮液"。其实，鲍三和刘广合俩人喝一瓶酒正好，这第二瓶一打开，麻烦了，鲍三原本就是个酒性不咋样的人，刘广合也是个一喝酒话就稠的人，妥，那些原本埋在肚里不愿说的话，借着酒劲儿，统统发泄出来。

鲍三："你是哥，咱俩又是合伙人，可你根本就不把我放在眼里，签合同恁大的事儿，你该不该自作主张？咋？啥事儿都你说了算？都你说了算还拉我合伙弄啥？自己干呗，挣多挣少自己都认。"

刘广合眼红得像个兔子,抽一口烟,弹一下烟灰,说:"恁老哥啥时候都把你老弟当成亲兄弟,没有咱老爷子,我咋能会敲盘鼓?不会敲盘鼓我咋能和恁鲍家有这么深的感情?来,喝。"

鲍三端起杯,喝了一大口,把酒杯重重往桌上一搁,说:"你放心,俺鲍家不指盘鼓照活,现在指盘鼓吃饭?哼,饿大牙,人家把驴牵走了,你来拔橛……"

刘广合:"指盘鼓吃不吃饭,压根就不是咱的主要目的,咱的主要目的是为振兴汴京盘鼓,咱是要当汴京盘鼓的老大,咱是要让那些不知天高地厚的货们知道,咱鲍家的盘鼓才是正宗的汴京盘鼓,咱不是为了钱,是争一口气!"

鲍三:"啥年月了,还唱高调呢,咱鲍家的盘鼓是不是正宗的汴京盘鼓,老百姓都长着眼呢,吆喝的怪大,置不上钱,白搭。"

刘广合:"你咋知就置不上钱呢?"

鲍三:"合同定四六开,吃干打净还挣个屁钱?你咋想的,你以为我不知?"

刘广合:"你知啥?"

鲍三带着满脸醉意笑了笑:"算了,看透不说透,才是好朋友。"

刘广合:"别掖着藏着,你说。"

鲍三:"当真让我说?"

刘广合坚决地:"你说。"

鲍三:"别玩花屁股门儿了,恁这些文化人,肚里有几根肠子我还不清楚,挣不挣钱你当然不在乎,你把俺鲍家的盘鼓学走了,开始抄俺的后路了,是吧?"

"放屁!"刘广合一巴掌重重地拍在酒桌上,盘碗被震荡得乱跳。

坐在一旁始终没听清两人说话的鲍玉昆,被吓了一跳,忙问:"咋啦? 恁俩这是咋啦?"

刘广合平时喝酒脸就发白,这一会儿显得格外白,他强忍耐住自己,向老头摆了摆手:"没事儿,没事儿。"

鲍玉昆:"酒喝得劲就中了,别因为喝酒伤了和气。"

刘广合从酒桌前慢慢站起身来,摇晃着身子向门口走了两步,然后回头用手指着鲍三说:"就你那几根小鸡肚肠,也成不了什么大事儿,俗话说,'缘分是只狗,撵不上,也哄不走',看来,你和盘鼓的缘分已经到头了。"

鲍三为自己斟满一杯酒,一仰而尽,紫红色的脸像只茄子。鲍玉昆看出了其中的不得劲,对已经走到门口的刘广合说:"别走,爷儿们,咱爷儿俩喝一杯。"

刘广合微笑着合掌向鲍玉昆致谢罢,出了鲍家的门。天已擦黑,刘广合推着自行车,在华灯初上的马路上走着,他不想回家,在马路上转了几圈后,不由自主转到了"义顺兴"的门前,他把自行车往院门外的墙上一靠,走进院里。守着烘料池的胡家老太太,没看清进院来的人是谁,问了一声:"谁呀?"

"是我,大大。"

老太太认清了走近的刘广合:"噢,我当谁呢,是刘老师啊,咋? 又要订做盘鼓?"

刘广合摇摇头,在烘料池旁蹲下。

老太太:"进屋坐吧。"

刘广合:"不了,大大,这儿挺好。"

老太太冲着屋里喊道:"春儿,搬个小凳子来!"

春儿压屋里搬出一个小凳子,塞到了刘广合的屁股下面后,扭脸回屋去了。

刘广合问老太太:"春儿现在弄啥呢?"

老太太:"啥也不弄,在家闲几年了,我让他帮着打打下手,他爹他妈在龙亭公园门根儿摆了个卖字画的小摊,成日也不回来,他也不愿去帮他们守摊,打下手吧,一不留神,不是把料给你烤糊了,就是把料刨歪了,唉,我老了,力掬不上,心劲也跟不上了,这义顺兴的盘鼓,怕是要走下坡路了……"

刘广合:"天下没有不散的筵席啊。"

老太太:"是啊,刘老师,不管义顺兴今后是个啥样,我也得感谢你,这几年来,你没少关照我们义顺兴的生意。"

刘广合:"大大,做鼓的不容易,打鼓的也不容易啊,尤其是在汴京这地儿打鼓,打不好,别人笑话你,打得好,别人嫉恨你……"

老太太:"汴京这地儿,打盘鼓的太多,好打家也太多,不好混啊。依我看,谁也别夸自己的鼓打得比别人好,这鼓啊,打到一定功夫,都差不多,强也强不到哪儿去,俺胡家做鼓不打鼓,但,汴京城里打鼓的主儿见过的多了,这些主儿凑到一起,说实话,很难分出个眉眼高低。依我看,汴京城里打鼓的分三种,第一种,是人家咋打他咋打;第二种,是自己琢磨着咋打就咋打;第三种,是不知自己该咋打。你刘老师就属于这第三种人,已经到了不知自己该咋打的地步。"

刘广合惊讶地瞅着老太太,问:"大大,你咋知我心里的不得劲?"

老太太笑了,双手撑着双膝站起,说:"咱娘儿俩对心事儿,压鲍聋子把你介绍到我这儿那会儿起,我就觉着咱娘儿俩有缘。咋?是不是有人想顶你的

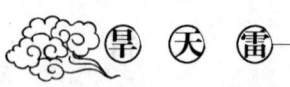 

行?"

刘广合默默地点了点头。

老太太:"天黑了,回屋坐吧,让我老太婆再猜猜你的心事儿。"老太太冲着屋里喊道:"春儿,出来守着料,再过半点就中了。"

且不说胡家老太太是如何猜出刘广合心事儿的,又是如何给他指点迷津的,在刘广合认为,就对盘鼓的缘分儿而言,他与胡家老太太的缘分从某些方面要比鲍家还要大。有许多东西他说不清,这座"义顺兴"的小院,他来过不知有多少次了,可每一次当他看见那一摞摞的盘鼓,总会有一种崭新的情绪和不同的感觉,用胡家老太太的话:"刘广合这货,像我的儿。"

胡家老太太猜透了刘广合的心事儿,她对刘广合说:"鲍三说两句不中听的话无所谓,他的心已经不在盘鼓上了,况且恁俩又不是一路人,分道扬镳也好。依我看,真正要留神的,倒是那个姓曾的小学教师,这个女人不是凡人,你瞅她的长像,一看就是个能整事儿的人。"胡老太太头一次见到曾汴红,对曾的印象谈不上好,也谈不上坏,但她隐约觉得,这位姓曾的女人的能力和欲望决不是一个小学教师可达到和满足的。胡老太太说:"喜爱盘鼓的女人,你情相信了,心劲都比男人高。"

这句话让"义顺兴"的老太婆给说照了。

下 篇

十一

此时此刻,曾汴红正坐在二孬开的奔马上往大王屯赶。往常,下午一下课,曾汴红走出校门,就能看见二孬蹲在马路台儿上吸烟,今天二孬来晚了,足足让曾汴红在校门口等了快两个钟头。当二孬大头小汗赶到学校门口时,天已经擦黑了。一问才知道,奔马坏在半路上了,修了老半天才修好。曾汴红在学校门口的烧饼摊上买了三个烧饼夹豆腐,塞给二孬两个,自己啃上一个,坐上奔马开回大王屯,已经是晚上快八点了。

麦场上灯火通明,汽马灯招来田野大群好事的飞蝗,在人们头顶穿梭。二孬的奔马停在了麦场上,焦急的李留根和村长外甥走上前来。村长外甥:"咋弄的,二孬,俺还以为你把曾老师接到美国去了呢!"

二孬压奔马上蹦下来,说:"我的修车钱你得给我报销啊,还有曾老师的烧饼钱。"

李留根一边扶曾汴红下车,一边埋怨二孬:"你就不会截个面的,先把曾老师送来,让大家等得翘急。"二孬:"你说得好听,你问问恁那个抠腔哑指头的外甥,看他挺不挺,使我的车,一次才给我算四块钱,城里的三轮拉到这儿还得五块钱呢。"

李留根对村长外甥说:"恁村里的干部也凑一堆儿商量商量,天眼瞅着就冷了,还让曾老师坐二孬的车?拉倒吧,能省几个钱,不中大家凑数,让曾老师坐面的。"

曾汴红连忙说:"用不着,坐二孬的车挺好。"

村长外甥:"曾老师,让你受委屈,别管了,恁家的米面俺全包了,咱乡里别的没有,米面还是能管够的。"曾汴红笑道:"也不让恁管米,也不让恁管面,只要恁能按我的意思去打鼓,比啥都强。"

自打曾汴红被大王屯请来编排盘鼓,麻烦也碰到不少,有些麻烦是她没有意料到的。就拿村长外甥来说吧,每当她编排出一个新花样,村长外甥就凑到她的身边说:"这中不中啊?花哨不花哨?人家会不会说咱不在谱啊?"为此,她与村长外甥谈了好几次,让他不要过多干涉她的构思和意图,她不只一次严肃地对他说:想拿盘鼓大赛的冠军,就得别出心裁,就得和人家不一样,鼓点就是那些鼓点,变来变去也难变出啥花样来,创新只能在编排上,把鼓往舞上转化。村长外甥对此一直心有余悸,他背地里对李留根说:"我咋觉着,这娘儿们这一套不是正路呢?"李留根斜着眼说:"啥正路不正路,路都由人走出来的,人家要没几手,能在全国到处得奖?到处有人请她去教鼓?"村长外甥说:"我觉着,她这个弄法儿,在外地中,外地人不懂,在小孩身上也中,小孩们连蹦带跳的也怪可爱,弄在大人们身上,我咋觉着,有点不在谱。"李留根说:"我觉着不赖,一帮人站在台上死一式地敲,有啥意思,就得变着法儿敲才中,啥在谱不在谱,我的令旗也不在谱,现在咋样,都服,我那一套,谁也玩不了,谁也学不去。"村长外甥不吭声了,心里在犯嘀咕的同时并没有对这位请来的教头失去信任。

曾汴红喝了两口水,开始招呼盘鼓手们站队,她大声说道:"咱今天排第六个动作,这第六个动作叫'遍地红花',后排拍镲的人往前穿插,到鼓手前面,大弓箭步下蹲,仰视鼓手,听明白了没?"

"听明白了。""中,咱们开始。"鼓手们按照曾汴红的要求做了一遍。

曾汴红拍了拍手,示意大家停下,说:"做的不错,大家做的不错,动作就是还不太到位,抓勾的身子没蹲下来,好,再来一遍。"

鼓手们在曾汴红的指挥下又做了一遍。

曾汴红再次拍手示意大家停下,说:"抓勾,你还是没蹲下来,身子不蹲下,就显不出'遍地红花'开放的味道,蹲下身,手里的镲要展开才是那么回事儿,来,再来一次。"

鼓手们接着又来了一次,曾汴红看见抓勾依旧没按要求蹲下身去。

曾汴红挥了挥手,走到抓勾跟前,问:"你是咋回事儿,说了几遍还是不蹲啊?一定要蹲下去!"

抓勾翻了曾汴红一眼,嘟囔着说:"我不蹲。"

曾汴红:"为啥不蹲?"

抓勾:"我不能蹲。"

曾汴红:"为啥不能蹲?"

抓勾一指身旁的鼓手粪堆:"你问他,我能不能蹲?"

曾汴红扭脸问粪堆:"他为啥不蹲?"

粪堆摇头:"不知。"

抓勾把眼一瞪:"不知?装啥迷,你真是不知?"

粪堆:"我真是不知。"

抓勾大急,对大家说:"这个货,是个啥货,大家瞅瞅,他是个啥货,我是他啥人?我是他叔,我给他蹲?蹲在他跟儿?让我仰脸瞅着他?这不是乱辈

吗？大家说说,我能不能给他蹲?"

麦场上的人们"哄"地一下全笑了。

弄明白是咋回事儿的曾汴红,哭笑不得,一时半会儿不知说啥是好。

这时,李留根走到抓勾面前,瞪起双眼吼道:"你是他叔咋啦？我还是村长他舅呢！该蹲也得蹲！这不是排练节目嘛,又不让你没事就往你侄儿跟儿蹲,真要让你唱戏当演员,才麻烦,戏台上才乱辈呢,蹲！不蹲不中！"

抓勾较上了劲,拧着脖颈说:"我就不蹲！"

李留根:"你……你算啥货！"

抓勾:"啥货也不蹲！"

村长外甥化解道:"不中,咱换换人？"

李留根:"上哪换人？就是人不够才把他找来的。"

村长外甥继续化解道:"不中,咱换个动作？"

曾汴红:"那怎么可以,一碰到困难就换动作,我这编排成啥了？"

村长外甥无奈地对鼓手们说:"大家先歇会儿,喝喝水,尿尿泡。"

鼓手们纷纷卸下身上的盘鼓,只有抓勾依旧不屈不挠地原地站立着。

曾汴红将二嫂递给她的一缸子水递给抓勾,说:"抓勾,咱们这是在排练节目,这还能当真？咱这些动作的编排,是有咱的目的,你不想想,这打盘鼓,从古到今都是以鼓为主,咱这些动作的编排,就是要打破这个框框,要不咋会让你这拍镲的压后面穿插到前面来？"

李留根在一旁帮腔:"就是,让你当主角你还不挺,傻啦？"

抓勾抿着嘴不吭气。

曾汴红接着说:"咱排练盘鼓为啥?抓勾,你说说咱排练盘鼓为啥?"

抓勾:"夺盘鼓大赛的老一。"

曾汴红:"就是啊,你说说,咱能不能夺盘鼓大赛的老一呢?"

抓勾:"当然能。"

曾汴红:"既然咱能夺盘鼓大赛的老一,就说明咱有这个信心,咱有这个实力,比赛的时候,电视台的摄像机肯定就会不停地对住咱,你想想,咱编排的这些动作又和别人不一样,这个'遍地红花'的动作把你们这些拍镲的压后面调到前面,电视台不给你个特写才怪。"

抓勾:"特写是啥?"

曾汴红:"特写就是把镜头对着你,把你的头拍得老大。"

李留根不失时机地说:"搞不好中央电视台的还来摄呢,全中国的人都能瞅见你抓勾的模样,还想啥,这不比天天吃肉强?傻孙!"

村长外甥敲着边鼓:"中央电视台是对全世界播放的,美国都能瞅见,乖乖,这一下得劲了,听说美国人就喜欢咱中国的鼓,你抓勾不是还打光棍找不着老婆吗,不定哪个美国娘儿们把你看上了,你还开开洋荤呢。"

"滚蛋吧去。"抓勾噗哧笑出了声。

十二

曾汴红向村长外甥提了几回,说大王屯现在用的盘鼓练习还中,到时候参加盘鼓大赛得换新的,这些鼓毕竟用了几十年,天阴一泛潮,鼓皮就松。对曾

汴红的提法儿,村长外甥始终含含糊糊地说:"再说吧,到时候再说吧。"

日子过得真快,一转眼就又到了快割稻子的时候了。曾汴红打听到,今年的盘鼓大赛要搁在菊花花会期间,而今年的大赛与往年不同的是,为了扩大汴京盘鼓的影响,大赛组委会将邀请全国各地的盘鼓队前来参赛,中央电视台还真的要来录像,据说,现在国外也有人在打盘鼓,东南亚一带也可能有国家派队来参加。这个消息无疑使曾汴红感到兴奋,她立刻把她得到的信息告诉了大王屯的人,并再一次提出换鼓的要求。

村长外甥挠着头说:"真的假的,咱汴京的盘鼓外国人也会打了?"

曾汴红说:"这有啥奇怪,外国人有的,咱不是也有吗?文化是可以跨国界的,咱汴京的小笼包子,日本人不是学走了吗?"

村长外甥:"那不正宗。"

曾汴红:"是啊,这和打盘鼓一样,人家再学,也不正宗,真正要打出味道,还得看咱汴京盘鼓,我去省城,见过郑州人打盘鼓,猛一看,打得也不错,一品味,还是错着劲。我的意思是,好兵得使好枪,好马得配好鞍,这样才能保证万无一失。"

李留根说:"环卫局盖家属楼,二孬进城去给他们的工地上送砖,听他们的人说,环卫的鼓队全部换了新鼓,'义顺兴'的。"

村长半信半疑地:"真的假的?二孬十句话八句是瞎话。"

曾汴红说:"实话瞎话,去'义顺兴'一问不就知了嘛。"

村长外甥看了李留根一眼,说:"去打听打听,

环卫上如果真是换新鼓了,咱咬着牙也得换,这一箭之仇不报不中,咱大王屯就是要在盘鼓大赛上打败他们。"

曾汴红问:"啥一箭之仇?恁两家有仇?"

村长外甥:"不为这,俺动恁大劲,把你曾老师压城里请来?"

在曾汴红的追问之下,村长外甥把模范商场门前打架的前前后后告诉了曾汴红,当村长外甥义愤填膺地讲完之后,曾汴红沉默了老半天。

李留根问:"曾老师,你咋啦?"

曾汴红声音低沉地说:"这哪是在打盘鼓,简直就像打冤家。"

村长外甥:"可不就是冤家,把俺舅都抓进公安局了,这能拉倒不能。"

曾汴红:"这鼓我不能再教了。"

李留根和村长外甥一听,忙问:"为啥?"

曾汴红:"我不能因为教鼓教出一支武斗队来。"

李留根和村长外甥互相看了看,村长外甥这时才知自己说走了嘴,圆道:"没那么严重,曾老师,谁也没给谁的孩儿撂井里,人民内部矛盾,哪能再打架,心里有气也就是斗斗鼓,绝对没有再打架的意思,没有,向党保证,没有。"

曾汴红:"鼓也不要斗,斗鼓就是斗气,斗气就会产生矛盾,我不希望因为打盘鼓和谁结仇。"

李留根:"曾老师,你放三百六十个心,俺虽说是农民,觉悟比城里人低不到哪儿去。有些事儿,俺也不想对你说,说出来怕让你生气,其实俺心里清亮亮地,有些事儿与你一点关系也没有,纯属别有用心……"

曾汴红："啥事儿？"

李留根和村长又互相看了看，村长外甥一点就透，马上就明白了他舅的用意，于是长叹一口气："唉，你还是不知的好，知了心里净不得劲，难得糊涂吧。"

曾汴红较起劲来："糊涂也得糊涂个清白，到底是咋回事儿？"

李留根装着面有难色地："算了吧，曾老师，也许别人学话学走样了……"

曾汴红坚定地："学走样了，我也要听听，是因为啥事儿走的样。"

"那好吧，我就从头说给你听。"村长外甥一副万般无奈的样子，说："你知不知，环卫的鼓队是谁在教吗？"

"不知。"曾汴红摇头。

村长外甥："请的是市群艺馆的刘广合。"

曾汴红："那和我有啥关系？"

村长外甥："咋没关系？关系大了。"

曾汴红眨动着两眼瞅着村长外甥，等他的下文。村长外甥从兜里摸出烟，递给李留根一支，自己点燃一支，示意李留根道："舅，你说。"

李留根点燃嘴上的烟，吐出一口浓重的烟雾，对曾汴红说："去年的盘鼓大赛，你还记不记得？"

曾汴红："咋啦？"

李留根："去年的盘鼓大赛，就是因为你，才多出一个冠军。"

曾汴红："那又咋啦？"

李留根："咋啦？一山容不得二虎，压汴京城举办盘鼓大赛那一天开始，那个姓刘的就没打算让老一落到别人手里，汴京城里打盘鼓的谁不知，那个姓刘的是跟仁义胡同的鲍家学的盘鼓,他的目的是啥?他的目的是把鲍家的玩艺儿学走,当汴京盘鼓的把头。"

曾汴红一笑:"没那么严重吧,盘鼓虽是门民间艺术,但也不是谁想把持就把持的,何况,我也是跟着鲍家学的盘鼓。"

李留根:"你学和他学不一样,你是为了,为了,为了弘扬,为了继承,他是为了挣钱,为了发财,你是精神崇高,他是低级趣味,恁俩搁不到一堆儿。"

曾汴红:"他当他的把头,和我又有啥关系呢?听你们话的意思,好像是我要和他争什么似的,可笑,我和他虽说都是跟鲍家学的盘鼓,但我们互不相识,至于外界咋评价,我才不去在意。"

"你不在意,可人家在意你。"村长外甥把话头接了过去:"你来俺大王屯教鼓是为啥?是帮着俺去夺盘鼓大赛的老一。"

曾汴红:"这又有啥,举办盘鼓大赛不就是让大家去夺老一的吗?"

村长外甥:"上一届大赛,你领着一帮孩子,和那个姓刘的打了个平手,他算恼住你了,他说你是'野仙',瞎糊弄,啥也不懂,说你把盘鼓给糟蹋了,还说你买通了评委……多了,说你的多了。"

人与人之间,往往就是这样,再清亮的人,也搁不着挑拨,特别是有同一个喜好的人,三挑两不挑,内心深处原有的同行相轻的弱点,就会一下子遮掩不住。曾汴红也不例外,但她毕竟是受过教育颇具涵养的女性,听了李留根和村长外甥的这番话后,惨白的脸上带着一丝强迫出来的微笑,说:"你们的话是真是假,我和群艺馆的刘老师无冤无仇,他为啥要贬低我?"

村长外甥："毛主席咋说,这世界上没有啥都不因为的爱,也没有啥都不因为的恨。同行是冤家嘛,你不想想,鲍玉昆的耳朵是咋聋的?"

一连几天,曾汴红害了心病。关于刘广合,她虽说与他从未有过交道,但对此人多少是有一些了解,在改革开放之前,那时的群艺馆叫文化馆,市里的大型文艺演出,大多是由文化馆操办。那时的文化馆,吃香的喝辣的,尤其是举办全市性的文艺汇演,要是不把文化馆的人巴结好了,你就很难在舞台上露脸,业余文艺爱好者们,成日在文化馆里泡,张口一个老师,闭口一个老师的叫着。而曾汴红却很少去文化馆,去过一两次,她对刘广合的印象还不算坏。尤其是刘广合在大型文艺汇演中担任舞台监督时的那股敬业精神,委实令人敬佩,穿着一件染着油彩的军便服,蓬头垢面大头小汗地在前后台跑着,扯着嘶哑的嗓门大声叫着,甚至连拉幕都要亲自伸手拽上两把。这么多年过去了,时代生活发生了翻天覆地的变化,文化艺术也在向着更深的一层发展,无论是专业还是业余的文艺工作者们,把目光投向了汴京城古老的民间艺术,特别是刘广合、曾汴红这个年龄阶层的人,喜好了大半辈子的艺术,似乎到今天才明白,自己脚下这块土地的肥沃程度,把自己都吓了一大跳,要想把自己的喜好干出一点名堂来,必须有一套人家玩不了的绝活儿,这绝活儿是任何地方也没有的,任何人也代替不了的玩艺儿。没想到,他们共同选择了盘鼓。无论谁在先谁在后,有一点可以肯定,他们都是聪明人,都是高手。

至于李留根和村长外甥所说的那些话,曾汴红认为不可不信,也不可全信,但,哪怕是只信那么一丁点,搁在心里也不那么舒服。于是,曾汴红准备找个人问问,如果真像大王屯的人所说,她觉得有必要找刘广合解释一下。

星期二下午,政治学习传达教委的什么文件,曾汴红悄悄溜出了学校,她去到老府门,找到了鲍三和朋友新开的婚纱摄影铺。

曾汴红被橱窗里百媚千姿的婚纱大照片吸引,不由联想到自己当年结婚时的寒酸,她心想,等到过年,花上千把块钱,说啥也得补上一套婚纱照,现如今时兴这个,眼前的橱窗里不就有一对花甲夫妻的婚纱照吗,你瞅那老太太满脸的笑纹,遮掩住了人生的沧桑。

"这不是曾大姐吗?"

曾汴红一扭脸,只见鲍三手里提着两个大像框正要进门。

曾汴红:"鲍老师的生意红火吧?"

鲍三:"红火个屁,我这儿刚开张,汴京城里呼呼啦啦一下又开了十几家婚纱铺,人家把驴牵走了,我又在这儿拔橛子,唉,我咋啥事儿都不赶趟呢?"

曾汴红:"是生意就饿不着肚子,咋着也比我们上班拿死工资的强。"

鲍三摇头,一副一言难尽的样子,问道:"曾大姐,你咋来这儿了?"

曾汴红:"我来找你有点事儿。"

鲍三:"那好,进屋坐吧,你这来得巧,早来一会儿,晚来一会儿,都难碰上我,这不,把订做的像框拿回来,这又要去老干部活动中心联系业务,咳,成日瞎忙,真还不胜打盘鼓呢。"

曾汴红跟着鲍三进到屋里。鲍三把手里的像框搁到一边,请曾汴红坐到一张旧沙发上。

鲍三:"你看,我这也没有水给你沏茶,生意不

中,啥心思也没。"

曾汴红:"不外气,我不渴。"

鲍三:"啥事儿?说吧。"

曾汴红:"群艺馆的刘老师你熟吧?"

鲍三:"咋?有事儿?"

曾汴红:"事儿也不大,就是心里有点不得劲。"

鲍三:"啥不得劲?"

曾汴红一五一十把在大王屯听到的话对鲍三说了。鲍三听罢,挠了挠头,在屋里转了两圈,表情古怪地看着曾汴红,说:"曾老师,我不是说你,当时你在我这交钱学盘鼓,我心里就纳闷,盘鼓是女人玩的?是恁容易敲的?并不是说这几十斤的物件女人背不动,女人就是女人,汴京城里女人学的玩艺儿多着呢,书法、绘画、汴绣、官瓷,啥不能学,你非得学打盘鼓。不是说盘鼓不能学,我的意思是,该是男人玩的东西就是男人玩的东西,该是女人学的物件就是女人学的物件,男人玩的东西,你女人就是玩得再好,到头来你还得让给男人,花木兰不在家织布,去替男人打仗,最后不还得嫁人、回家织布嘛。我的意思是说,你要打盘鼓,你就得受男人们同样的罪不说,你还得受男人们同样的气才中,你受得了吗?你受不了。刘广合是啥人?我太清楚了,鼓贼!他那些玩艺儿都是俺鲍家玩剩下的玩艺儿,他口口声声说是俺爹的学生,我为啥不和他搭帮了?拉倒拉倒,不说不说……"

鲍三虽然没继续往下说,但曾汴红已经明白所有意思了。

走出鲍三的婚纱摄影铺,曾汴红长舒了一口气。

十三

刘广合为训练环卫的这支盘鼓队,每天很晚才回家。每天,老婆把饭菜留在桌上,就到隔壁邻居家打牌去了。这天,刘广合像往常一样回到家中,见老婆在饭桌上给他留了一张纸条,上面写着:"有个女人给你打电话,我问她是谁,她不说,留下了一个号码,5953024。"

刘广合随手抓起电话,按号码拨通,对方果然是个女的。

刘广合:"喂,哪位?"

对方:"你是刘老师吗?"

刘广合:"是我,你是哪位?"

对方:"一个让你仇恨的人。"

刘广合懵了:"让我仇恨的人?我仇恨你啥?你到底是谁?"

对方:"我是曾汴红,一个小学教师,一个女流之辈,一个没有资格但有勇气与你一争高低的人。"

刘广合:"噢,你是曾老师啊,我咋觉得你的话不十分友好啊,我和你并没有交往啊,实在是不明白你说的话是啥意思。"

对方:"是吗?是我不友好吗?是我把你当成了眼中钉肉中刺吗?是我在背后诽谤污蔑你了吗?是我要和你争夺汴京盘鼓的头把交椅了吗?"

刘广合:"曾老师,我不知有啥做不到,更不知你的这些误会是咋产生的,我们能当面谈一谈吗?"

对方:"有那个必要吗?我不相信人与人之间能消除什么真正误会,只有事实证明,一个女人对盘鼓的理解并不比一个男人差!"

对方一下扣了电话。

刘广合手持电话,眨了老半天眼睛,莫名其妙地说了一句:"气蛋。"

吃完饭没一会儿,刘广合就上床睡了。也不知啥时候,老婆打牌回来,爬上床就把刘广合一把摇醒,问:"给那个神秘女郎打电话了吗?还不报姓名,心里没鬼咋不敢说实话?真是……"

刘广合迷迷糊糊地敷衍着老婆说:"有鬼,有鬼,快睡吧中不中……"

第二天上午,刘广合正在睡懒觉,电话铃把他吵醒,他压被窝里伸出手,抓过电话,听见馆长在电话里笑着说:"啥时候了,还搂着老婆睡觉,快起床,来馆里一趟,有要紧事儿对你说。"

刘广合极不情愿地:"我不上早朝,你又不是不知,下午中不中?"

电话里的馆长:"事儿不要紧,我才不去搅你的黄粱美梦,快起来吧,这事儿急,尿憋屁股门儿,快点来,我等你。"

刘广合艰难地压床上爬起来,点燃一支烟,待这支烟把自己的瞌睡赶走后,穿上了衣裤。刷牙洗脸之后,瞅了一眼老婆留在桌上的早饭,毫无胃口地皱了皱眉,手伸进口袋,掏出兜里的零钱查了查,觉得还够在街上吃一顿早饭,然后离开了家。

刘广合蹬着自行车来到馆里,已经快十点,馆长一见他的面就埋怨:"咋弄的,狠等你也不来?"

刘广合:"你多大个官?还不让去喝碗胡辣汤?"

馆长:"胡辣汤,胡辣汤,我这都快成胡辣汤了。"

刘广合:"急头怪脑的,啥事儿?"

馆长将桌上的一份红头文件递给刘广合:"你

自己看。"

刘广合接过文件一瞅,表情严肃起来,疑问道:"这好事儿能轮到咱?"

馆长:"轮?轮八轮也轮不到咱,这是咱市委周书记亲自跑北京要的。"

刘广合的眉眼舒展开,道:"千载难逢,得劲,这一回真得劲……"

馆长:"别得劲不得劲,这一回就看你的了。"

馆长把下发这个文件的来龙去脉,把他所知的内部消息,统统告诉了刘广合。事情是这样:

汴京市委书记周旭,领着一班子人,去北京国家计委跑项目,在下榻的宾馆餐厅吃早餐时,无意之中听见餐桌对面两个操山西口音的人,在商量如何去文化部,如何找有关人员,如何将首届中国鼓大赛的主办权争取到手的话题。此次,周旭进京,是为一个新型农用车配件自动化流水线的项目,事情办得不顺利,周旭一行已在北京呆了一个星期,正准备打道回府,在餐桌上听到首届中国鼓大赛的信息后,周旭心想:汴京这地儿,发展工业举步维艰,向中央要项目,理不直气不壮,要是搞个文化项目,不比任何地方差。于是,周旭翻开了他的电话号码本,找到了一个在全国颇有知名度相声演员的电话号码,此人叫雷达,两年前随心连心艺术团到兰考慰问演出,与周旭成为朋友。雷达曾对周旭说:"今后有需要我帮忙的事情,只管找我,如果汴京请我去说相声,肯定不收出场费。"周旭给雷达打了个传呼,不一会儿,雷达便回了电话,令周旭喜出望外的是,雷达现已不说相声,调到文化部上班,正好管着这次首届中国鼓大赛的工作,真是得来全不费功夫,周旭请雷达吃饭时,雷达说:"这事儿包在我身上了。"

馆长向刘广合叙述完之后,说:"伙计,这个活儿给咱们,是周书记亲自发的话,周书记看过咱的盘鼓大赛,相信咱能在菊花花会期间把这个国家级别的活儿搞好。"

刘广合笑着问:"你是不是请周书记吃饭了?"

馆长:"我倒想请,够得着吗?"

刘广合:"咱咋办?"

馆长:"机不可失,失不再来,拿冠军!"

刘广合翻了馆长一眼:"说得轻巧,盘鼓打的是气势,少说得要二百人的鼓队,哪去找恁多人?"

馆长:"那是你的事儿,我不管。"

刘广合:"换不换新鼓?"

馆长:"当然换。"

刘广合:"市里给不给钱?"

馆长:"不给。"

刘广合:"那咋办?"

馆长:"那是我的事儿,你别管。"

刘广合在馆里开了一上午的会,从激动的情绪中慢慢冷静下来,馆长在会上再一次明确了他的职责,就是要拿这次首届中国鼓大赛的冠军,这也是市领导的意思。使他犯愁的是,他手里这支环卫鼓队查不够人头,他上哪儿去凑一支训练有素的二百人的鼓队?离菊花花会还有一个半月,他无论如何也训练不出一个能拿冠军的队伍来,如果说这是一次市级或省级比赛,他可以做到心中有数,开玩笑,这是中国鼓大赛,全中国的鼓都要来,谁敢保证能拿老一?可话又说回来,正如馆长所说,这确实是千载难逢的机会,盘鼓大赛算个啥?一百次盘鼓大赛也比不了这中国鼓大赛,因为这是一次向全中国、甚至是全世界展示汴京盘鼓的绝佳机会,真是机不可失,失不再来。

刘广合从馆里出来已经晌午头十二点了,他的肚子一点也不觉得饿,他慢慢地蹬着自行车,围着龙亭坑转圈,他似乎成了一种习惯,每当琢磨一件大事儿,总要围着龙亭坑找一点灵感。思来想去,他最终想到了一个人,也只有这个人才能帮他在最短的时间内组织一支他所需要的鼓队来,这个人还是他的师傅——鲍玉昆。

下午,刘广合去了仁义胡同。

到鲍家的时候,鲍玉昆还在睡午觉,老爷子醒来后,第一句话便是:"恁弟儿俩撕破脸了?俺家老三德行不好,你别跟他一样。"

刘广合大声地说:"没事儿,亲兄弟还有不得劲的时候,这多年了,谁还不了解谁,过不两天就好了。"

刘广合对着老爷子的耳朵,大声向他说明了来意后,老头顿时就像一节充满电的电池,满劲地说道:"天大的好事儿,说白了,这就是中国鼓的擂台赛,没赶上好时运啊,这要是倒退三四十年,我非得当咱盘鼓的令旗手不中。别管了,我负责替你召集人,就是指我这张老脸摔,也得给你摔出二百个像模像样的盘鼓手来。"

刘广合大声为难地说:"我倒是看中了一支鼓队,只怕是他们不肯参加。"

鲍玉昆:"哪支鼓队?你说。"

刘广合大声地说:"大王屯的鼓队。"

鲍玉昆:"你说的是当年在宋门和我斗鼓的大王屯?"

刘广合大声地说:"我见过他们的身手,的确不错。"

鲍玉昆立马皱起了眉头,说:"模范商场门前打架也是他们吧?"

刘广合点头,大声道:"五尺大高的汉子,打鼓照上头,哪有不斗气的,哈哈一笑,拉倒,还能结多大个仇?当年金兵在咱汴京杀了多少人,把咱的女人成车成车都拉窜,咋?咱现在还能跑到东北去杀人?把东北的女人成车成车往咱这儿拉?爷儿们,'三国演义'开头第一句话咋说的?'天下大事儿,分久必合,合久必分',你想想,过去,咱中国和苏联不玩,和越南不玩,和朝鲜也不玩过,现在咋着?不又好得跟亲弟儿们一样?用党中央的话,得讲团结不是?"

鲍玉昆思索了一会儿,说:"你的意思,咱去联络一下大王屯。"

刘广合大声道:"我的意思,你老出面,把汴京城里的盘鼓高手召集一下,我去大王屯,关键还得说服俺鲍三兄弟,这中国鼓大赛,少了俺鲍三兄弟可不中。"

鲍玉昆把脖子一昂,说:"恁三弟的工作我来做,你去大王屯吧。"

十 四

刘广合从仁义胡同出来,蹬着自行车直奔大王屯去。此时,二孬的"奔马"去接曾汴红还没回来。村委会里,刘广合与村长外甥和李留根照上了头。

当刘广合向村长外甥和李留根说明来意后,李留根上下打量着刘广合,问:"模范商场门口打架你忘了?"

刘广合:"过去的事儿不提了,大局为重。"

李留根淡淡一笑,说:"刘老师,你是市里派来的领导,又是咱汴京盘鼓的领导,俺大王屯的鼓队往后还要靠你关照。我只是有一点不清亮,这汴京城里城外敲盘鼓的成堆,你为啥偏偏样中俺大王屯的鼓队了呢?"

刘广合:"恁敲得好呗。"

李留根:"你承认俺敲得好?"

刘广合斩钉截铁地:"承认!"

李留根和村长外甥互相瞅了瞅,好像这句"承认"不是压刘广合的嘴里说出似的,在他俩认为,刘广合这样的人,根本就不可能承认别人好,即便是嘴上承认,心里也不会承认。但他俩今天看得出来,刘广合这句"承认"是发自内心的。

村长外甥眉头一扬,道:"中啊,俺要的就是你这句话,过去的事儿不说了,别管了,俺加入恁的队伍,听你调遣。"

李留根拉了一把村长外甥,说:"这事儿,是不是等曾老师来商量商量?"

村长外甥:"这事儿还用着商量,多好的事儿,曾老师会同意的。"

李留根没再说话,他心里却有自己的想法,他知这是一件天大的好事儿,但这件天大的好事儿对他来说或许就是一件坏事儿,因为是个人都清亮,一旦大王屯的鼓队加入了刘广合的队伍,他这个令旗手就得找地儿凉快去了,没有人会同意让一个罗锅代表汴京盘鼓去参加中国鼓大赛。在村长外甥为化干戈为玉帛而高兴的时候,一种巨大的失落遍布了李留根的全身。

这时,曾汴红和二孬跨进了村委会的门。

当曾汴红惊奇地看见刘广合在此时,刘广合在惊奇之余已主动将手伸了过来:"原来他们说的曾

老师是你啊,你好。"

曾汴红没有伸手,她把脸转向村长外甥,问:"有事儿?"

村长外甥:"有事儿,好事儿,正等着你来商量哩。"

村长外甥把事情向曾汴红叙述了一遍之后,曾汴红沉默,她用目光将屋里的几个人扫了一遍,然后低头思考着什么。

李留根猜透了曾汴红的心理,对曾汴红说:"曾老师,咱去是不去,你说个样,我听你的。"

曾汴红感谢地看了李留根一眼,问村长外甥:"你说去不去?"

村长外甥:"当然要去,这大个集不去赶,后悔都来不及。"

一丝苦笑在曾汴红嘴角上溜走,她平静地对村长外甥说:"有一个事儿,我得给你交代一下,你让我在'义顺兴'订做的鼓,下月初就差不多了,别忘了把钱给人家送去。另外,把二孬的修车费报了。"

村长外甥:"咋,你这是……"

曾汴红:"把我的课时费结一下。"

村长外甥:"曾老师,你别误会,咱这不是商量着来嘛,你看你这是……"

曾汴红:"谢谢你村长看得起我。"

刘广合察觉事态不对,忙说:"曾老师,你听我说……"

曾汴红抬手制止刘广合继续往下说,道:"你们两家和解是好事儿,跟我无关,我没有必要听你解释。"

刘广合:"我是说,咱们之间是不是有些误会……"

曾汴红:"咱们之间是不是误会,你比我更清楚,他们既然愿意跟你合伙儿,那是他们的事儿,我到大王屯来是挣钱的,你去环卫教鼓不是也一样吗?我和你是井水不犯河水,大路朝天,各走半边,我只希望做人要做到明面上,要敢于承认别人也有长处。"

刘广合:"曾老师,我就是承认大王屯的鼓打得好,今天我才来的,我觉得我们之间并没有什么利害冲突……"

"好了,好了,到此为止。"曾汴红对村长外甥说:"这样吧,凑你们进城,把结了的课时费给我送去,啥时候都中。"

村长外甥满脸哀求地:"曾老师,你看这弄得多不得劲,你别走中不中……"曾汴红无庸置疑地对二孬说:"二孬,送我回去。"

在一旁已经看出名堂的二孬,终于孬了起来,破口骂道:"扯球蛋! 曾老师走了,我也不敲这赖孙鼓了,村长,我的修车费、油费、饭钱,一分也不能少我的,咱走! 曾老师。"

曾汴红临出门时,转过头来对刘广合说:"有事儿给我打电话。"

刘广合呆呆地站在那里,他没有想到,事情比他意料的要糟糕得多。当村长外甥将一支烟递给他时,点燃后随着一口浓重烟雾说了一句:"天地良心。"

李留根也接过村长外甥递上的烟,点燃说:"瞅瞅,这事儿弄的,人家曾老师来教咱多操劳,就让人家就这走了? 啥时候一说,都是咱的不人物,唉……"

村长外甥窝火道:"唉个啥? 咱做事儿光明正

大,咱又没坑谁,又没害谁,咱又没这山望着那山高,又不是另攀高枝儿了。俗话说,人往高处走,水往低处流,刘老师今天来咱这儿,是代表市里领导来的,这说明咱大王屯的盘鼓打得中,不中市里的领导会想着咱? 代表汴京去跟人家比鼓,这本身是好事情,咋就把人往歪处想呢? 咋就不懂得理解万岁呢?"

李留根:"理解万岁? 去球吧,事儿没搁到你身上,搁到你身上你就不理解万岁了。我把丑话可说头里,去参加中国鼓比赛我不反对,咱的人去总得有个名分呀,这得提前说朗利。"

村长外甥不解地问:"名分? 啥名分?"

李留根也不遮掩地说:"要么,我不参加。让我参加,令旗手咋说? 我可不愿被人甩在八股道上。"

村长外甥和刘广合相互看了一眼,他俩都清亮,李留根实实在在给他们出了个难题。

村长外甥:"再说吧,下级服从上级,咱还是听市里的领导安排。"

李留根:"再说? 啥时候再说? 不中咱拉出去比试比试,看谁受人民群众欢迎,看谁的掌声稠,别管了,我要是比不过人家,我心甘情愿让位。"

面对李留根咄咄逼人的态度,刘广合没敢表态,他也不能表态,但他心里认为,大王屯的鼓队参不参加,村长说了算,一个罗锅和一个开拖拉机的翻不起啥大浪来,就是少一两个人也无关痛痒。

刘广合错了,他哪里知道,在大王屯,村长可以控制土地,可以控制收费,可以控制吃喝,可以控制计划生育,啥都可以控制,恰恰控制不了的就是盘鼓队。

当晚,村长外甥死活非让刘广合吃罢晚饭再走,刘广合死活扭不过盛情好客的村长外甥,只得跟着村长外甥去到街上的酒店，村上的领导班子成员一个不落统统前来作陪。刘广合问李留根为啥不来？村长外甥说他不会喝酒，即使会喝也轮不着他来坐桌。

酒刚过三巡，就听见酒店外一阵骚乱，紧接着抓勾、龚堆、小腌臜等人闯了进来，一个个那模样是刚喝罢二两。

村长外甥瞪着眼说："弄啥？弄啥？都跑来弄啥？"

抓勾："村长，俺来问个事儿。"

村长外甥沉着脸问："啥事？"

龚堆一把将抓勾拽到后面，上前说道："听说市里的盘鼓领导来了，我先来敬个酒。"

村长外甥的脸松开一点："这还怪懂事儿，敬吧。"

龚堆把三杯酒敬完，对刘广合说："这位领导，听说你是来收编我们的？"

村长外甥："这是咋说话的？"

龚堆没答理村长外甥，依旧对着刘广合说："别的俺不懂，收编俺懂，俺爷爷从前就是被刘老五收编的，结果咋样？冲锋陷阵，不拨军饷，差一点被解放军的机关炮给打死。"

刘广合问："刘老五是谁？"

龚堆不屑地："这位领导，连刘老五都不知？"

刘广合摇头："不知。"

龚堆："刘老五就是刘茂恩，国民党的河南省主席。"

村长外甥不满地："恁爷都死罢多少年了，提那板弄啥？"

"弄啥？我喝罢这杯酒再跟恁说弄啥。"龚堆自

己为自己斟了一杯酒,一口喝罢,抹抹嘴,说:"弄啥?压我记事儿起,就听俺爷爷说,收编就没好下场,俺爷说,杨老令公就是被收编的,结果咋样?八个儿和他一块儿倒霉,杨老令公死得多惨啊,他为啥不愿投降?就是不愿再次被收编……"

村长外甥:"滚蛋吧,滚蛋吧,你知的还不少哩,啥收编没有好下场,那要看是谁收编,俺爹也是被收编的,是淮海战役被解放军收编的,咋样?现在不是离休老干部?哪一年乡政府不补助几百斤粮食?"

抓勾撇着嘴说:"哥,拉倒吧,恁爹文化大革命被逼得跳粪池,差点没淹死,你忘了?"

村长外甥:"你懂个屁!文化大革命那是错误路线,国家主席还被整死呢,俺爹算啥?国家主席也是收编的?懂啥。"

抓勾:"懂啥不懂啥,反正俺不去跟人家伙着打盘鼓,谁想去谁去。"

粪堆、小腌臜等人跟着吭喝起来:"就是,谁想去谁去……"

村长外甥瞪着眼吼道:"恁想造反啊!反了恁,谁想去谁去,好啊,压下季麦开始,我想让谁家交多少粮,谁家就得给我交多少粮,不信恁试试!"

众人不吭声了,村长外甥抓起酒杯,一口喝完,将酒杯重重地往桌上一搁:"没王法了恁……"

此时,刘广合站起身,说:"各位老兄老弟们,恁都听我说一句中不中?"

村长外甥:"都听市里领导说!"

刘广合:"各位老兄老弟,咱汴京的盘鼓一代一代打了多少年,到了也没真正打出个名堂来,一说陕北的腰鼓,人家知;一说山西的威风锣鼓,人家也知;为啥一提咱汴京的盘鼓,人家就摇头呢?这些年,我

带着咱的盘鼓队省里省外到处打,凡是听罢咱盘鼓的人都说,这才是真正能代表咱中国鼓的鼓,那么惊心动魄,那么气势如宏,那么震撼天地,人家不禁要问,恁这好的玩艺儿,为啥就没名气呢?是啊,咱自己也得问问咱自己,为啥人家就不知咱呢?我在心里也不知多少次问自己,问来问去,得出了一个结论,那就是,咱汴京人太牛,牛得让人都不愿搭理咱。再仔细想想,咱确实是牛,七个朝代在咱这儿建都,大街上随便捞一个汴京人,你让他讲讲,他都能给你讲出一板一板咱祖宗的故事儿。有人要问,这盘鼓不是压宋朝传下来的吗?历史那么悠久,咋会没影响呢?是啊,这正是咱要问自己的。依我看,正是因为咱的历史太悠久了,正是因为咱的祖先太辉煌了,咱这些后人们躺在祖宗的功劳簿上吃老本不愿意起来了,别人的辉煌咱不愿意承认,别人的进步咱不瞅上一眼,甚至不愿承认自己撵不上时代的步伐,总认为瘦死的骆驼比马大。就这样,久而久之,人家不愿跟咱玩了,在人家眼里,咱成了个穿着破衣烂衫,少吃没喝睡在一张金床上却自高自大的懒人,在人们的记忆里,除了屹立在那里的铁塔、龙亭、相国寺那些死玩艺儿之外,咱的那些活玩艺儿渐渐地被人家遗忘了,咱的花鸟鱼虫,咱的旱船高跷,咱的祥符调,咱的汴绣,咱的官瓷,咱的盘鼓……多了,咱的好玩艺儿太多了,没有让人家认识了解的原因怨咱自己,咱不跟人家交流,咱总觉着咱是老大,咱的一砖一瓦都比人家的好,恁不想想,再这样下去,谁还能记得咱们?咱们现在需要的就是脱下身上这件破烂不堪的衣服,压祖宗留下的这张金床上爬起来,背起这只被人遗忘的盘鼓,敲得让全世界都把眼睛再盯住咱汴京。打盘鼓打的是声势,打的是气魄,只要咱们抱

成团,就能打得连祖宗都想从地里头爬出来为咱拍巴掌!"

十　五

刘广合的大王屯之行,并没有一下子把事情敲定,虽然得到了村长外甥的支持,又有一番慷慨激昂陈词,但李留根的态度直接影响到二孬、抓勾、粪堆等人。村长外甥是个透亮人,他清亮参加这次中国鼓大赛的好处,这是多大的政绩,开玩笑,大王屯的鼓队在中央电视台一露面,他还不坐到副乡长的位置上去?他更清亮李留根心里的小算盘,如果让李留根当令旗手,他李留根要不比兔子窜的都快才怪。事情明摆着,李留根那副模样,别说市里不愿意,就是让大王屯广大的村民知了,也会不愿意,咋?就找不出个囫囵人,非得让一个柴坯去丢汴京人们的脸?话又说回来,村长外甥的心里也有些阴暗之处,他始终对当初李留根要当令旗手掂兔枪玩命耿耿于怀,不管咋着,村长就是村长,今天你掂兔枪,明天他掂兔枪,把村长当兔子吓唬,那还了得?亲戚归亲戚,事儿归事儿,凑不着机会拉倒,凑着机会了,就得下你的药,让你嘴里说不出心里清亮,村长就是大王屯的爹,这个家爹说了算。

村长外甥心里是个啥颜色,就像村长看李留根那样,李留根看得清清亮亮。李留根知自己心里的窝囊,也知大家伙是咋想的。二孬负责接送曾汴红,时间一长和曾汴红建立了一定的感情,曾汴红把家里穿不着的旧衣服,用不着的旧家具,统统都送给了二孬,二孬肯定是知恩图报,曾汴红指向哪里,二孬就打向哪里。抓勾、粪堆、小腌臜这几个货,各自心怀"鬼胎",虽然在李留根的戳哄下,他们也去酒摊上表现了姿态，但抓勾从酒摊上回来后对李留根说："留根哥，市里来的那货说，一天补助七八块钱啊。"粪堆和小腌臜虽没有表态，但从他们的脸上能看出他们不反对"收编"的心思。李留根心里骂道：没一个好东西，有奶就是娘，日本人来了，也是当汉奸的货！尽管李留根心里在骂，嘴里依旧好言相劝道："别跟城里人打交道，他们是用着人靠前，用不着人靠后，咱咋恁没耳性，模范商场门口打架恁都忘了？咱还是把曾老师接回来，练好咱的鼓，咱照样能进省城，照样把鼓敲到北京去，只要咱把功夫练到家，不愁今后没钱挣。"李留根使劲劝罢抓勾等人后，还跑到商店去买了两瓶酒，切了二斤猪头肉，把抓勾等人请了一顿。喝得脸红脖子粗的几个货向李留根保证，把村长外甥甩到八股道上去。

再说刘广合，压大王屯回来以后，去了仁义胡同，他把在大王屯碰见曾汴红的情况以及曾汴红与他之间的隔阂告诉了鲍玉昆，鲍玉昆听罢，说："'大水冲倒龙王庙，一家人不认一家人'曾汴红也算是我鲍家的徒弟，我邀她来一趟，恁俩当面把事儿拆洗开，啥大不了的事儿，当初她曾汴红来我这儿，我就泼过她的冷水，这女人打盘鼓，咋说呢，心胸就是没男人宽。"

刘广合问鲍玉昆，鲍三的工作做的咋样了？鲍玉昆张口骂道："这个孽种，掉钱眼里了，问能给他多少钱？妈那赖孙×，他不愿意干就拉倒，我去！全国的高手到咱汴京城来比鼓，恁大的事儿，俺鲍家没人参加，不让人耻笑吗？！"

刘广合大声安慰老头儿道："别生气，老爷子，谁说没有鲍家的人参加，我是你的徒弟不是？我不算鲍家的人不是？把我当外码不是？你想再住医院

不是?"

刘广合的几个"不是"一问,老头儿没词儿了,气难消地对刘广合说:"这事儿你别管了,我把他俩都找来,保准他俩不再说个不字,我要是做不到,我头朝下走路!"

鲍玉昆老头儿耍起了秉性,刘广合却不相信老头儿能把一盘死棋下活。鲍玉昆比出三个指头,自信地说:"三天之内,你等着看,不跟他们动点真的,他们就不知锅是铁打的!"

再说曾汴红,压大王屯回来以后闷闷不乐,在大王屯当着刘广合的面,她达到了维护自己尊严的目的,可回到家后反复一思想,心里打了结,这个结怎么也难以解开,自己在大王屯忙活了几个月,就这样被刘广合侵吞了劳动果实?大王屯的这一帮农民为了一点名利就这样如此薄情地对待自己?人就怕钻牛角尖,认死胡同,一个女人家就更是掰不开,揉不碎。

心情不好的曾汴红请了一天假,她觉得身心很疲倦,就像一根突然断了的发条,整个人一下子松散了。她昏昏沉沉地在家躺着,在快吃晌午饭的时候,她听见有人在门外一边喊一边敲门:"曾老师,曾老师在家没?"

曾汴红昏昏沉沉地起来,把门打开一看,原来是李留根和二孬。

曾汴红:"恁咋来啦?"

李留根:"俺俩刚才去恁学校了,学校说你给家歇来。"

李留根和二孬把肩上扛着的一布袋子花生和一布袋白薯搁到客厅里。

李留根:"你一走,大家心里都不得劲,特别是

俺俩,一夜没睡好,今个说啥也要来瞅瞅你。"

曾汴红:"来就来呗,还拿啥东西。"

二孬:"拿东西?村委会还得给你钱呢,一分都不能少,这些货们,卸磨杀驴,孬孙得很!"

曾汴红:"算了,算了,吃亏人常在,不管咋着,我在大王屯不是还交了恁这些朋友吗?"

李留根:"曾老师为人厚道,大家都清亮,这一回是被小人算计了。"

曾汴红一边倒水一边说:"啥算计不算计,人家是群艺馆的,名正言顺,打盘鼓人家是正宗。"

二孬:"别耽误瞇睡了,他正宗个球!留根哥他堂姑爷才正宗,书里都记着有,李茂,被日本人杀死了,汴京城里城外打听打听,新四军,革命烈士,当过几千盘鼓的令旗手。"

曾汴红点着头说:"我知,李茂是个了不起的英雄,汴京盘鼓的骄傲。"

坐在沙发里的李留根有点不大自在,说:"曾老师,俺俩今个来,就是想和你说说话,俺俩的意思是……"

曾汴红瞅了一眼墙上挂的钟,从椅子上站起来说:"恁俩先坐一会儿,我去做点饭,肚子饿了吧?"

李留根:"你别忙,曾老师,俺就是来说说话……"

曾汴红:"说啥话也得吃饭不是,恁等着,咱吃面条,可快,一会儿就好。"

曾汴红去了厨房,不一会儿就把一大盆鸡蛋捞面条端上了桌,李留根和二孬也不客气,操起筷子捞了起来。

李留根边吃边说:"曾老师,你还得回去,村长不中,领不住,别看大王屯这帮货们一个个不打实的

样,是家不是家还真领不了。曾老师,俺都听你的,你说咋着,俺就咋着。"

李留根说话的工夫,二孬一碗捞面条已经下肚,他一边捞着第二碗,一边附和着:"你说咋着,俺就咋着,留根哥俺俩咬罢嘴了,不中,就和他玩邪的!"

李留根瞪了一眼二孬,二孬意识到自己说走了嘴,不吭气闷头去吃面条了。

李留根:"曾老师,我的意思是这,你还接着去俺村教鼓,第五届盘鼓大赛咱该准备还准备,谁想去跟那个姓刘的合伙谁就去合伙,人家想攀高枝嘛,咱也得让人家攀不是,不就是和外头的人比打鼓嘛,他总不能见天比吧。俺姑奶家的大儿在郑州,我喊表叔哩,是个局长,我准备去找找俺那个表叔,在郑州联系点活儿,就咱大王屯这几块料,总比郑州人的鼓打得强吧?"

二孬又开始捞第三碗,边捞边说:"咱把钱挣到手里,让他们眼气儿,到时候那些'叛徒'想来,咱还不叫来呢。"

正在此时,电话响了,曾汴红起身接电话:"喂,是哪位?噢,是鲍三老师啊,有事儿吗?嗯……嗯……嗯……既然是老爷子发话让去,别管了,下午我一定去……唉,我无所谓,我又不是搞盘鼓专业的,又不靠这吃饭……嗯……嗯,就这,再见。"

一直在竖着耳朵听的李留根,问:"曾老师,这个打电话的鲍三老师,是不是那个打盘鼓的鲍三啊?"

曾汴红:"是啊。"

李留根:"恁关系不错吧?"

曾汴红笑了:"你别那么神经过敏,恁就是再碰到一块儿,也打不起架了,鲍三已经不打盘鼓了。"

李留根惊奇地："不打盘鼓了？"

曾汴红："这有啥大惊小怪，汴京城里不靠盘鼓吃饭的人多呢。"

李留根："可是他鲍家……"

曾汴红："可是啥？他鲍家是盘鼓世家是吧？汴京城里的很多事儿，毁就毁在世袭的老观念上了，正因为这些老观念，才使这个城市的发展感到吃力。就说盘鼓吧，每变革一步，哪怕是在服装上变化一下，都会有人说三道四。"

李留根低头往嘴里捞着面条，思考着什么，他无意瞅了一眼二孬，不满地说道："还吃啊，你这是第几碗了？"

二孬不好意思地："城里的碗小……"

曾汴红指责李留根道："你看你，这又不是六〇年，我连个捞面条都管不起啊，别的不说，就你这对待事物的态度就不行，人家多吃碗面条，你都说三道四。"

十 六

送走了李留根和二孬，曾汴红本想再睡上一会儿，可躺在床上咋也睡不着，她琢磨着，鲍玉昆老头儿喊她去干啥？鲍三在电话里反复强调，他也不知老头儿有啥事儿。想来想去，曾汴红还是想到了和刘广合有关联，一准是老头儿要从中调解，如果真是这样，她也不能原谅，她躺在床上越想越生气，自己到底有什么错？到底有啥得罪他刘广合的地方？为啥要在背后诋毁自己？自己不就是和他刘广合并列了一次冠军吗，用着对一个女人使恁大的毒气吗？曾汴红在床上翻腾到快三点，起来后直奔仁义胡同去了。

曾汴红来到鲍家，令她始料不及的是，刘广合也在这里，于是，她推托有事儿要走，鲍玉昆老头儿说："咋，不给我面子？十来分钟都不愿意坐？我只占用恁十来分钟。"

鲍三把刚沏好的茶搁到曾汴红面前，说："既来了，就听听老头儿说啥。"

鲍玉昆压椅子上站起身，对大家说："恁稍等我一小会儿。"

鲍玉昆进到里屋，不一会儿压里屋出来，大家被眼前的鲍玉昆搞懵了。只见老头一身"戎装"，头顶紧缠黄丝巾小帽，上身是白粗布短打，胸前一溜黑色盘扣，下身是一条酱红色的半截灯笼裤，一双套筒布袜外是一双圆口黑布鞋，手持一对拴红绸的铜镲。

鲍三使劲眨动着眼，大声地问："你，你这是要弄啥？"

鲍玉昆："弄啥？我这模样，你说我要弄啥？"

鲍三大声地："打鼓？"

鲍玉昆："鼓我是打不动了，我就是不打鼓，也得让恁这些不知天高地厚的见识见识，啥叫玩艺儿？恁都觉着恁了不起，恁是冠军，恁是汴京城的人物，恁是置大钱的主儿，恁那两把刷子够恁吃一辈子的了，发恁的迷，恁差远了，真正的好玩艺儿恁见都没见过，山中无老虎，猴子称大王，实话对恁说，我要不是老了，汴京城里打盘鼓，轮八轮也轮不到恁！……"

鲍三大声制止老头儿道："爷儿们，爷儿们，有啥事儿，有啥话儿，咱都好说好商量，恁老动恁大的劲弄啥？搁不着，到底因为啥？恁老坐下来说中不中？"

鲍玉昆："不中！今天咱啥都别说，今天我请恁来,就是让恁给我当当裁判,看看到底谁够资格当汴京城里的老一。"

鲍三大声劝道:"你是老一中了吧,大冷天,这是弄啥,冻出个病来,谁担待得起?你爷儿们这不是自己跟自己找不得劲吗……"

鲍玉昆:"少废话!我今个就是要找不得劲呢!"

鲍三还想继续劝老爷子,被曾汴红用手制止:"你让老爷子把话说完。"

鲍玉昆听不清曾汴红说的是啥,他用手往院里一指,命令道:"走,咱都去院里,三儿,你去掂一盘鼓来!"

大家起身,跟着鲍玉昆往院里走去,鲍三一边去取鼓一边摇头,无奈地说道:"这老头儿,惊了。"

大家来到院里,鲍三把鼓挎到身上问:"你说打啥吧?"

鲍玉昆扎好架式,说:"随你的便,恁光知'能的打鼓,笨的打镲',这是屁话,这是一般的打家对镲的不重视,论讲究,镲的学问不比鼓小,镲打得好,才是真正的好,才是一支鼓队的水平。"

鲍三不以为然地挥手"垫棰"之后,突然而起"老得胜",老爷子起初没反应过来,但这隆隆的鼓声就像一针兴奋剂迅猛地注入进老头儿的身躯,他那已经干瘪的肌体一下膨胀起来,他那残废的双耳顿时捕捉住节奏,随之便跟上了儿子的鼓点。

刘广合与曾汴红在一旁默默地瞅着,起初,他们并没有觉得鲍玉昆有什么过人之处。刘广合认为,老头儿大概使的是"激将法",为的是让大家团结一致,共同对"敌"。曾汴红认为,老头儿心里有火,这个火是从哪儿来的她也不知道,但有一点她能体会

得到,那就是,老头儿今天的作法与自己有一定的关系。

这时,当鲍三敲出"三敦棰"时,只见鲍玉昆狠劲将镲拍了一下之后,然后将那只带响的镲扔向了空中,只听那只镲在空中发出一种轰鸣,犹如一只旋转的铁翁哨出一曲悠扬的乐声,就在这乐声发出的一瞬间,鲍三擂出的隆重鼓点显得不那么精彩,也就这么一瞬间,在刘广合与曾汴红的脑子里呈现出一片空白,所有的想法,所有的声音,所有的物体,甚至连蓝天白云都不存在了,只有那只响镲在空中飘响着。此刻,当那只响镲落下的时候,只有鲍三看见,它是被他爹反身接到手里的,也就是这么反身一接,把鲍三的鼓点给接乱了,他就像在近距离在看一场杂技表演,一切都令他费解,一切都令他不可思议,一切都令他置身于一个使他陌生的境地,他好像突然觉得他莫名其妙地在这座院落里生活了近四十年,眼前这个在他眼里老朽不堪的爹,突然在他眼里变成一本厚厚的书,当他揭开这本书时,每一页都令他流连忘返……

鲍玉昆将手中的镲递给刘广合,对三个人说道:"没见过是吧,小儿们,恁没见过的还多呢,刚才玩的那一手活儿,也不是我发明创造的,最早玩的也不是镲,是小锣,是把敲响的小锣扔到天上。"

刘广合愣过神儿来,大声问道:"锣?敲盘鼓还有锣?"

鲍玉昆接过曾汴红从屋里取来的衣服披在肩上,说:"中国的玩艺儿,用恁这些搞文化工作人的词儿,叫中国文化,其实一码事儿,凡是中国的玩艺儿,都讲阴阳配合,开天劈地,阳清为天,阴浊为地,神为天,圣为地,一切的一切,都在阴阳交配之间产生，就拿一面盘鼓来说吧，知有阴面阳面，这不稀罕，鼓为阳，锣为阴，知的人就不多了，锣现在不使了，换成了镲，这是不对的，咋能把锣改成镲呢？我不明白，到底是那小镋锣好听？还是这镲好听呢？中国的玩艺儿，少啥也不中，鼓要有，镲要有，锣也要有。"

刘广合与曾汴红默默地点着头。

鲍三问道："爷儿们，你刚才玩的这一手叫啥？"

鲍玉昆挑着眉毛说："刚才这一手叫'雷中雷'，这'雷中雷'不响是不响，一响全震，这'雷中雷'不能经常响，响多了也就不值钱了，关键的时候响它一下，能给咱的盘鼓抓彩，抓大彩，啥鼓能比得了？中国鼓比赛，全世界的鼓搁一块儿比赛，咱也是老一，要不从前鼓楼上咋会有'声震天中'的牌匾，那牌匾的意思就是压盘鼓中来的。"

刘广合与曾汴红异口同声地问："压盘鼓中来的？"

鲍玉昆："对啊，是压盘鼓中来的啊，现在恁都把它弄到令旗上了。"

曾汴红紧追不舍地问："这'声震天中'到底是个啥意思？"

鲍玉昆："啥意思？意思大了。咱的老祖宗说，天有九重，地有九州，天也叫九重天，九方天，九际天。九天，东方叫暤天，东南方阳天，南方赤天，西南方朱天，西方成天，西北方幽天，北方玄天，东北方变天，中央钧天。啥叫中原？中原就是九州的中央，九天为阳，九州为阴，天地对称，咱在天地的正中央敲鼓，咋不叫'声震天中'呢？"

刘广合与曾汴红听罢，都没说话，老半天过去，两人才不约而同地长长出了一口气。

此时的曾汴红,已经不想再问什么谁为什么要诽谤谁,谁为什么要诋毁谁,她觉得脑子里一阵阵在霍霍发亮,亮得自己想哭,又想笑。此时此刻,没有什么比自己更清楚自己的是,她太爱这盘鼓了,这种爱没有任何代价,她不由自主地向刘广合伸出了手,说道:"合作愉快。"

刘广合有点不知所措,握住曾汴红的手,心里整叨①了半天词儿,最后只说出了一声重复的词儿:"合作愉快。"

鲍玉昆虽听不清刘、曾在说什么,但已经明白了其中的意思,他把目光对准鲍三,皱紧眉头,指着儿子的鼻子问:"你呢?"

鲍三大声说道:"去球!照相铺不干了!"

鲍玉昆眉眼大开:"今天谁也不能走,三儿,去街上整些下酒菜,我床铺底下还有瓶二十多年的汴京二锅头,咱把它喝喽!"

不用多说,这顿酒喝得自然是欢畅。酒摊上,大家一起研讨商量着中国鼓大赛的具体事宜,首先提出的就是要有二百盘好鼓,鲍玉昆说,鼓手再好,没有好鼓等于白搭,千万别干那些买起马配不起鞍的事儿。刘广合保证,等馆长弄来钱,头一件事儿,就是去"义顺兴"胡家做鼓。曾汴红担心胡家不一定有榆木料,二百盘鼓,可是要用不少的料,而这料还非得是榆木才中。鲍三主动请缨,他负责联系做鼓,如果胡家真缺少榆木,他能搞到,自己进料给"义顺兴"还能省钱。刘广合赞同自己进料的作法,便同意鲍三负责做鼓这一头大事儿。

---

① 汴京方言。"整叨",搜寻、寻找的意思。

曾汴红与刘广合约定,双休日星期六上午九点,她把大王屯的盘鼓队带到指定的场地——华北体育场。

十七

星期五中午,吃罢午饭后,曾汴红给校长打了个电话,下午的政治学习她请了个假。曾汴红蹬着自行车从家出来,骑了将近一个半钟头,来到大王屯。

她把自行车停在村委会门前,推门走进村委会,只见村长外甥一个人趴在办公桌上睡觉,嘴里打着轻微的呼噜。

曾汴红叫了一声:"村长。"

村长外甥没睁眼,嘴里的呼噜停止了,嘟嘟囔囔地说:"结扎的事儿别找我,没眼色,没瞅正瞌睡着嘛……"

曾汴红笑着说:"不找你找谁?不找你办不成事儿啊。"

村长外甥睁开眼一看:"呦,曾老师,我还当是村里的娘儿们又来寻我的事儿了呢!"

曾汴红笑着问:"你又办啥错事儿,怕人家来寻你?"

村长起身请曾汴红坐,一边倒水一边摇着头说:"村长这活儿,真不是个好活儿,挨不着边的事儿都讹住你。"

曾汴红:"啥事儿又被人家讹住了?"

村长外甥:"俺村的几个娘儿们,计划外怀孕,被强制拉到卫生院做手术,那些大夫也糊弄,不吭不哈,把人家的子宫给摘掉了,这不是把人家给骗了吗,人家能愿意?这不,讹住我了,非赖是我让她们去做手术的,你瞅瞅这事儿弄的,赖我?哪能赖我?

401

计划生育是政府的事儿,摘恁子宫是卫生院的事儿,想讹谁讹谁,与我无关。"

曾汴红笑了起来,随后说:"我也来讹你了。"

村长外甥急忙说:"曾老师,你的课时费一分也少不了你的,我就说这两天抽空去你那儿,我的意思你也清亮,这荣誉上的事儿,我咋想咋不能丢,咋想咋觉得机会难得,你别管了,曾老师,只要你愿意领着咱的盘鼓队去跟市里合伙,我付双倍的课时费。"

曾汴红脸上笑容没有了,严肃而又平静地对村长外甥说:"你去把李留根找来,我有话要说。"

村长外甥难为地:"别找他了,他是个死拧头,孬点子多,成事儿不足,败事儿有余,啥事儿咱俩一商量妥了。"

曾汴红坚持道:"你去把他找来,我有事儿要跟他说。"

村长外甥没法儿,蹙着眉头去找李留根了。

正在家里和别人打麻将的李留根,听说曾汴红来了,立即推了牌,跟着村长外甥来到了村委会,一进门就高声说:"我就知曾老师会回来,咱练了恁些天的水平,曾老师咋着也舍不得俺,你说罢,曾老师,下面咱咋办?听你一句话。"

曾汴红:"真的听我一句话?"

李留根:"咿,不听你的听谁的?俺就等着你率领俺们去夺第五届盘鼓大赛的老一呢。"

曾汴红:"第五届盘鼓大赛咱要参加,可眼下有个更大的事儿,咱们必须全力以赴。"

李留根:"你说吧,曾老师,听你指挥。"

曾汴红:"参加首届中国鼓大赛。"

"啥?……"

李留根和村长外甥同时说出个"啥"之后,两人

使劲看着曾汴红,又使劲互相看着,在短暂的惊诧过后,两人的脸上,一个是乌云密布,一个是红霞飘扬,但是他们两人却不清楚,曾汴红为何猛然打了方向盘,来了个180度的大转弯。

只听有备而来的曾汴红说:"你们不必吃惊,也不要问我为啥要作出这样的决定,我和你们一样,都喜爱盘鼓,因为共同的喜好,咱们才走到一起来的。一个人一生的机会确实不多,我不想放弃的原因并不完全因为我自己,是因为我们大家,不管城里城外,咱都是汴京人,咱生在这里,咱还得死在这里。今天我来,只想对恁俩作一个保证,一箭之仇咱还要报,小不忍则乱大谋,咱们先与刘广合的环卫队联合,夺下首届中国鼓大赛的冠军,然后转过枪口,再打败环卫队,夺下第五届盘鼓大赛的冠军,让刘广合俯首称臣。"

村长外甥频频点头,目光之中充满对曾汴红的崇拜和信任。李留根此时的心情很复杂,虽仍然满脸的怨气,但却知道大势已去,他明白,只要曾汴红与村长外甥联合,他从中使再大的横劲,那也是匡劲。

李留根的脸憋得通红,当曾汴红和村长外甥的目光全对着他时,老半天才从嘴里憋出四个沉闷的字:"那我咋办?"

曾汴红和村长外甥最清楚,李留根的这四个字是他所有不满的关键所在,可是谁又愿意让一罗锅代表一个城市去比赛,用村长外甥私下的牢骚话说,又不是残疾人运动会。然而,李留根的这四个字,谁也没法回答他,甚至谁也没法对他解释,咋着都是伤自尊心的事儿。曾汴红作难了,她在来大王屯的路上,曾经想过应付这种场面的办法,可此时却找不到

劝慰的词儿来。

还是村长外甥敢于说话:"就这吧,你不是没去过北京吗?你去北京玩一趟,算村里的公差,去瞅瞅天安门,瞅瞅人民大会堂,啥气儿都消了。"

李留根:"我有病,一个人跑到北京瞎转悠个啥?我不去!"

村长外甥想了想,狠狠心说:"那,我跟乡里说说,让你当个副村长。"

李留根:"副村长,放屁都不响。我不干!"

村长外甥:"那你想弄啥?"

李留根:"我就想打盘鼓。"

村长外甥有点不耐烦:"我说,舅,你这不是难为你外甥吗,我也想让你……咱不是不当家嘛……"

李留根:"你当不当家我不管,反正我就要打盘鼓,当令旗手。"

村长外甥:"没说不让你当令旗手啊,这曾老师不是早就说罢了,你不就是咱大王屯的令旗手嘛。咱能当人家市里的家?这也不是咱能当家的事儿啊。"

李留根:"咋不能当家?他用咱的人,咱可以提咱的条件嘛,不答应咱的条件,咱就不跟他合伙不妥啦。"

村长外甥:"咱提啥条件,让你当令旗手?你不想想,人家能同意你?"

李留根:"我咋了?我为啥就不能当令旗手?不中咱比试比试,看谁抓彩!"

村长外甥:"你是能抓彩,可你不是不得劲吗……"

李留根终于把话题绕到他想发泄的地步,仰着脸不罢休地问:"我咋不得劲?我咋不得劲?你说说我哪儿不得劲？今个你要不说出我哪儿不得劲，咱俩可不拉倒，你说，我哪儿不得劲……"

村长外甥："舅，你这不是装孬吗，你哪儿不得劲你还不知？"

李留根："我不知我哪儿不得劲，你说啊。"

村长外甥："我说，我说，可是你叫我说的……"

李留根："是我叫你说的，你说吧。"

村长外甥被逼得走投无路，一恼，指着李留根的背罗锅："你就是掂兔枪来崩我，我也要说实话了，你，你那儿不得劲，像骆驼……"

李留根的眼睛眨动了几下，令人不解地放声大笑了起来，而且是越笑越厉害。被笑得摸不着头脚的村长外甥，眨着眼问道："你笑啥呢？舅。"

李留根突然收住了笑声和笑容，向村长外甥跟前跨了一步，阴森森地说道："不得劲，啥不得劲？这是爹娘给的，爹娘给的啥都得劲，你把大王屯一个个人物头拉出来和我李留根比比，我比他们谁差！冬天恁公家出工挖河我参加，夏天恁公家砌窑烧砖有我的份儿，咋？卖公粮我比谁卖的少？宅基地我比谁分的多？恁装孬也不化化妆，昧着良心也不怕夜里鬼敲门，我像骆驼？恁像啥？恁像不会叫的蛤蟆没屁眼的狗，恁像乌龟王八蛋！我尻恁先人祖宗八辈！我尻恁所有人的奶奶！……"村长外甥和曾汴红看着李留根破口大骂着出了村委会的门，他们两人就好像输了什么理一样，站在那里一动没动。

半天，村长外甥才自己劝说自己地说："就这吧，早晚得有这么一回，说实话，大王屯玩盘鼓的就数他了，不让他参加，那还不跟掘了他家的祖坟一样，就是李茂活到现在也不会愿意，唉，我算是彻底得罪他了，他是俺舅，下面还不知他咋拾掇我呢，

唉……"

一直没说话的曾汴红,忧伤地说了一句:"人才啊,确实是人才啊……"

一个人要与命运抗争不是一件容易事儿,特别是像李留根这样的人,老天爷把他从娘肚子里造出来,他命运的尺度就已刻在一个他无法更改的标准上。这一点李留根本人也十分清楚,可他太喜好盘鼓了,太不愿意罢休了。

李留根出了村委会,是流着眼泪回家的,走到家门口,他停住了脚,思考了一会儿,慢慢转过身来,擦去面颊上的泪痕,然后向二孬家走去。他想好了,这事儿不能就这么算完。

十 八

当鲍三来到"义顺兴",告诉胡家老太要订做二百面榆木盘鼓时,胡老太头摇得像拨浪鼓似地说:"你得了胡说病吧?二百面榆木盘鼓,二十面我都做不出来,上哪儿去弄恁些榆木?"

有备而来的鲍三说:"大大,恁老先别摇头,我自己进料中不?"

胡老太斜了一眼鲍三:"你自己进料?你头比人家大?比人家能蛋?"

鲍三:"瞅恁老说的,我头不比人家大,也不比人家能蛋,可我真能弄来做二百面盘鼓的榆木料,说瞎话我是恁孙儿。"

胡老太依旧半信半疑地看着鲍三,说:"乖乖儿,你要是真弄来榆木料,别管了,我保证一个月给你做起来。"

鲍三:"一个月不中,二十天。"

胡老太想了一下:"中,二十天就二十天。"

鲍三："一言为定？"

胡老太："少废话，你拟个合同文吧。"

鲍三毫不含糊地与胡老太把合同给签了，可上哪儿去找这批榆木料，他却不知道。他在刘广合面前大包大揽，其目的是看中了这二百面盘鼓的生意有钱可赚，这进料中的学问不言而喻。可料在哪儿呢？

鲍三先去了木材公司，木材公司的业务主办对他说，这两年木材公司主要进的是软木材，汴京到处在盖房子，用不着榆木这么硬的料。接着，鲍三又去了第一木器厂，他想，木器厂做家具要用硬料，肯定会有榆木，谁知，木器厂的业务主办对他说，榆木是有一点，但不能卖，这两年仿红木家具吃香，要用它来做仿红木家具。木器厂的业务主办倒是不错，问鲍三要不要下脚料，他们厂里有不少榆木下脚料，很便宜。鲍三跟着业务主办去看了那堆积如山的下脚料，灰心丧气地离开木器厂，他虽不做盘鼓，但他明白，盘鼓的用料十分讲究，料上不能有结，有结的料就像生命躯体上的隐患，大力度地敲击鼓，随时都可能因为料上的结而终止鼓的生命，那些下脚料上净是结疤，用那个业务主办的话说："没有结疤能当下脚料？"

鲍三骑着自行车在汴京城里转了个遍，凡是有可能出现木料的地方，他都想到了，也都去到了，最终还是一无所获。他筋疲力尽地蹬着自行车，心里想道：这放在眼跟前现成的钱难道就挣不上了吗？他不死心的原因还不完全是挣钱，他已经和"义顺兴"签罢了合同，那胡老太可不是闹着玩的，她可真去法院打官司。

一连几天，鲍三也没心思去华北体育场参加环

卫队和大王屯的合成训练,刘广合打电话问他,鼓的事儿落实了吗?他依然咬着牙说没问题,这两天就把料进到"义顺兴"了,刘广合催他要抓紧,进完料赶快去华北体育场参加训练,令旗手已经决定了,是他鲍三。

就在鲍三开始考虑如何脱手不干这进料的恶心差事儿的时候,他在去华北体育场的路上,迎面看见一辆满载树根的架子车,一个农民正掏力地拉着。看见这辆架子车,鲍三心中豁然开朗,差一点叫出声来:"我咋恁笨,猪脑。"他调转车把,急蹬两脚,撵上了那架子车。

鲍三:"这位哥,你这树根是往哪儿送的啊?"

拉架子车的农民:"工艺美术厂。"

鲍三:"做根雕?"

拉架子车的农民:"是哩。"

鲍三:"这都是啥树的根啊?"

拉架子车的农民:"啥树都有,柳树,槐树,杨树,桐树,桑树,榆树……"

鲍三:"乡里的树根多吗?"

拉架子车的农民:"多,伐不完的树,挖不完的根,咋?老哥,你也想干这活儿?"

鲍三笑笑,说:"这位哥,歇会儿,歇会儿,抽支烟。"

拉架子车的农民停下了车,接过鲍三递上的烟,俩人坐在马路台儿上喷起空来。

鲍三:"你是哪乡的?"

拉架子车的农民:"北菜园的。"

鲍三:"恁那儿的榆树多不多?"

拉架子车的农民:"俺庄北边有个榆树林,七八亩地呢。"

鲍三兴奋起来:"恁庄的?"

拉架子车的农民摇头:"不知,不是俺庄的,听说也不是东边牛庄的,说不清是谁的,听俺爹说,好像是当年解放军种的,后来部队开拔走了,那片林子归公社管,后来公社取消了,现在可能归乡政府管,好像是,说不清。"

鲍三:"不管它归谁管,我跟你去瞅瞅中不中?"

拉架子车的农民:"那有啥不中,明个你去找我吧。"

鲍三急忙又给拉架子车的农民递上一支烟,说:"中,我明个一早去找你,你给我留个地址。"

拉架子车的农民给鲍三留下了地址,鲍三好像一下子看到希望的曙光。

第二天一早,鲍三就骑着自行车奔了北菜园,没花太大的工夫就找到了拉架子车的那个农民,这货姓徐,小名叫大宝。

大宝领着鲍三去到了庄北边的那块榆树林。鲍三打远一看,好家伙,这大一片林子,一水儿比碗口还要粗的榆树,又密,又稠。心情喜悦的鲍三走出林子的南边,站到土岗上往四面眺望了一圈。

鲍三:"这真不是恁庄的林子?"

大宝:"昨天回来,我又问了问俺爹,俺爹说没错,就是归乡政府管,俺爹说,前些年,乡政府管林业的头头儿还来这儿瞅过。"

鲍三点着头说:"那就好办了。"

大宝:"啥就好办了?"

鲍三信心十足地问大宝:"兄弟,想挣钱不?"

大宝:"傻孙不想。"

鲍三:"想挣钱就中,这钱就在咱弟兄俩面前摆着呢。"

大宝："你的意思是伐林子？"

鲍三拍了拍大宝的肩膀："你真聪明，一点就透。"

大宝有点胆怯地："那能中？"

鲍三："那咋不中，这年头，遍地都是钱，就看你会不会挣，敢不敢挣。"

大宝："乡里能依？"

鲍三："等他们发现，四个现代化都实现了。"

大宝："我咋觉着，这事儿玄……"

鲍三："不玄，我手里有买主，你来伐，我来卖，三两天的活儿，轻轻松松，咱弟儿俩一人挣个几百块。"

大宝开始动心了，他想，自己挖树桩子卖，掏力也卖不上个价，再说，那树桩子哪个来的？还不是被人伐了树才留下的桩子吗？自己到处找，到处挖，十天半月挖的树桩才卖个几十块钱，哪有这快，伐上几棵有人种没人护的树，几百块钱就到手了，划算。

大宝问："不会出啥事儿吧？"

鲍三："出啥事儿？你瞅瞅这周围，连个人毛都见不着，白天伐，夜里运，谁知？我真不明白，当年解放军吃饱撑的，跑到这地儿来种树。"

鲍三没费多少口舌，便坚定了大宝的信心，两人约定，三天之后，大宝将伐好的木头送到城里鲍三指定的地点，两人一手交钱，一手交货。

三天后的晚上，大宝果然将伐好的木头送进了城，拉到"义顺兴"院门口卸了车后，鲍三当面给大宝查清了450块钱，大宝点罢钱，一边往怀里揣一边说："那林子可没伐完，啥时候要，言一声。"鲍三送走了大宝，敲开了"义顺兴"的院门。

睡眼惺忪的胡老太大为烦躁地说："深更半夜，

这木料不是偷来的吧?"

鲍三:"看恁老说的这话,偷? 这么多榆木,上哪儿偷? 花大价钱买的。"

胡老太一边把春儿吆喝起来抬木头,一边对鲍三说:"话咱们可得说清,你拉来的这可是湿料,25天我可交不了货,这料烘干就得一个礼拜。"

"一个礼拜?"鲍三低头查着手指头,然后哀求地说:"大大,能不能再快一点,我付加班费咋样?"

胡老太:"你回家问问你爹,他敢不敢催我的活儿,胡家的盘鼓不是汴京啤酒厂流水线上的啤酒瓶,我这是抠实①出来的名牌,恁爹一辈子没倒过牌子,胡家一辈子也没倒过牌子……"

鲍三急头怪脑地央求道:"我的亲大大,你是我亲娘中不中? 这二百面鼓要是赶不上趟,倒的可是全汴京人民的牌子啊,这中国鼓大赛的日子是党中央定的啊,咋着你老得让全世界人民看到恁胡家的鼓吧? 我的亲娘,亲大大,我给你跪下磕头中不中?"

胡老太难为地说:"乖乖儿,我跟恁爹一辈子的交情了,恁家的事儿,我掉在地上过没? 这次比赛的重要性我能不知? 可你拉来的是湿料啊,不烘干能中吗? 你这也是盘鼓的门里出身,连这都不懂?"

鲍三急得原地转圈:"我咋不懂,可这事儿不是都赶到一块儿了吗? 唉,这咋办呢,比赛那天用不上新鼓,我只有爬到清明上河园的上善门城楼上跳下去摔死,我也不知我这是图个啥? 不就是图为咱汴京盘鼓作个贡献吗? 不就是让做鼓的胡家,和敲鼓

---

① 汴京方言。"抠实",认真、下功夫的意思。

的鲍家在汴京城里当个人上人吗？不就是想让全世界都了解，咱这汴京城从古到今就不是帝王将相和才子佳人的，这汴京城是咱的，是咱这些祖祖辈辈靠手艺吃饭的平民百姓的……"

"乖乖儿，你别说大道理了，我豁出老命给你做中不中？"胡老太转过身，对搬完料又准备回屋去睡的春儿喊道："春儿，别睡了，开料！"

春儿嘴里嘟囔着："这批鼓做完，我不去深圳我不是人……"

十九

大王屯的盘鼓队和环卫的盘鼓队，在华北体育场合练已经好几天了，刘广合催促曾汴红赶快把最后一排的那个空缺给补上，再不补上就要考虑新的人选了。曾汴红一直没见二孬的影子，她问村长外甥咋回事儿？村长外甥说，二孬这几天"冒肚"不得劲，请假了。

其实，二孬的肚好着呢，他是故意不来。村长外甥清亮，这是李留根做的活儿，据抓勾和小腕膁他们反映，这几天二孬天天和李留根在一起喝酒，李留根还把他家没使完的化肥送给了二孬。粪堆说，他晚上回家去供销点买烟时碰见二孬，六亲不认，骂曾老师是叛徒头子，把大王屯盘鼓队给出卖了，二孬还警告粪堆，让他照护点，别跟村长走得太近了，李留根这两天没事儿就在家擦兔枪呢。村长外甥听罢粪堆的话，脸上肌肉跳着，咧嘴笑着说："咦，嗨，'从小卖蒸馍，啥事儿没见过'，我怕这？让他掂兔枪来崩我吧，崩死我我算革命烈士，他算啥？杀人偿命，不就是没让他当令旗手吗，搁着搁着不着动恁大的劲啊？嗨，我才不怵……"

要说村长外甥不怯那是瞎话,他每天领着盘鼓队回村之后,就关着房门不出屋了,只要出屋,从不一个人走,用他曾经说过的话说:"一个孬坏人,不能跟他一样,身边又没个女人,医学上咋说?心理变态。"村长外甥怕就怕这个心理变态,他真要掂兔枪轰一家伙,你咋他?一个孬坏人换一个囫囵人,不划算。

使村长外甥作难的是,曾汴红一再让他通知二孬,尽快到华北体育场参加排练,时间不等人,眼瞅着日子一天天过去。村长外甥没办法,只得把实情告诉了曾汴红,曾汴红听罢村长外甥的实情后,心里挺不是滋味,她考虑了一会儿,对村长外甥说:"排练那么忙,我又要编又要导,也没时间去大王屯,你帮我带个口信回去给二孬,让他能来尽量来参加排练,你再转告李留根,让他别泄气,日子还长着呢,目光要放远一点。"排练的间隙,曾汴红又跑到体育场门口,买了两瓶酒,让村长外甥捎回去给李留根,这种举动或许是曾汴红对李留根安慰的同时,也是对自己的一种安慰吧,不管这种安慰是否有用,对曾汴红来说,这是必要的。

当晚,训练完,村长外甥掂着两瓶酒回到村里,他在李留根家院门前溜了两趟,没勇气进去,掂着两瓶酒又返回自己家,想来想去,不中,还得去,这个思想政治工作还得是我去做,人家曾汴红为咱大王屯的盘鼓操碎了心,咱这点事儿都办不到,让人家曾汴红知了,我这个村长不就太没面子了吗。再往深处想想,又能咋的,不就是为打盘鼓闹掰脸了吗,咱是领导干部,咱姿态高点,最多不就是骂不还口,打不还手吗,算啥,乡里乡亲的,又有这么一层亲戚关系,他能咋?把我大卸八块?去球吧。想到这,村长外

甥掂起两瓶酒,又往李留根家走去。

此时,李留根在家和二孬刚把酒菜摆到桌上,就听院门口传来村长外甥的喊声:"舅,舅,俺舅在家没?"

二孬一把将门拉开:"啥事儿啊,俺留根哥正忙着呢。"

村长外甥:"呦,二孬也在啊,我来瞅瞅俺舅吃了没?"

二孬:"咋?赶饭茬?"

村长外甥冲着二孬:"赶饭茬又没赶你的饭茬,我来赶俺舅的饭茬。"

这时,李留根把二孬拉开,说:"村长来赶咱的饭茬,难得啊,咦,乖乖,还掂着两颗'手榴弹'来了。"

村长外甥满脸豁达的笑容,说:"舅,别说两颗'手榴弹',我就是掂八颗'手榴弹'也炸不动你啊,这是曾老师让我给你捎回来的酒。"

李留根:"曾汴红给我捎酒弄啥?"

村长外甥:"有话咱进屋说中不中?"

李留根犹豫了一下,把路让开。

村长外甥进屋一瞅,桌上搁的有饭菜,说:"还真的赶上饭茬了,舅,咱一块儿吃吧,正好有曾老师掂来的酒。"

李留根:"曾汴红不掂我也不缺酒。"

村长外甥一边往桌子跟前坐,一边说:"中了,中了,舅,你这气儿也该消消了,人家曾老师对咱是够一百的意思,也帮咱了,骂也挨了,还给咱送酒。"

李留根和二孬也坐到桌跟前,李留根把村长外甥搁在桌上的酒,往村长外甥面前一推,说:"人争一口气,佛争一炉香,咋?我李留根就值两瓶酒?"

村长外甥把酒瓶盖打开,一边给李留根倒酒,一边语重心长地说:"舅,咱关着门说话不分你我,实话实说,你也别急,你的身体有病这是事实,人家说长道短的不是咱大王屯,是笑话咱汴京人啊……"

李留根:"汴京人咋了?汴京人就不兴身上有点不得劲?我压娘肚子里出来就这个样,别说是打盘鼓,干啥都不比别人差,这一会儿恁说我不得劲了,冬天挖河,恁咋把我当个全活劳力?恁咋不说我不得劲了?"

村长外甥忙摆手道:"这打盘鼓和挖河不搿、不搿。"

李留根一下子又恼了,重重地一拍桌子:"装孬孙不画脸,恁把我李留根当成啥人了?我李留根这辈子就和盘鼓搿到底了!"

村长外甥也有点急:"舅,咱都是新时代的人,咱都应该知书达理,咱不可能胡搅蛮缠啊……"

李留根眼一瞪,指着房门说:"掂着曾汴红的酒你赶紧走,再不走我可就要犯神经了,门后的兔枪我可顶着火呢,抠你一扳机,你也就成了不得劲人了,快走!"村长没法儿,站起身来,掂起酒,叹着气往门外走:"我算倒了八辈子血霉了,唉……"走出门后,二孬撵了出来,问:"村长,我的修车费啥时候报啊?"

村长头也没回地说:"报,报,拿来给恁报,恁是爷。"

村长外甥碰了一鼻子灰,心情烦躁地回了家,一屁股坐在老婆摆好的饭桌前,一口咬开酒瓶盖,对着嘴咕咚了一口,骂道:"去球,自己喝!"

村长外甥的闷酒正喝到一半,二孬跨进了他家的门,一进门就龇牙带笑地说:"村长,这两天手头

紧,今个晚上就给我那几个修车费报了吧。"

村长外甥二郎腿一翘,往嘴里抿了一口酒,说:"今个晚上不中,等抽空开个村委会,说说再说。"

二孬:"你不是说拿来给我报的吗?"

村长外甥:"没说不给你报呀,急啥,再急也得开个会说说不是?"

二孬:"这有啥可说的,全村人都知,是去接曾老师修的车。"

村长外甥又往嘴里抿了一口酒,抬起眼问:"因为啥去接曾老师?"

二孬:"打盘鼓啊。"

村长外甥:"是啊,是因为打盘鼓,可盘鼓你还打不打了?"

二孬:"我,我,我现在不打了。"

村长外甥:"为啥不打了?"

二孬:"我,我,我不想打了。"

村长外甥:"你不想打就不打了?你以为这是在锄恁家菜园里的草,今个想锄就锄,今个不想锄明个锄也中?发你的迷,这打盘鼓是村委会和村党支部研究决定的事儿,你想咋着就咋着?"

二孬:"你的意思是,这修车钱去球了?"

村长外甥:"去球不去球你自己考虑,我实话对你说,你二孬别跟我孬,我是代表政府的,你跟我孬就是跟政府孬,你也不动点脑子想想,曾汴红恁牛,不还得答应和那个姓刘的合伙,因为在打盘鼓这个事上,人家姓刘的代表的是政府,跟他挺就是跟政府挺,啥叫聪明人?人家曾汴红这才叫聪明人,你这个傻孙,跟着李留根瞎起哄,别说几个修车费,你吃亏的时候还在后头呢,我实话对你说,不是我怕他李留根,我是不和他个罗锅一般见识,真要是到大义灭亲

的时候了,政府可不管他罗锅不罗锅,孬?怹谁能孬过政府?发怹的迷!"

村长外甥抓起酒瓶,咕咚了一口,一抿嘴,然后将酒瓶重重地敦在桌上。

村长外甥强硬的一番话,在二孬身上起了作用,他拉过一把凳子,凑近村长外甥坐下。

二孬:"村长,我没要给政府作对,我这不是为了讲义气吗?"

村长外甥:"讲义气?你讲的是啥义气?你咋不跟我讲义气?你咋不跟政府讲义气?你是巴结李留根,你以为他要二球我就怕他了?我是念和他那点亲戚关系,你以为他真敢据着兔枪冲我搂火?发他的迷,让他不知让他……"

二孬:"村长,我这不是上灯台的老鼠,下不来了嘛。"

村长外甥:"咋下不来?我帮你下,只要你跟李留根划清界线,明天去华北体育场参加训练,别说几个修车费,这几天的训练补助费一分也不少你的。"

二孬:"我跟李留根咋说?"

村长外甥:"你就说,抓勾、粪堆、小腌臜他们非逼着你去,要不以后在村里没法混。"

二孬一边点头一边想,说道:"我就说,抓勾他妹准备说给俺弟当媳妇,我要是不去,抓勾家就不同意这门亲事儿了。"

村长外甥:"就是嘛,来,喝一口。"

二孬接过村长外甥递过来的酒瓶,对着嘴咕咚了一大口。

二孬走后,村长外甥一早早就上床睡觉,领着盘鼓队在华北体育场折腾了一天,又喝了大半瓶酒,所以这一觉睡得很美。

 旱天雷

第二天一早,吃罢早饭,村长外甥来到村口,参加训练的人大多已经来到拖拉机周围,远远瞅见,二孬也在人堆里说笑,村长外甥舒畅地出了一口气,自得地说道:"小鬼怪麻缠,也麻缠不过阎王啊。"

村长外甥来到拖拉机跟前,大声吆喝:"上车了,上车了,互相瞅瞅,有没有还没来到的……"

正当人们纷纷爬上拖拉机,等候开车的时候,喧闹的人们突然鸦雀无声,所有的目光都投向拖拉机的左前方,人们看见,不知何时,李留根出现在路边,使人们大气不敢出的是,李留根手里掂着一杆兔枪。

坐在拖拉机驾驶楼内的村长外甥,顾不得那么许多,急忙催促驾驶员开车,那驾驶员却没有动势①,因为他瞅见,李留根手里的兔枪已经慢慢抬起。

村长外甥忍住自己快要跳出胸膛的心,不得不把头伸出驾驶楼外,满脸的笑容在不停地颤抖。

村长外甥:"舅,你,你这是弄啥?"

李留根冷冷地反问:"你说弄啥?"

村长外甥:"咱,咱有话好说。"

李留根:"你还想说啥?"

村长外甥:"舅,你想当令旗手的事儿,别管了,我一定再给你争取,一定再……"

李留根:"你当我是傻孙?"

村长外甥:"舅,你把枪放下中不中?啥事儿好说好商量,何必要触犯法律呢?何必要跟全村的老少爷儿们过不去呢?何必要放着好日子不过呢?舅,你是个清亮人,何必要……"

---

① 汴京方言。"动势",去做、去干的意思。

村长外甥说了一半的话停住了嘴,他和所有人都看见,李留根的眼泪涌出了眼眶,那眼泪像决了堤的洪水,在他的面颊上汹涌滂沱,似乎要把一切覆盖。

李留根:"我这一生,有啥?啥也没有,没钱,没女人,没文化,惟一的喜好就是盘鼓,惟一的念想就是盘鼓,惟一的盼头还是盘鼓。我是个柴坯,在人家眼里是个没用的人,可我会打鼓,我是汴京最好的令旗手,恁凭良心说是不是?俺李家祖辈打盘鼓,祖辈没在这十里八乡丢过人,那个被老日杀了的李茂,虽不是俺亲爷爷,但他在我心里比亲爷还亲,为啥?因为俺李家为汴京的人民牺牲过人,为咱大王屯的盘鼓掏过大力,这盘鼓俺李家打了几辈人了,咋?到我这儿恁就不让打了?咋?嫌我是罗锅?嫌我丢恁的人?丢大王屯的人?丢汴京的人?……我跟恁说,盘鼓就是我的亲爹亲娘,就是我的命!今天,恁既然要我的命,我也就不要这条命了……"李留根把再要往下说的话都装进了他的枪膛,只听"轰"地一声,兔枪管里的散弹扇面一样向拖拉机飞去,拖拉机上顿时一片嚎叫……

二十

李留根这一兔枪,杀伤力不算小,村长外甥被打碎的挡风玻璃划破了左脸,抓勾的右额皮下被镶进一粒铁沙,粪堆的左耳被穿了一个窟窿,小腌臜和二孬付出的代价最惨重,一人伤了左眼,一人伤了右眼。

李留根被公安局铐走了,大王屯出事儿的消息传到华北体育场后,刘广合与曾汴红就像各自挨了一兔枪似的,被这惊人的消息打懵了。事情接二连

三地来,就在大王屯出事儿的当天下午,鲍三刚从"义顺兴"胡家赶到华北体育场的时候,一辆警车开进了体育场的大门,将满头是汗的鲍三带走。刘广合跟着警车赶到了龙亭分局,找着熟人一问才知,鲍三涉嫌二罪,一是涉嫌盗窃罪,二是涉嫌破坏林业法规罪。刘广合沮丧地离开龙亭分局,又有一个消息如同重磅炸弹,在"义顺兴"定做的二百面盘鼓被当做赃物查封,几天几夜没合眼的胡老太太,连气带累被120拉进了人民医院,春儿哭着闹着闯进群艺馆,要求赔偿损失以及胡老太住院的医疗费。刘广合蔫了,独自一人坐在华北体育场看台的一角闷头抽烟,他在思考下一步该怎么办?"

曾汴红去大王屯看望了受伤的人之后,回到了华北体育场,在看台上找到了刘广合,两人心情沉重,似乎都觉得自己有什么不可推卸的责任。

曾汴红:"刘老师,下面咋弄?"

刘广合:"受伤的人咋样了?"

曾汴红:"李留根被抓,李氏家族的人闹得很凶,大王屯的人退出了……"

刘广合:"那咋弄?"

曾汴红没吭气,把手伸向刘广合:"给我一支烟。"

刘广合为曾汴红点上一支烟后,自己又续上一支,两人一边吞云吐雾,一边望着天边发愣。这时,他们突然听到远处传来大声的怒吼:"成事不足败事有余的货!活该!丢人贼!让他个赖孙在里头坐!都别管他!令旗我来打!……"

刘广合和曾汴红往大门的方向一瞅,只见鲍玉昆挺着腰板向他们走来。

刘广合大声地:"老爷子,你咋来了?"

鲍玉昆："这大的事儿,我能不来?下面的事儿,你们言一声,咋着也不能把咱汴京盘鼓的面子丢掉地下。"

曾汴红大声说："鲍老师,你这大年龄,还让你跟着操心受累。"

鲍玉昆摆手说道："没事儿,那个孽种吃官司了,令旗手我来当,俺鲍家绝不会把国家的事儿撂地上。"

刘广合大声道："老爷子,令旗手我可以来当,眼下咱缺的是人,大王屯退出不干了。"

鲍玉昆惊讶地："啥?不干了?为啥不干了?"

曾汴红把大王屯退出的原因大声地告诉了鲍玉昆,老头儿听罢哈哈一笑,说："不干就不干呗,值不当恁俩愁眉苦脸,打盘鼓,咱就不缺人,汴京城里一张榜,你看能来多少人,挑都让你挑不及,咳,就不缺人。"

刘广合大声地："张榜容易,好手难挑啊。"

鲍玉昆："你咋知好手难挑?你以为这打盘鼓的好手都在环卫和大王屯?这汴京城里的茅厕池上,十个坑九个蹲着的是打盘鼓的,你咋就知人家不如恁呢?不信你试试。"

刘广合与曾汴红互相看了一眼,似乎觉得鲍玉昆的这个提议可以试试,没准还真能出乎意料。

曾汴红大声说："人好办,鼓咋办?"

鲍玉昆："鼓又咋了?不是在胡家订做了吗?"

刘广合把胡家定做的那二百面鼓的法律责任,大声地向鲍玉昆作了解释,鲍玉昆听罢又哈哈一笑,说："鼓比人好办。"

曾汴红大声地问："好办?咋好办?这大个比赛,总不能凑合吗?上哪儿弄二百面新鼓?"

鲍玉昆："凑合？一点也不凑合，咱还得使那订做的新鼓。"

刘广合大声地："不可能，老爷子，咱不当法院的家。"

鲍玉昆："咱是不当法院的家，有人当法院的家。"

刘广合大声地："谁？谁这牛？"

鲍玉昆："咱干的这事儿是谁的事儿？国家的事儿，国家的事儿当然要找国家，上战场打仗是为国家，上擂台打鼓也是为国家，没有枪和没有鼓是一个理儿，退一万步说，这打仗的枪别管是压哪儿弄来的，偷的，抢的，骗的，你也得让保卫祖国不是，我说是一个理儿就是一个理儿，鼓的事儿得逢官，让市里的头头去跟法院理论。"

刘广合与曾汴红又互相看了一眼，眼中流露出同一个意思：姜还是老的辣。

鲍玉昆的介入，事情果真出现了转机。当天，刘广合把所有的情况向馆长作了汇报，无可奈何的馆长只好按刘广合的意思去办，兵分两路，一路由刘广合带领，挑灯夜战，全馆的工作人员连夜抄写出近百张招考鼓手的海报，贴在了汴京城内的各主要交通路口；另一路由馆长去找局长，又由无可奈何的局长领着去找市委书记周旭。

这第一路的进展正如鲍玉昆老头儿的预料，海报贴出去的当天下午，华北体育场的院里像鱼翻了坑，就连主考官鲍玉昆也没料到会有这么多人前来应试。好家伙，若大个体育场，哪哪儿都是挎盘鼓的人，喧闹的人声，隆隆的鼓声，不亚于北京上海那些大城市里的人热衷于看甲 A 联赛。再瞅坐在主考席上的鲍老爷子，腰板笔直，老眼凸睁，不时对应考者吼道:"把你的招数全亮完！使力！使力敲！"那些鼓足干劲的应试者们,在曾汴红的指令下,每完成一个动作都显得余兴未尽。曾汴红看着这火红的场面,心想:或许这盘鼓才是这座城市的"大族天声"。

这第二路的进展不太顺利,文化局长也没预约,就领着群艺馆长直奔市委书记周旭的办公室,秘书说,周书记去东京大饭店会见一个加拿大的贸易代表团,洽谈合资办厂的事儿去了。秘书还告诉文化局长,周书记明天要去北京开会,开完会还要取道去韩国,洽谈来汴京投资的事宜。文化局长愁上眉梢,与群艺馆长商量道:"不中,咱今天晚上去周书记家?"平时一贯不紧不慢的群艺馆长,今天突然变得火急火燎,拉住局长的胳膊就走:"去东京大饭店。"局长和馆长在东京大饭店贵宾室外的沙发上坐了好几个钟头,他们是利用周旭出来去卫生间的时候,把周旭堵在尿池边的。周旭在卫生间听完汇报,思考片刻说:"我把这事儿交代给我的秘书,让他去办,你们明天去我办公室找他。"第二天,局长和馆长找到周旭的秘书,秘书说已经和龙亭分局的同志说妥了,鼓先让你们领走,用完必须立即送回。局长和馆长赶到龙亭分局,办完领鼓的手续时了解到,犯罪嫌疑人鲍三的卷宗已经移交给检察院,法院定罪指日可待。

当鲍三要判刑的消息传到鲍玉昆耳朵里时,老头儿竖着眉头说:"活该！我全当没有这个儿！"话是这样说,当天晚上,鲍玉昆老泪纵横,脖子上挎了一盘鼓,在院子里无精打采地敲,一边敲一边说:"变了,时代变了,这汴京城变了,人也变了,这鼓也变了,这盘鼓还能敲出个啥名堂……"

就在这天晚上,刘广合和曾汴红不约而同去了

人民医院,在急救病房里,春儿守在胡老太的病床旁,春儿告诉刘广合和曾汴红,他奶奶压救护车拉到这里,只说了一句话,就没睁开过眼睛,她让春儿把家里那面小盘鼓拿到了她的病床头。刘广合静静地看着似乎在熟睡的胡老太,他想起了许多往事儿,想起了许多细节,想起胡老太对他说过他像她的儿子。他伸出手轻轻去理胡老太草一样乱的白发,轻轻地理着,理着……

曾汴红将那面小盘鼓拿在手中,反反复复仔细看着,摸着。许久,不知曾汴红是有意还是无意,用食指在鼓皮的阳面上轻弹了一下,随着这一声响,只见胡老太的眼睫动了一下,刘广合一把从曾汴红手里夺过小盘鼓,在胡老太的耳边又轻轻地弹了一指,只瞅见胡老太的眼睫又动了一下,刘广合接二连三轻弹了几下,这时,胡老太的眼睛缓缓慢慢地睁开,那双眼睛充满着幻觉,充满着憧憬,充满着美妙,充满着对一切的希望,那双眼睛谁也没去看,只是久久地盯在白色的天花板上,久久久久地盯着……

胡老太是睁着眼睛停止呼吸的,谁也不知她为何死不瞑目……

火化胡老太那天,鲍玉昆不顾所有人的劝阻,说啥也要去火葬场为胡老太送行,在通往火葬场的路上,鲍玉昆坐在面包车里,对身边的刘广合和曾汴红讲道:"这个老太,我喜欢了她一辈子,可她不喜欢我……"

曾汴红睁大了眼睛,问:"啥?你们……"

鲍玉昆平静地:"为这,年轻的时候,我和春儿他爷爷打过架,春儿他爷爷打不过我,叫来了她,她咬着牙对我说,她喜欢做鼓的,不喜欢打鼓的,她说,没有天哪有地,没有盘哪有鼓……"

曾汴红大声问："没有盘哪有鼓？啥意思？"

鲍玉昆："盘鼓盘鼓，先有盘后有鼓，最早古人打鼓，是在地上画好的盘上跳着打的……我明白她的意思，这世上，有很多东西是不能分开的，其中包括咱打鼓的和做鼓的……"

曾汴红没往下再问，她把目光转向车窗外，她突然觉得人类很奇怪，创造出各种各样的幸福和美好，又要通过这条无法逃脱的路变成一把灰离开，这是多么的奇妙和不可忍受。谁知道古人是怎么打鼓的？可这鼓伴随着与其相关的说法确确实实地流传下来了，在自己化为灰烬之后还要流传下去……曾汴红不愿再往深处去想，她的耳边清晰地又传来胡老太那面小鼓的指弹声……

曾汴红窥了一眼刘广合，他在闭目养神，脸上没有任何表情。

二十一

首届中国鼓大赛一天天临近，在华北体育场，汴京盘鼓队训练最紧张的关头，传来了一个结局的两个消息，鲍三因毁林盗窃罪，被判处有期徒刑八年，李留根因故意伤害罪，被判处有期徒刑两年。刘广合和曾汴红都不愿谈这两桩官司，他们似乎觉得，这一个结局的两个消息都跟自己有无法摆脱的牵连，在这样的时刻，他们只有全身心投入在这二百名盘鼓手身上。

又有消息从大赛组委会传来，不少地域报名参赛的鼓队已通过新闻媒体表示不夺老一誓不罢休的决心，尤其叫喊最响的是新疆巴楚地区维吾尔族的手鼓队，他们曾经夺过亚洲民间舞蹈比赛的金牌，他们在"刀郎舞"的手鼓伴奏中，以其独有的风采和特

色赢得了十六个国家评委的一致认可。曾汴红说:"我知道'刀郎舞',表现维吾尔族人狩猎的一种舞蹈,手鼓伴奏,很粗犷,那手鼓打得让人惊心动魄。"刘广合说:"不怕千招会,就怕一招绝,咱汴京盘鼓只要有看家的绝招,加上咱盘鼓特有的气势,谁来咱也不怕。"

刘广合和曾汴红都清楚,汴京盘鼓虽然在他们两人手里得到了继承发展,但却没有类似像鲍玉昆"雷中雷"那样的绝技,刘广合提出要在编排中增加绝活儿,遭到鲍玉昆的反对,老头儿说:"别以为我那'雷中雷'是十天半个月就练成的,冰冻三尺非一日之寒,绝活儿玩好了当然抓彩,玩不好就彻底砸锅,就像这'雷中雷',镲撂到空中落下来,你要能接住啥都不说,你要是接不住,那可就麻烦了,落到地上最多是个丢人,要是落到头上,那就麻烦了,把头开了瓢不说,还落个丢人砸家伙。这绝活儿,没有百分之二百的把握,别亮给人看,咱汴京人讲面子,啥叫面子?叫人家看的东西就叫面子,丢啥也不能丢面子。"刘广合心想:是啊,这盘鼓就是叫人家看的东西,就是汴京人的面子,但总不能怕丢面子而放弃绝活儿吧?老一辈有绝活儿,那是他们发明创造的,你就是学到自己手里,专利也是他们的,要想超越他们,必须要创造新的绝活儿。

晚上,喧闹了一天的体育场安静下来,刘广合没有走,他独自一人手握狼牙令旗在琢磨,不知为何,他脑子里总出现电影《最漫长的一天》中的一个画面,盟军登陆诺曼底之后,苏格兰军队在风笛的仪仗行进中,最前头的那个指挥,刘广合不知那个指挥手里拿的玩艺儿叫什么,但那个指挥却给他留下了极为深刻的印象,那个类似令旗的东西在战火之中上下翻飞，出神入化，把一场残酷的战争变得那么轻松快乐。刘广合并不是要从中借鉴什么，而是他觉得，这盘鼓的令旗手也应该有一种刚柔兼备、威而不严的指挥手法，这种手法要在招式上有一种让人难以摹仿，即便是摹仿也难以达到的技巧，这种技巧便是绝活儿，只属于自己的绝活儿。

整整一个晚上，刘广合在宽阔的体育场中探索着，寻找着，实践着，否定着，他忘了饥渴和劳累，甚至忘了他口袋里赖以生存的香烟，他在想：鲍玉昆的"雷中雷"绝就绝在是飞行动作，这令旗的体积大，体重虽不沉，但飞行动作不容易完成，把令旗撂向空中再用手去接，撂高了吧，一来轻飘，二来影响节奏，撂低了吧，不明显，意思不大，如果单单在手上玩花，那又成了杂耍，这盘鼓的令旗手指挥的是动态中的鼓手，其指挥手法一定要夸张，要强劲，要先声夺人……

就在刘广合一遍一遍不满意地摸索着自己所设计出来的动作时，一根手电筒的光柱伴随着他老婆的喊声出现在体育场的入口处："广合！刘广合！……"

刘广合停住手，回应道："在这儿！喊啥喊，你来弄啥？"

老婆沿着跑道走了过来："喊啥喊，我不来喊你，今天晚上你还敢住这儿吧？我来弄啥？家里的电坏了，我喊你回去修！你瞅瞅你这个样，黑灯瞎火的，一个人拿杆旗在这儿耍，傻孙不傻孙？"

刘广合："电咋坏了？"

老婆："我要知我还来喊你？快点吧，电视里正演'心连心'晚会呢，你不瞅瞅人家那旗耍的，人在上面翻跟头。"

　　老婆的话顿使刘广合豁然开朗,自语了一句:"人在旗上翻跟头……"他暗自又说道:"旗在人上翻跟头又有何不可……"他想象到:如果令旗在令旗手的头上,以令旗手的头为支点,做一次弹跳性的跳越,将令旗的把手从右手过渡到左手,再由左手过渡到右手,既不影响节奏又能给人以感官上的刺激,这岂不是一招绝活儿? 想到这儿,他对老婆说:"咱就是回去把电修好,'心连心'也演完了,你再给我十分钟,就十分钟。"

　　老婆:"十分钟能干啥? 就能拿金牌? 屙泡屎还得十分钟呢。"

　　十分钟练出一个绝活儿是不可能的,但就在老婆批准给刘广合的十分钟的时间里,刘广合悟出了这一即将诞生的绝活儿的技巧途径,这一途径是需要时间的,这一时间或许是一百个十分钟,一千个十分钟,一万个十分钟,无论多少个十分钟,使刘广合欣慰的是,他毕竟找到了这个途径。那天晚上,他跟老婆回家修好电,胡乱吃了点饭之后,上床塞上耳机,听着邓丽君的歌唱睡着了,夜里他做了许多离奇古怪的梦,其中有一个梦中的一个细节让他清晰地记到早上起床,他坐在被窝里,抓过床头柜上的香烟,点燃后回想着那个细节,邓丽君命名他的那个"旗在人上翻"的动作叫"风花雪夜",他暗自好笑道:"妈的,咋叫个这名?"可是他想了好长时间,也没有想出一个恰如其分的名字来,后来他索性不再想了,心里就叫它"风花雪夜"吧。

　　在中国鼓大赛越来越接近的日子里,为了这个"风花雪夜"绝活儿能得心应手,刘广合废寝忘食,他的那个为支点的头被令旗杆砸得生疼,红肿,可是这"风花雪夜"成功的概率只是百分之五十。在训练中,曾汴红又为他这个"风花雪夜"增加了一些编排内容,鼓手分成三面,让刘广合的令旗手位于其中来完成他这个"风花雪夜",可这该死的百分之五十的概率,越来越使刘广合信心不足,直到离大赛开幕还剩不到一周的时候,刘广合摇着头对曾汴红说:"不中,我不敢使,这要是使毁了,就彻底砸了,咋向汴京人民交代?"

曾汴红也深感关系重大,但也十分为这个动作可惜,曾汴红当真不当假地说:"不使就不使吧,等你练得百发百中了,使在第五届盘鼓大赛上吧。"

刘广合笑了笑,也当真不当假地说:"第五届盘鼓大赛上使成了,可就没有并列第一了。"

曾汴红微微一笑,说:"我有这个思想准备,这场'内战'早晚是要打的,但保不准我还发明个什么绝活儿,吓你一跳呢!"

在刘广合觉着,他与曾汴红眼下的这种状况,就像当年的第二次国共合作,迫于大局不得不一致对外。他与曾汴红合作还算默契,但各自心中却在厉兵秣马,待打败了"外敌",必有一场为荣誉而战的"内战"。

再说曾汴红,当大王屯鼓队因故退出训练时,曾汴红本想也就此退出,后来她决定不放弃这次机会是因为她想过多了解一些刘广合,就是兵家常说的知彼知己,她始终抱着的一个念头,并非是要去夺第五届盘鼓大赛的金牌,而更重要的是对自己所热爱的这项事业作一个证明,那就是盘鼓并非只属于男人,女人和男人应该各领风骚。当刘广合第一次做出"风花雪夜"的动作时,委实把曾汴红吓了一跳,心里暗叹自己面对的是一个艺术家,从长远的观点来看,盘鼓很难在女人身上有大的作为。但她心里

依然打定了主意,等中国鼓大赛结束,她还将率领大王屯的鼓队,在第五届盘鼓大赛中与刘广合率领的环卫鼓队一决高低。

二十二

农历己卯年十一月十二那一天,正逢是个星期天,首届中国鼓大赛在汴京的华北体育场拉开了帷幕。

这天一早,大王屯的拖拉机就把那些因受伤而退出大赛的大王屯鼓队的人们拉到了华北体育场门口,因得不到入场券,村长外甥领着抓勾、粪堆、二孬等人在门口团团转。

二孬埋怨村长外甥道:"让你早点和曾老师联系,你说没事儿,这大的体育场咋着也坐不满,这好,抓瞎了吧?站票都卖完了。"

粪堆说:"恁瞅瞅门口这些人,都是等退票的,咱来这么多人,门儿都没有。"

抓勾:"总不能白跑一趟啊,咱就是站在外头听听热闹也中啊。"

村长外甥的脸气得铁灰,皱着眉头想了老半天,说:"恁在这儿等着,我想法进去找到曾老师,让她出来领咱。"

小腌臜:"门口恁多警察,你咋进啊?"

村长外甥自信地:"我有法儿进。"

村长外甥消失在人堆里,他并没有直奔体育场的大门,而是奔了对面的停车场,在停车场旁边的一个施工工地上,他搬了人家七八块砖,然后挤过人堆朝体育场大门走去,边走边吆喝:"着路,着路,闪开,闪开……"他穿过警察的第一道防线,第二道防线,如入无人之境就往大门里走。

"站住！你弄啥？"

村长外甥被警察的最后一道防线拦住。

满脸汗水的村长外甥，焦急地对警察说："风大，挂标语的大气球快被刮跑了，让我出来搬点砖。"

警察二话没说，一摆手，让村长外甥进去了。

村长外甥进入体育场后，把一撂子砖往看台下一码，拍干净身上的土，在体育场内转了个遍，终于在东北角上找到了正在给鼓手们进行最后准备的曾汴红，他告诉曾汴红，大王屯一拖拉机人都在体育场外巴望着进场呢。

曾汴红为难地说："都这会儿了，上哪去弄这么多的票？"

村长外甥不愉快地说："人都来了，你说咋办？"

一旁的刘广合对村长外甥说："你在这儿等着，我去找找试试。"

刘广合在主席台下找到正忙得大头小汗的馆长，馆长一听刘广合找票，嘲讽道："你脑子有病？市委书记这会儿也难心找着票了。"馆长热心肠，也帮着刘广合打听了一圈，一无所获。这时主席台上已传来主持人宣布大赛开幕的声音，刘广合跑回去对村长外甥说："实在没有办法，一张票都找不到。"

村长外甥瞅着盛大节日一般的体育场内，长叹一口气："唉，大王屯的人命不好，这李留根把大王屯给害了啊……"

曾汴红同情地说："村长，你看咋办？……"

村长外甥又叹了口气，说："咋办，打道回府……"

刘广合一把捞住正准备离开的村长外甥："你既然进来了，就别出去了。"

曾汴红："对啊，你就别出去了，咱汴京盘鼓是头场比赛，看罢再走。"

村长外甥犹豫道："那他们咋办？"

刘广合："这会儿还管那么多，能看一个人是一个人，看罢出去给他们传达传达不就得了。"

村长外甥一狠心道："搬一摞砖进来不容易，去球，不出去了，随他们骂吧，今天是能幸福一个人是一个人，总比一个都不幸福强吧。"

村长外甥决定留在了场内。场外的一帮阶级弟兄，左等他不来，右等他不来，翘急。他们已听到汴京市委书记一字一顿地拖着长腔宣布："首届中国鼓大赛现在开幕——"

抓勾实在忍无可忍，放声骂道："村长，恁万奶奶！把恁这一群爷撂在外面不管了，你不是个好养爷的孙！"

所有人都愤怒地骂了起来，但他们已经知道没有希望了，因为几十分钟的叫骂之后，他们听到了隆隆的鼓声，和如同波涛一般的叫喊声，高音喇叭里的解说员用纯正的普通话解说道："首先出场亮相的，是山西的威风锣鼓，这支由山西霍县一百五十人组成的威风锣鼓队，曾三次荣获山西民间艺术大赛的冠军，曾在一九九五年获得中西部民族鼓比赛的银牌，是一支相当有实力的鼓队……"

粪堆："去球，去球，咱回吧，没戏了。"

二孬："不回！没戏咱听戏，听听心里也好受！"

小腌臜："就是，大远来到，连个鼓声都没听着，亏不亏，谁要回谁回，我是不回。"

"不回！俺都不回！等村长狗日的出来，放他的血，中午让他掏钱请咱去州桥喝胡辣汤！"众人吆喝着。

体育场内的喝彩声此起彼落,第二个出场的是傣族的象脚鼓,第三个出场的是北京的太平鼓,第四个出场的是安塞腰鼓,第五个出场的就是呼声很高的新疆巴楚地区的手鼓。手鼓也叫"达甫",配两根装有大铁环木棍的"萨巴伊",就像盘鼓与镲的关系,一出场便赢得了观众,高音喇叭里是这样介绍的:"这支来自我国西部的维吾尔族的手鼓队,曾在亚洲民族歌舞比赛中为'刀郎舞'伴奏,夺得过亚洲冠军,他们鼓技精湛,鼓点明快,节奏多变,令人如痴如醉……"

大王屯的人们嘴里的骂声早已停止了,他们在想象着体育场内的比赛场面,想象着观众的愉悦,想象着高鼻子大眼睛的维吾尔族人脸上的笑容和评委们关注的目光,想象着那个狗日的村长坐在看台上激动的模样……

此时此刻的村长外甥,并不是场外那些骂他的人想象的那样,此刻,他被群艺馆长抓了"公差",因为人手不够,他被安排到上场处和另外一个工作人员一起负责把守出口,村长外甥本想推脱,但实在不好推脱的原因是,群艺馆长对他说:"伙计,帮个忙,恁这一次没赶上不碍着,等下一回,别管了,恁大王屯的鼓队只要参加盘鼓活动,我肯定关照。"村长外甥心里明白,这群众艺术馆不算个啥了不起的机构,用乡里人的话说,"不当吃不当喝的,有它没它都过年",可有一点村长外甥清亮,敲锣打鼓唱歌跳舞的事儿,离了它还真不说事儿,比如说盘鼓大赛吧,群艺馆长不发话,你还真麻烦,乡里人进城,是个衙门都得低头,就这吧,抓公差就让他抓吧,以后和他打交道的时候还长着呢。

这上下场的出口是个过道,一头连着体育场的

跑道,一头连着更衣室,连着跑道那一头,要是踮起脚尖,还能瞅两眼在场内比赛鼓手们的上半身,连着更衣室的那一头,和站在体育场外没啥两样,只能听鼓不能看鼓,村长外甥就被安排在这个只能听鼓不能看鼓的岗位上了。要说心情,他的心情比没进场的抓勾他们还糟,因为他不是在高音喇叭里感受鼓的频率和节奏,他是在近在咫尺却不能相望的地方,那滋味,你想吧,能比场外的人好受?

村长外甥虽没亲眼瞅见比赛,但他却亲眼瞅见那些从场上下来的鼓手们,从他们的神情和言谈话语中,他感受到比赛的激烈和残酷。尤其是维吾尔族那帮鼓手们,直径只有四十厘米的手鼓,这冷的天,能把他们打得大汗湿透,其中有一名鼓手,不知何故,下场时左手鲜血淋漓,他使用的那只手鼓上溅满了鲜血,医生们撵到出口处为其包扎,村长外甥问了一位身旁的维吾尔族小伙儿才知,因为他的手鼓在坐火车时不小心碰烂了鼓皮,到了汴京临时在书店街的乐器行里买了一面新鼓,把手磨烂了。那个维吾尔族的鼓手一边呲牙咧嘴地接受包扎,一边用熟练的汉话埋怨道:"汴京的羊皮嘛,比猪皮还粗嘛,好厉害呀,汴京的盘鼓是大象皮做的吗?"

村长外甥学着新疆普通话,和受伤的维吾尔族鼓手逗了一句:"汴京的盘鼓嘛,就是大象皮我们也能把它敲响嘛。"

当汴京的盘鼓队准备出场时,村长外甥的心里好不是滋味,那一个个身穿黄短打的鼓手压他身旁走过时,他微微撇着嘴,一个劲想哭。曾汴红把村长外甥的表情看在眼里,她压村长外甥身边路过时,拍了拍他的肩膀,低声地说:"知道蔡振华吗?"

村长外甥问:"蔡振华是谁?"

曾汴红："中国乒乓球队的教练。"

村长外甥："噢噢……"

曾汴红："蔡振华说，中国的乒乓球，打外国人不叫打，中国的冠军比世界冠军还要难拿。"

村长外甥明白了曾汴红话的含意，坚定地冲曾汴红点了点头。

汴京盘鼓队在体育场擂响盘鼓时，站在出口处的村长外甥像一座雕塑立在那里，鼓声，喊声，全场的欢呼声响成一片时，他却任何声音都没有听到，他静静地站在那儿，耳边只有曾汴红对他说的那句话"……中国的冠军比世界冠军还要难拿"。

二十三

一晃半年过去了。在汴京盘鼓队夺取首届中国鼓大赛的冠军后，刘广合与曾汴红分道扬镳，各自率领自己的鼓队厉兵秣马，要在第五届盘鼓大赛中决一雌雄。首届中国鼓大赛之后，刘广合把他那个在中国鼓大赛上没敢亮相的"风花雪夜"，练得炉火纯青，与此同时，他又把老爷子鲍玉昆的"雷中雷"学到了手，他自信有这两手在，你曾汴红就是把盘鼓排练成芭蕾舞也白搭。

曾汴红当然也不是等闲之辈，在这半年的时间里，她不光训练成了大王屯的大男人们，还训练了一帮娃娃，大小一结合，不单使大王屯的盘鼓变得新颖，而且更好看，更赋予一种生命力，一种让人搁不下舍不去的无穷魅力。

在这半年的时间里，可忙坏了"义顺兴"的春儿，他接替了胡家制鼓的技艺不说，还把在龙亭公园摆摊的爹妈都拉了回来一起和他做鼓。"义顺兴"的生意太火爆了，令人费解的是一些不着四六的单

旱天雷

位也上门预定鼓,什么人才交流中心啊,专利局啊,审计局啊,医药公司啊,妇女联合会啊,地方志办公室啊,第一监狱啊,甚至相国寺里的和尚都跑来要鼓。春儿的爹妈高兴得了不得,春儿提出人手不够,去劳务市场再找两个帮工,春儿的爹坚决不同意,说钱得自己赚,再累也得自己赚,春儿一再提醒爹说:"有赚不完的钱,身体比钱重要,俺爷和俺奶的教训可要接受。"春儿的爹骂道:"小兔仔子,你咒我不是?恁爷恁奶是啥岁数?我是啥岁数?他们没赶上好时候,等到解放台湾喽,别管了,咱雇他十个帮工。"

这第五届盘鼓大赛有多少队伍报名,刘广合和曾汴红都不甚清楚,不到报名截止那一天,谁也不会知有多少盘鼓队参加,但面对新闻媒体的采访,无论刘广合还是曾汴红,都是一副稳操胜券的模样。然而,事情却出乎所有关注这两支盘鼓队的人们的意料,大大的出乎意料。

第五届盘鼓大赛的擂台,依然设在华北体育场内,一百二十个代表队,比赛五天,金奖一名,银奖两名,铜奖三名,优秀奖十名,精神文明奖二十名,鼓励奖三十名,获奖率占百分之五十靠上。然而人们看好的当然是金、银、铜三块奖牌,最关注的无疑是金奖,因为所有汴京人都知,得了这块金奖就是得了真正意义上的全国冠军。

五月端午那天,是第五届盘鼓大赛的开幕式,这一天,不少汴京人没有去体育场凑热闹,因为他们了解到,前四天的比赛不精彩,尽是一些不打食的队,最后一天才是最关键的,环卫和大王屯两队都搁在了最后一天。所以,大多数喜爱盘鼓的汴京人,都在家中一边包着粽子,炸着麻叶菜角,一边看着实况转播。可恰恰就在这第一天,出了大事儿,这标志着现代文明的电视实况转播,一瞬间把一个令汴京人瞠目结舌的图像发射给千家万户,如果说电视编导可以利用剪接手法作弊的话,而这实况转播则是束手无策的,何况这盘鼓大赛,摄像机的镜头要是离开了令旗手,也就失去了拍摄盘鼓的意义。

这时,在现场观看的刘广合和曾汴红,也被场上的惊人一幕搞直了眼,当播音员报出:"现在进入场地比赛的,是第一监狱代表队,这支代表队是由第一监狱的犯人组成,他们要用自己的实际行动,来表现他们接受改造的决心和成效,来洗刷他们对社会对人民犯下的罪行,对这些罪犯来说,他们要带罪立功,争取早一日做一个有利于人民的人,有利于国家和社会的人……"全场一片骚动,刘广合和曾汴红与所有人的目光一同投向这支鼓队的令旗手——罗锅。播音员继续在说:"第一监狱的这支盘鼓队的鼓手是由犯人组成的,他们的教练和编排也是由犯人组成的,教练:鲍三;编排:鲍三、李留根;令旗手:李留根……"

此刻,刘广合瞅了瞅天空,蓝天白云,晴朗无风,他又瞅了瞅不远处的曾汴红,只见她的目光虽然在看着场上的这支鼓队,但神思仿佛落到体育场外很远的什么地方,她显得很安静,她的心平静如水……

刘广合悄悄地来到曾汴红的身边,曾汴红看了他一眼,嘴角微微撇出一丝笑意,两人的目光一同又投向在场中央跳跃的李留根,他们听到,热烈的掌声已经将隆隆的鼓声覆盖。

刘广合:"看见没,他们这个'大鹏展翅'是你的活儿……"

曾汴红无动于衷,片刻说道:"这个手法咋恁眼

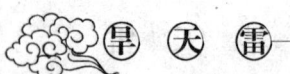

熟呢？你看像不像你的'黄河起浪'……"

刘广合不以为然地看着,问:"哎,你说,盘鼓这玩艺儿能不能申请专利?"

曾汴红反问:"你是要为别人申请呢？还是要为你自己申请呢？"

刘广合想了想,说:"为咱汴京申请。"

曾汴红:"你不是人大代表吗？再开会的时候,你提提。"

刘广合:"提提就提提,反正咱是没戏了。"

曾汴红:"啥没戏了？"

刘广合瞅着场上跳跃的李留根,沉沉地说:"或许,好戏还在后头……"

后头还有没有好戏谁也难说,这第五届盘鼓大赛后头可真没了好戏。颁奖那天,刘广合和曾汴红同时上台去领银奖,领罢奖下台后,刘广合突然想起了什么。

刘广合:"哎,曾老师,你说,这鲍三和李留根这俩货,在里头掐不掐?"

曾汴红:"他俩在里头还掐的话,咱俩还能一起上台领这个银奖?"

刘广合点头道:"有道理,这话说得有道理,那,你说说,他俩在里头为啥就不掐了呢?"

曾汴红严肃地反问:"你说呢？"

一阵严肃思考之后,两人喷出哈哈大笑。

后 记

郑重申明一下,这个后记跟上面胡编乱造的故事无关,故事是虚构的,这个后记是一个实实在在的真实数据,这一串数据我不想给它赋予感情色彩的评价,然而,开封市群众艺术馆率领的盘鼓队创造的

这一串串数据,只是所有数据中具有不全面代表性的一部分,但它却真真切切代表着开封这个古老城市半个世纪的文化辉煌:

公元1991年北京龙潭庙会　金奖
公元1992年北京龙潭庙会　金奖
公元1993年北京龙潭庙会　金奖
公元1998年北京龙潭庙会　金奖
公元1991年中国沈阳国际秧歌节　金奖
公元1992年中国沈阳国际秧歌节　金奖
公元1991年陕西中国锣鼓大赛　金奖
公元1992年中国大连赏槐节　金奖
公元1992年兰州中国丝绸之路艺术节　金奖
公元1994年日本三重县文化艺术节　金奖
公元1994年参加中央电视台春节联欢晚会
公元1997年前往香港参加香港回归庆祝活动
公元1999年参加中国昆明世界博览会
公元1999年参加中华人民共和国建国50周年联欢晚会
公元1999年前往澳门参加澳门回归庆祝活动
……

在此,我要感谢为创作这篇小说接受我采访的开封市群众艺术馆的刘震先生、姬广兰女士;开封市第一师范学校的曹尔瑞女士;感谢为我提供素材的开封市文学艺术联合会的王宝贵先生、白峻岭先生;开封市著名画家李抱一先生;开封市"义顺兴"老字号的卢春胜夫妇以及他们的母亲;还要感谢开封市文化局,开封市群众艺术馆,感谢所有为开封盘鼓作出贡献的单位和市民……

后记

一九七一年的春天,全家跟随父亲举迁开封,那年我十六岁。在此之前,我对开封的印象只是停留在从上小学就开始填写的各种表格里的祖籍一栏中。

火车进河南的时候是夜里。天麻麻亮,我看到了盐碱地,像霜打在墙上。我坐在车厢里,突然想起把父亲"赶走"的前线话剧团曾经演过的话剧《焦裕禄》,父亲说过,"你大姑就在兰考"。

那年月,历史的辉煌并不能使一个不了解开封历史的少年激动,那天早上,开封在我眼里,只是一片灰蒙蒙的破砖头烂瓦块,就像一个佝偻着背的老太婆。但是,就在那天早上,我看到了龙亭。远远望去,我不知道这个建筑是什么东西?那天早晨的开封,安静得让人恐惧,只有午朝门旁的井台上传来水桶撞击井壁的声音,还有不知从哪条小巷内传出卖

"榆钱"的女声……

在最初来到开封的十几年里,当别人问我是哪里人的时候,我总是说自己是南京人。时不时还联想到南唐后主李煜的诗词——"春花秋月何时了,往事知多少,小楼昨夜又东风,故国不堪回首月明中……"

在这里,我一待就是三十年。目睹我干坏事儿的人一一死去了,这其中包括我的父亲。我永远忘不了,每逢雨天父亲打着雨伞,走在通往公共厕所的泥泞路上时那小心翼翼的样子;永远忘不了父亲紧蹙眉头,坐在堂屋里怀疑"有人还再整他"的那种痛苦表情;永远忘不了,在我最初学写小说的日子里,父亲对我投来的那种不信任的眼光……父亲永远是父亲,父亲没有赶上好日子,没有享受过屋里有电话,有抽水马桶的幸福。父亲更不会晓得,如果在他发病的当时门口能叫来一辆面的车,他就不至于走的那么快。是父亲把全家带到这里来的,他却独自走了……我还是要感谢父亲,是他给我了这么一个祖籍,把我带回来,于是我懂得了一点文学,让我发现了这块土地的魅力……

开封的小说人,早就喊出了写"开封味"小说的口号,喊了许多年,有气无力地合住了嘴。什么是"开封味"?我想我不必再与同行们探讨,因为是一个画蛇添足的事情。生活中往往有一种现象,人人都知道的事情,如果把它加一个定义的话,这事情的内容和形式却模糊了,反而不容易了解真相。在这种情况下,讨论往往是徒劳的。人们称我的小说为"市井小说"。郑克西先生在他的评论文章开头这样说道:"描绘了一幅中州市井生活的风习画和民俗画。"著名的宋史教授程民生也是这样认为。我的"开封味"小说,主角是百姓,正如张家顺先生"宋文化是市井文化"的观点。宋文化最具代表的《清明上河图》和《东京梦华录》,这一书一画正是"开封味"小说最有说服力的写照,而我的"文化立场"就是建立在这样的基础之上。

有位先生曾严厉指出,我的"开封味"小说品味不高,没有写出开封人高尚的情操和新的精神风貌……并希望我要多读一些世界名著(不少人这样教导我)。说实话,我家里的书架上是搁了不少名著,早些年也读了一些。但我从写小说那一天开始,就清楚的知道自己不是能写出世界名著的这块材料。还有人说我离诺贝尔奖还早着呢。这就更令我哭笑不得,因为我写小说的目的不是奔着她去的,如果我怀有这么个远大目标,无论如何我是写不出小说的。不管什么人处于何种心理这样鼓励我,我都会让他失望,因为他不了解我的读者,所以他就无法了解我的小说,也就更无法了解我喜欢读什么书。不是我不接受批评,而是不能让我口服心服。没有对话基础的对话是痛苦的。

我的读者,和我的文化立场基本一致,都属于贫民,都属于那些情操不够"高尚"的下层人。一位下岗厨师,看完《汴京镖局》后,通过报社找到了我,死活要到我家来为我做一顿饭。是的,我的小说,对那些坐在明亮办公室中研究学问的人来说,可能不上档次,没有名著的风范。没关系,对我来说,只要有类似下岗厨师这样的陌生读者,能打听到我的电话号码就行。

开封是个有文化品味的城市,九百多年前,成吉思汗的弯弓射落了北宋的皇冠,却射落不了马行街两旁的酒幌。那骠悍勇猛的女真族,他们能押走成

千上万的能工巧匠、能剔去紫宸殿梁栋上的金皮、能把皇上和女人们像赶羊群一样赶到北国,让皇上坐井观天,让女人们在毡房里为他们养儿育女,而他们却不能带走铸造宋代辉煌的土壤。一个王朝能取代另一个王朝,而一块土壤里滋长出来的芽苗,哪怕是再微不足道,它在战争、杀戮、贫穷之中,依旧能汲取着焦土下面赖以生存的水分,重新长成一棵参天大树。就历史而言,开封是一个劫难太多的城市,有官佐的腐败,有自然灾害的侵吞,先后有五座城在地下面埋着。要说品味,这或许就是开封的品味。直到现在我才理解父亲当初为什么放弃苏州要回到这座破烂不堪的城市,才明白叶落为什么要归根……

《百年祥符》、《汴京镖局》被中央电视台、河南电视台拍成电视剧的时候,我曾对媒体称自己是个贫民作家,自己和这座城市一样穷,每月几百块钱的工资,要应付日益高涨的各种费用。没有奖金,没有补助,没有集资盖房,还要面对即将名存实亡的公费医疗。我知道,叫苦连天的不只是我,还有我们的市委书记和市长们。记得有一句格言说,"多难兴邦",然而,格言毕竟是带有情绪性的,在某种特定条件之下,它才是真理,它不是科学的。"难"太多就很难兴邦。我倒是相信"置于死地而后生"这句格言,它虽然也带有强烈的情绪,却不带有阿Q式的空想。开封已经到了不是再不厌其烦地夸口炫耀祖先辉煌的时候了,面对这个关头,一个贫民意识十分强烈的小说家,有责任把这座古老的城市剖析给世人,让人们了解她的文化,了解她的精神,了解她面对市场经济的艰难。

在这里,我要鸣谢那些与这本小说有关的人和单位,首先是我死去的父亲,他给了我这样一个祖

籍；还有我的母亲，她至今也不会说一句开封话，但她严格遵守了"夫唱妇随"的原则，而且在百年之后将与父亲同穴，却没有墓志铭；让我感动的还有我的妻子，她是在我最困难的时候，"嫁鸡随鸡，嫁狗随狗"的。她来这里才六个年头，却能说一口比我还流利的开封话；开封市十五中学我已离开很多年了，我在那里上学，又在那里教书，每当回想起在那里的日子，我就不会发觉自己已经人到中年；要说最值得感谢的，除开封文联的老主席王基之外，就是省文联的老作家张斌先生，是他们在文学上"拉了兄弟一把"；还有王宝贵先生、高树田先生、白峻岭先生、李逸野先生、刘兆英先生和文联所有的同仁们，他们都不遗余力地帮助我把"开封味"写好；还有我的兄弟，合作伙伴、我省的著名导演李利宏，以及中央电视台、河南电视台，还有高金生、李克勤、吴兆龙先生和导演王大鹏先生。如果说"开封味"能成气候，与他的推波助澜是分不开的；最需要感谢的是中原书城的董事长刘占峰先生和河南大学出版社，是他们要把这中国当代文学史上第一部"汴味"小说集推向市场，我相信不会让他们失望的，因为老百姓喜爱看的小说，就不会赔本。

贫民作家，祝你走运！

开封，祝你走运！

2000年秋于开封东城墙外苹果园25号楼